一笑
古龍著

盛期之風貌

臥龍生作品 帶動武俠風潮

《飛燕驚龍》開一代武俠新風

《飛燕驚龍》(1958)爲臥龍生成名作，共48回，約120萬言。此書承《風塵俠隱》之餘烈，首倡「武林九大門派」及「江湖大一統」之說，更早於香港武俠巨匠金庸撰《笑傲江湖》(1967)所稱「千秋萬世，一統」達九年以上。流風所及，臺、港武俠作家無不效尤；而所謂「武林盟主」、「江湖霸業」等新提法，竟成爲社會大眾耳熟能詳的流行術語了。

《飛燕》一書可讀性高，格局甚大。主要是寫江湖群雄爲覬覦傳說中的武林奇書《歸元秘笈》而引起一連串的明爭暗鬥；再以一部假秘笈和萬年火龜爲餌，交插敘述武林九大門派（代表正派）彼此之間的爾虞我詐，以及天龍幫（代表反方）網羅天下奇人異士而與九大門派的對立衝突。其中崑崙派弟子楊夢寰偕師妹沈霞琳行道江湖，卻如夢似幻地成爲巾幗奇人朱若蘭、趙小蝶之絕世武功技驚天龍幫，而海天一叟李滄瀾復接連敗於沈霞琳、楊夢寰之手；致令其爭霸江湖之雄心盡泯，始化解了一場武林浩劫云。

在故事佈局上，本書以「懷璧其罪」（與真、假《歸元秘笈》有關）的楊夢寰屢遭險難，卻每獲武林紅妝垂青爲書膽(明)，又以金環二郎陶玉之嫉才害能，專與楊夢寰作對(暗)爲反派人物總代表。由是一明一暗交織成章，一波未平，一波又起，極盡波譎雲詭之能事。最後天龍幫冰消瓦解，陶玉帶著偷搶來的《歸元秘笈》跳下萬丈懸崖，生死不明，卻予人留下無窮想像空間。三年後，作者再續寫《風雨燕歸來》以交代陶玉重出江湖，爲惡世間，則力不從心，當屬狗尾續貂之作。

在人物塑造方面，臥龍生寫男主角楊夢寰中看不中用，固然乏善可陳，徹底失敗；但寫其他三名女主角如「天使的化身」沈霞琳聖潔無瑕，至情至性，處處惹人憐愛；「正義的女神」朱若蘭氣質高華，冷若冰霜，凜然不可犯；「無影女」李瑤紅則刁蠻任性，甘爲情死等等，均各擅勝場。乃至寫次要人物如「賓中之主」海天一叟李滄瀾之雄才大略，豪邁氣派；玉簫仙子之放蕩不羈，爲愛痴狂；以及八臂神翁聞公泰之老奸巨猾，天龍幫軍師王寒湘之冷傲自負等，亦多有可觀。

與

摘自 葉洪生、林保淳著
《台灣武俠小說發展史》

台港武侠文

流行天

臥龍

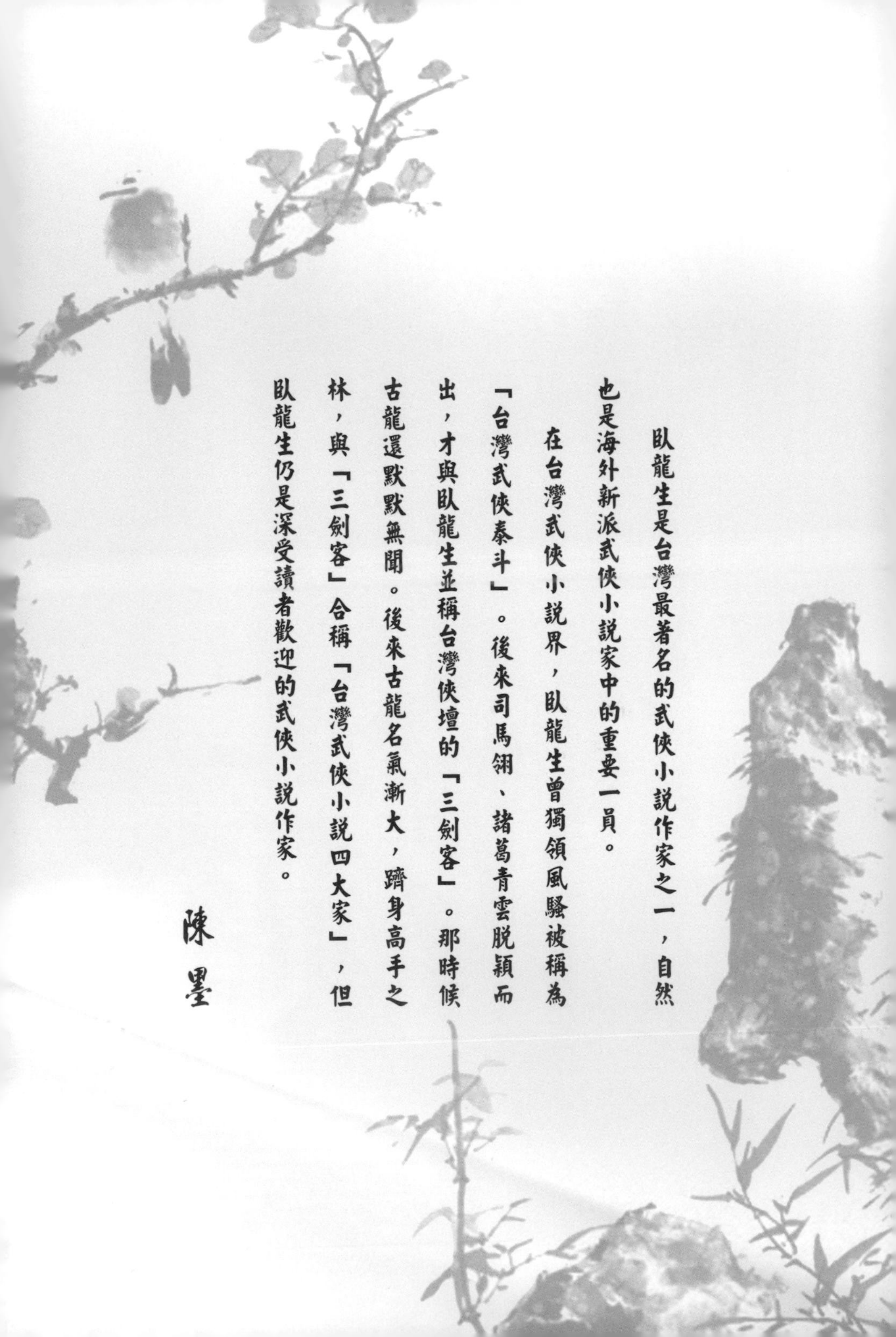

臥龍生是台灣最著名的武俠小說作家之一，自然也是海外新派武俠小說家中的重要一員。

在台灣武俠小說界，臥龍生曾獨領風騷被稱為「台灣武俠泰斗」。後來司馬翎、諸葛青雲脫穎而出，才與臥龍生並稱台灣俠壇的「三劍客」。那時候古龍還默默無聞。後來古龍名氣漸大，躋身高手之林，與「三劍客」合稱「台灣武俠小說四大家」，但臥龍生仍是深受讀者歡迎的武俠小說作家。

陳墨

臥龍生
金筆點龍記
（二）
臥龍生
武俠經典珍藏版
30

臥龍生 精品集 30

金筆點龍記(二)

目錄

十三　神刀金釵

俞秀凡道：「你不只一宗好處，但如一件大惡，百善難償。你說吧！什麼苦衷。」

桃花童子道：「我母親和姊姊，都被留做人質，如若我洩漏了什麼隱秘，家母和我姊姊，都將身受殘刑而死。」

俞秀凡哦了一聲，道：「果然是很大的難處。」

王尙道：「小桃童，咱們去救令堂和你姊姊出來。」

桃花童子搖搖頭，道：「談何容易。」

俞秀凡道：「我想令堂和令姊姊被囚之處，定然防守得十分嚴密，但如咱們有很精細的計劃，也並非全無可能。」

桃花童子道：「這個，這個，咱們的機會不大，幾乎可以說沒有機會。」

俞秀凡道：「小桃童，能不能說出令堂和令姊姊的囚禁之處？」

桃花童子道：「我……」

俞秀凡接道：「四野空曠，不見人蹤，你只要相信我們不會洩漏，何妨說來聽聽。再說，這也不算洩漏隱秘啊！」

桃花童子嘆口氣，道：「公子，如此見愛，小的只好奉告了。」

略一沉吟，接道：「那是一處很隱密的山谷，谷中綠草長青，四季花開，有著很多的布設，食的是山珍海味，穿的是綾羅綢緞，病痛有良醫照顧，而且一年有很多次花會，應該是人間樂土，世外桃源，我母親和我姊姊就住在那座山谷。」

王尙道：「聽起來果然是好去處。」

俞秀凡道：「那裏面住有多少人？」

桃花童子道：「百戶人家。」

俞秀凡道：「都是那組合最重要的人質了？」

桃花童子道：「不錯，百戶人家，過的是帝王生活，但也是隨時可能被各種酷刑處死的囚犯，他們的夫婿子女，要洩漏了隱密，或是犯了規戒，那戶人家，立時將遭到各種酷刑而死。」

俞秀凡接道：「小桃童，那些人質，不是老弱幼小，就是婦道人家了？」

桃花童子道：「是的，公子明察。」

俞秀凡道：「他們會不會武功？」

桃花童子道：「也有會武功的人，但入谷之前，必先廢去武功。」

俞秀凡道：「要是他們的子婿爲你們那神秘組合戰死，那一家人質，又如何處置？」

桃花童子道：「贈送黃金百兩，白銀三千兩，移出秘谷。」

俞秀凡道：「送往何處？」

桃花童子道：「很難說，江南江北，因人而異，大都離開原籍，越遠越好。」

俞秀凡道：「他們不會說出去麼？」

桃花童子道，「不會，他們看到過那用刑的殘酷，知道洩漏了隱秘之後的悲慘遭遇。」

俞秀凡道：「黃金和白銀，都是當眾發給了，是麼？」

桃花童子道：「是的，全谷中人，都可看到。」

俞秀凡道：「是否有人見到過那些出谷的人呢？」

桃花童子一怔，道：「沒有人見過，但谷中早有說明，任何人收到谷中的金銀，就算和這個組合完全脫離了關係，從此之後，只要你不提這個組合的事情，任何人都不會再找你的麻煩。」

俞秀凡道：「小桃童，那座世外桃源的秘谷，有不少人要遷移出去了吧？」

桃花童子道：「近三年來，大約有二十幾家吧。」

俞秀凡道：「不算太多，但應該明白，那都是貴組合最重要的人，三年來，死了二十幾個，那已是很驚人的數字了。」

語聲微頓，接道：「那些人，自然不會像你這樣年輕，但我想他們都是壯年，他們都有一身很好的武功，犧牲如此重大，必然在做著極端危險的事。」

桃花童子嘆口氣，但卻沒有接言。

俞秀凡緩緩接道：「再說那些遷出那神秘谷的人吧！我相信你們那個組合，不會在乎那百兩黃金和三千兩白銀，但婦道人家和老弱童子，通常又是最不會保守隱祕的人，他們初離山谷，也許會記憶那些殘酷的刑罰，不敢洩漏，但如經過了三、五年後，他們就不會再記著這些。但武林卻一直沒有聽到你們這神秘組合的傳說，這證明了你們保守機密的方法十分成功，最成功的保密方法，就是讓他們永遠沒有說話的機會。」

桃花童子心頭一震，道：「公子是說他們都死了？」

俞秀凡道：「如是他們都好好的活著，江湖上早有貴組合這個傳說了。」

桃花童子呆了一呆，道：「這個，這個……」

王尙冷冷接道：「小桃童，我覺得公子說的話十分有理，你如不信，那就不妨去試試。」

桃花童子道：「如何一個試法？」

王尙道：「你裝死，看看他們如何處置你母親、姊姊。」

桃花童子道：「公子，我有些相信你的話了。」

俞秀凡道：「小桃童，你是否相信我的武功，能夠闖過那秘谷外面的埋伏，和對付那些守衛的人？」

桃花童子點點頭，道：「相信。」

俞秀凡道：「和我們合作，先查證一下，那些遷移出谷的婦孺老幼是否還活在世上。如若他們還活著，我們決不勸你脫離。如若他們死了，咱們就想法子救令堂和你姊姊出來。因爲，你有一天會爲他們而死。你活著是爲了保護你母親和姊姊，但你死了，她們卻要陪你而死。」

桃花童子沉吟良久，才點點頭道：「在沒有證明這件事前，希望三位別再逼問我什麼。」

俞秀凡道：「一句話。小桃童，英雄和奸雄，君子和小人，你很快就會分辨明白。」

桃花童子嘆口氣，怯懦地說道：「公子，小的可否請教幾件事？」

俞秀凡道：「可以。你問吧！」

桃花童子道：「公子究竟出身什麼門派，練成了那一身詭異莫測的武功？」

俞秀凡道：「我沒有門派，所以也不受任何門規的束縛。」

桃花童子道：「公子在江湖上走動，總不會全無目的吧？」

俞秀凡道：「說了你也許不信，我沒有一定的目的，但我在找事情做。」語聲微微頓了一頓，道：「前次去湘西五毒門，此次來璇璣宮，你應該瞧出來，我哪有些什麼用心？一時的好奇而已。不過，我確在找事情，像你小桃童的事，就是我自己找的。」

想一想，桃花童子覺得俞秀凡說得很對，緩緩應道：「也許你說的都是真的。」

俞秀凡微微一笑，道：「本來就不假，希望你相信我的話。」

桃花童子道：「我如不自作聰明，跟你同來，也許不會有這樣的事了。」

王尙道：「什麼事？小桃童，請別誤會咱們公子，他完全是一片好心。」

桃花童子道：「我知道，但我必須維護家母和姊姊的安全，能讓她們多活一天，我就全力以赴。」

俞秀凡道：「小桃童，這不是辦法，你知『飲鴆止渴』這句話吧？」

桃花童子道：「我明白，但我不能冒險。」

王尙突然嘆口氣，道：「看來，咱們是很難說服你了，但至少你也不能再騙我們了。」

桃花童子道：「我不會，嚴格的說，現在我已經犯了可處死刑的罪過。」

王尙笑了一笑道：「這麼嚴酷的規戒，自然不會是什麼好的組合了，再說，你根本沒有違犯什麼規戒，你只是回去探視一下你的母親。」

俞秀凡道：「王尙，咱們談談別的吧！」

桃花童子道：「有人來了。」

俞秀凡抬頭看去，果見一人迎面行來，不大工夫，已到了幾人身前，正是璇璣宮的外務總管郭華堂。

王尙一横身，攔住去路，道：「郭總管，想不到啊！咱們會在璇璣宮外面碰上。」

郭華堂道：「有什麼想不到的，我郭某人經常到宮外走動辦事。」

俞秀凡喝退王尙，拱手笑道：「郭總管，沒有想到咱們這麼快就離開了貴宮吧。」

郭華堂神色間流露出一絲不安，但很快地恢復了鎮靜，道：「諸位能夠脫出璇璣宮，在下確有些意外。」

俞秀凡笑了一笑，道：「璇璣宮機關重重，咱們怎能闖得出來。」

郭華堂接道：「那麼諸位怎麼出來的呢？」

桃花童子接道：「咱們公子闖過了五關，接受了貴宮的招待，由貴宮主派內務總管荊鳳姑娘，送我們離開了貴宮。」

郭華堂哦了一聲，道：「貴公子闖過了五關？」

王尙冷冷說道：「你好像有些不信？」

郭華堂道：「這些年來，從沒有一個人能夠闖過五關，貴公子能夠闖得過去，那是唯一闖過去的人了。」

俞秀凡道：「郭總管此番獨自離宮，又匆匆而返，想必有什麼重大之事了？」

郭華堂沉吟了一陣，道：「俞少俠，這是本宮的私事，恕在下不便奉告。」

俞秀凡一閃身，道：「郭總管如有什麼礙難之處，在下也就不便多問。」

郭華堂輕輕嘆息一聲，道：「諸位好走，山道多險，最好能小心一些。」說完話，突然放開了腳步，大步而去。

望著郭華堂的背影消失，俞秀凡突然回顧著桃花童子，道：「小桃童，那郭華堂最後一句話，用心何在？」

桃花童子道：「他告訴咱們山道多險，那是暗示我們前途有警。」

俞秀凡沉吟了一陣，道：「會不會是你認識的人？」

桃花童子似是未料到俞秀凡會有此一問，不禁一呆，道：「這個，這個，小的不敢驟作斷言。」

俞秀凡道：「小桃童，你應該怎麼做，還照你的方法施爲。不過，我希望你想辦法暗中通知我們一下。」

桃花童子點點頭，道：「在下如此，那就是不認識之人，如是認識，我就沒有什麼動作了。」一面說著，一面伸手做了一個記號。

俞秀凡笑了一笑，道：「小桃童，你不認識，也可能是你們的人啊！」

桃花童子道：「是的，公子，我們的人很多，所以，我不一定都認識。」

俞秀凡道：「如是我殺了他們，你是否要出手援救？」

桃花童子道：「我不會過問。不過，只能說是我們的人的機會很大，但並非一定是我們的人，這一點，公子要小心處置，免得殺錯了人。」

俞秀凡道：「我如殺一個，那人必有非死不可的罪惡，再不然，就是殺了他，可以救更多的人。」

目光轉到王翔、王尙的臉上，接道：「你們記著，再遇上敵人時，不可輕易出手，要聽我的令諭行事。」

兩個一欠身，齊齊應道：「咱們聽從大哥的吩咐。」

對桃花童子多一分了解，俞秀凡的內心中就多了一分沉重，對這位胸羅龐雜的年輕人，俞秀凡確有幾分愛護之心，希望能以潛移默化的力量，把他度化過來，使他胸存仁義。

桃花童子似是有著很沉重的心事，一向都由他走在前面帶路，這一次，卻走在後面。看他愁苦容色，王尚也不好再催他帶路。

行了數十里，到一處十字路口，這地方正是出山、進山的歇腳之處。這地方有兩座茶棚，就山勢搭蓋在兩側大樹下面。草棚很簡陋，裏面除了幾張木桌、竹椅之外，別無陳設。

出入山口，此爲必經之地，而且，來往之人，都翻越過幾重山峰，到這裏，就算不覺得餓，亦必口渴難忍，走這條路口的人，十之八、九都在此停下用點茶水。山泉煮成的茶水，蓄於大缸，不冷不熱，雖非可口香茗，但在長行疲倦之下，進一大碗，卻有解渴舒暢之感。

俞秀凡行入南側一座茶棚，笑道：「記得咱們進山時，在對面歇腳，不能厚此薄彼。」

桃花童子神情一直很沉重，悄然在一側坐下，除非是逼著他答話之外，一直不多開口。

一個三十四、五的茶伙計，笑著由棚內行出來，道：「四位怎麼樣，吃饅頭，還是先喝口茶？」

俞秀凡道：「先喝碗茶吧！」

茶伙計行入棚內，片刻間，端著一個大木盤行了出來，四個粗瓷大海碗，滿滿的四碗茶。這等地方，對客人也沒有什麼親切招呼，茶伙計放下四碗茶，立刻去做自己的事。

這一陣行走，王翔、王尚都有些口渴，端起茶碗，大口喝了下去。茶雖非名品，但泉水卻

是上佳之質，自有一股清香。

俞秀凡端起茶碗，正想喝下，瞥見桃花童子靜坐未動，望著面前的茶碗出神，不禁心中一動，道：「小桃童，你不喝茶？」

桃花童子道：「喝，喝。」打出了約好的暗記。

俞秀凡回頭看時，王翔、王尙，早已把兩大碗茶喝個點滴不剩。想阻止已來不及。眼看大錯已鑄，俞秀凡反而冷靜下來。

讀過萬卷書，再加上天賦的才慧，彌補了他閱歷不足的缺憾，隨手抓過一隻蒼蠅，投入茶中，高聲叫道：「伙計，我這碗茶裏，怎麼有個大蒼蠅！」

側目一顧，只見桃花童子也喝乾了一大碗茶。

王尙霍然起身，道：「真的！」

但聞茶伙計應道：「不可能吧！茶缸上加著蓋子。」一面說話，一面快步行了過來。

俞秀凡揮揮手，示意王尙坐下，緩緩說道：「你過來瞧瞧看。」

茶伙計行近木桌，果然見茶碗裏浮著一隻大蒼蠅，一皺眉頭，道：「怪啦，剛才沒有啊！」一面目光微轉，看到王翔、王尙已喝完碗中茶水，心中落實了不少。

俞秀凡嘆口氣，道：「這碗茶還能喝麼？」

茶伙計笑道：「我給你換一碗，咱們山裏人，有句俗話說，不乾不淨，吃了沒病。」端起茶碗，朝地上潑去。

俞秀凡一伸手，抓住了茶伙計的右腕，但那茶伙計動作很快，右腕被抓時，已然潑出去大半碗茶，那隻大蒼蠅已被潑了出去。

茶伙計臉色一變：「客官，這山窩裏一座茶棚，比不得大鎮府城，人手少，難免有錯，我替你再換一碗就是。你這是幹什麼？」

俞秀凡看看還有大半碗餘茶，笑了一笑，道：「你伙計已經出好了題目，在下就照題作文章了。」

茶伙計道：「我沒有讀過書，不懂文章。」

俞秀凡道：「山裏人不怕髒，而且吃了沒病，這碗茶倒了太可惜，小伙計何不把它吃下去？」

茶伙計哦了一聲，道：「山泉不遠，茶是自己採的，米麵貴重，茶水卻不算什麼！」

俞秀凡道：「夠了，朋友，喝下去吧！」

這時，王翔、王尙也意識到事情不對，齊齊站起了身子。

俞秀凡搖搖頭，道：「你們坐著，事情剛開始，你們三個可能中了立刻發作的奇毒，也可能是慢性毒藥，不管什麼毒，但一定很厲害，不可擅提真氣，促使行毒。」

王翔、王尙相顧愕然，想不到在這地方，會被人下了毒。

茶伙計哈哈一笑，道：「這位小兄弟，你可真夠精明啊，我自覺沒有露出一點破綻，告訴我，你是怎麼瞧出來的？」

俞秀凡道：「時間正長，你先喝了這半碗茶，咱們再慢慢的談。」

茶伙計道：「如是我不喝呢？」

俞秀凡淡淡一笑，道：「朋友，你不敢用光明正大的手段對付我們，大約是心中有些顧慮，對麼？」

茶伙計笑道：「你姓俞，叫秀凡，對麼？」

俞秀凡道：「看起來，你們已經把我們的底細摸得很清楚了。」

茶伙計嗯了一聲，道：「不錯，咱們了解你俞秀凡是一位很講義氣的人，你不會不顧慮他們三位的生死。」

俞秀凡道：「是啊！這確是一個很嚴重的威脅。」

茶伙計有些得意地笑道：「如是你能夠早一些時間發現，情勢也許會大不相同了。」

俞秀凡道：「幸好，現在發覺不算太晚。」

茶伙計心頭微微一震，道：「我不相信，你會不顧及他們三人的生死。」

俞秀凡道：「我很看重他們三人的生死，所以他們最好是不要死，那對你很不利，那將使我滿腔的怒火，全部發洩在你閣下的身上，分筋錯骨，生剝寸剮。想來那滋味也不好受。」

他已了解了不少江湖伎倆，威嚇也是手段之一。

但這茶伙計很冷靜，笑了一笑，道：「如若你俞少俠希望他們三個活下去，最好也別讓我死了。他們服的是一種很奇烈的毒藥，很可能在片刻之後，毒性就要發作，毒發之後，如不能很快地服下一粒中和性的丹丸，那會很快的死亡。」

俞秀凡道：「那丹丸有多久的時效？」

茶伙計道：「一天，十二個時辰。」

俞秀凡道：「就算服過解毒的丹藥，一日後，毒性還會發作。」

茶伙計道：「不錯，我有十二粒丹丸，可使他們四日不死，但我們要去一個地方，這需要三日的行程。」

俞秀凡道：「多了一天的藥量，顯見貴上十分仁慈。」

茶伙計道：「因爲十二粒中有你三粒，但你太精明了，竟然瞧出茶中有毒。」

俞秀凡道：「誇獎，誇獎，但不知那十二粒丹丸，現在何處？」

茶伙計道：「就在我的身上，不過，只有四粒。」

俞秀凡道：「爲什麼？」

茶伙計道：「因爲，我們行程很緊促，每一天的路程，都早已算好，另外的藥，只要咱們能按期到站，他們自會派人送上。」

俞秀凡道：「很高明的辦法。就算殺了你，也無法替他們取得四日的解藥。」

茶伙計道：「防人之心不可無，在下一步失錯就可能送了性命，所以不得不小心一些。」

俞秀凡道：「他們什麼時間毒性發作？」

茶伙計道：「快了，再過片刻就發作了。」

俞秀凡道：「一旦毒性發作，定然十分痛苦了？」

茶伙計道：「大概是吧！至少不會太舒服。」

俞秀凡突然伸手一指，點了茶伙計兩處穴道，笑道：「我牽著你的手腕，看起來不大雅觀，咱們坐著談吧！」

茶伙計苦笑一下，在俞秀凡對面坐下，道：「俞少俠是否準備去瞧瞧？」

俞秀凡道：「在下不去，只怕你作不了主！」

茶伙計道：「在下第一件要務，就是要把你帶去。」

俞秀凡道：「看來你會如願以償了？」

茶伙計笑了一笑，道：「可以給他們服藥，咱們還得立刻上路。」

俞秀凡轉頭望去，只見王翔、王尚閉目而坐，頭上汗珠如雨，滾滾而下，似是他們正在忍著很大的痛苦。再見小桃童時，也是一樣。

茶伙計緩緩站起身子，走了幾步竟和常人無異，心中暗暗高興，忖道：看起來，他好像忘記了點我穴道。

輕輕嘆一口氣，俞秀凡緩緩說道：「給他們解藥。」

取出一個玉瓶，打開瓶塞，倒出了三粒丹丸，分別送在王翔、王尚、桃花童子的面前。

桃花童子當先拿起藥丸，吞了下去。王翔、王尚也分別服下藥丸。

茶伙計笑了笑，回到俞秀凡的身前，揚起手中的玉瓶，道：「俞少俠如若不相信在下的話，不妨打開玉瓶瞧瞧，這玉瓶還有一粒藥丸。」

俞秀凡淡淡一笑，伸手接過玉瓶，打開一看，裏面果然只餘一粒藥丸，順手藏入懷中，道：「多謝了。」

茶伙計愣了一愣，道：「你……」

俞秀凡帶笑道：「閣下不是要把這粒藥丸送給我麼？」

茶伙計道：「在下只是讓你瞧瞧，以釋你心中之疑。其實，你拿去了這粒藥丸也沒有什麼關係，一則，這丸藥只有一天效用；二則，你們有三人中毒，一粒丸藥也無法同時救三人。」

俞秀凡笑了一笑，沒有答話。他的沉著、冷靜，使那茶伙計有著一種莫測高深的感覺。

重重地咳了一聲，茶伙計道：「我想咱們應該早些上路了。」

俞秀凡道：「可以。不過，他們都中了毒，想是不易長途奔走，你是否準備了代步工具？」

茶伙計道：「行程很緊促，所以，咱們還是早些上路的好。至於代步工具麼，在下抱歉，沒有準備。」

俞秀凡笑了一笑，道：「那很好，只要你朋友能挨得下去，我想他們都可以挨得下去。」

茶伙計自覺穴道無傷，冷笑一聲，道：「試試看吧！」轉身向前行去。

俞秀凡目光一掠王翔、王尙等，道：「你們覺得怎麼樣了？」

王尙道：「服藥之後，逐漸發作的毒性已被壓制下去，現在身體如常，並無不適之感。」

俞秀凡嗯了一聲，道：「咱們上路吧！」

茶伙計大步向前行去。俞秀凡一側身，讓王翔、王尙、桃花童子等走在前面，自己卻走在最後。

帶路的茶伙計愈行愈快，一口氣走出了十幾里路。但在越過一座嶺脊之後，突然慢了下去，頭上也開始滾落下汗水。

王尙心中有些奇怪，這人明明是一身武功，怎的走了這一點路，就累得汗流浹背呢！心念轉動之間，那茶伙計突然蹲了下來。

王尙冷笑一聲，道：「朋友，怎麼不向前走了？」

那茶伙計雙手捧腹，咬著牙齒，似是在忍耐著無比的痛苦。

冷冷地望了王尙一眼，道：「那姓俞的小子，在我身上動了什麼手腳？」

王尙一抬腳，茶伙計發出一聲慘叫，滾出了八、九尺遠。這一腳力道很重，茶伙計翻滾後，嘴角間流出了兩行鮮血。

王佾一跨步，左腳抬起，踏在茶伙計的前胸之上，怒聲說道：「你小子聽著，你可以對我們下毒，但你不能出言傷害我們公子。」

俞秀凡緩步行了過來，道：「王佾，別打他，他傷穴發作，比常人更脆弱，任何一點傷害，都會給他很大的痛苦。」

目光轉到茶伙計的臉上，緩緩說道：「看來，咱們非得準備一些代步了。」

茶伙計道：「你在我身上做了什麼手腳，使我失去了一身武功？」

俞秀凡道：「我可以告訴你，不過，你得先回答我幾件事。」

茶伙計道：「什麼事，快些說。」雙手抱腹，口角流血，汗珠和淚水，一齊滾落下來。

俞秀凡道：「你既有一身武功，那自然不是賣茶的伙計了，你老兄怎麼稱呼？」

茶伙計道：「冷面虎徐然。」

俞秀凡道：「你帶我們到什麼地方去？」

徐然道：「不知道，我只帶你們到第一站。」

俞秀凡沉吟了一陣，道：「我相信你沒有說謊。」

徐然道：「可以告訴我了，你動的什麼手腳？」

俞秀凡道：「你中的定時封穴，這手法有一個最大的缺點，就是不能擅自運氣，多動真氣，立刻促使傷穴發作。」突然動手在徐然身上拍了兩掌。

徐然痛苦頓消，長長吁一口氣，道：「不會好麼？」

俞秀凡道：「不會好，除非有一個高明人物，解開你被封的穴道。」

徐然道：「不解它又將如何？」

俞秀凡道：「你中的四天封穴，四天之後，傷穴開始發作。全身血液聚於一處，痛苦莫可名狀，比剛才那滋味還要難受，再三日，傷穴崩裂而死。」

徐然呆了一呆，道：「好惡毒的手法。」

俞秀凡道：「很可嘆的是，我不太仁慈。我喜歡以殺止殺，以牙還牙，你對我們下毒，我封你穴道，似乎是我們並沒有佔先。」

徐然道：「就算我死吧，也不過是一條命，你們三個換一個。照你的說法，不算沾光。」

俞秀凡淡淡一笑，道：「朋友，看樣子，你作不了什麼主。他們要你死，你就不能活。我們的生死，你更是無能控制，說穿了，你不過是一個聽命行事的奴才。」徐然臉色大變，說不出一句話來。

俞秀凡笑了一笑，道：「咱們現在可以走了。」

徐然緩緩站起身子，舉步行去。

又行了兩個時辰，到了一處鎮集之上，人人都走得十分輕鬆，只有徐然流了一頭大汗。

原來，他不敢運氣行動，走得疲倦不堪。

在鎮集上吃過東西，徐然找店伙計商量，重金雇了一輛馬車趕路。俞秀凡等本有馬匹寄在山下，但因去路不同，只好棄之不取。這輛篷車很舊，但卻是常年趕路的設計，奔行很快。

車走大道，繞了不少路程，只好連夜趕路。第二天中午時分，又到了一座鎮集之上。

徐然帶著他們，直行入了一座私人的宅院去。

大廳已備好了酒菜，卻不見宅院主人出迎，只有兩個四十左右的中年婦人招呼幾人吃喝。直待用過酒飯，才有一個身著青衣的年輕少女，緩步行入廳中，輕揮玉手，道：「諸位對不起啦，從現在開始，諸位都要加上一點東西。」

俞秀凡道：「加什麼？」

年輕少女道：「眼罩。一種設計精巧的眼罩，戴上去很舒服。但卻無法見外面的景物。」

俞秀凡道：「一定要戴麼？」

年輕少女道：「是的，諸位請戴上之後，小妹立刻奉上解藥，登車上路，不過那是一輛很豪華的篷車，也很寬大，行速極快，諸位不會有辛苦之感。」

俞秀凡略一沉吟，道：「什麼人陪我們去？」

青衣少女道：「小妹奉陪諸位。」

俞秀凡道：「你先給解藥吧！」

這時，徐然和那少女低聲談了數語，青衣少女立刻從身上取過一個玉瓶，分給了王翔、王尚、桃花童子各一粒解藥。

然後，回眸對俞秀凡頷首一笑，道：「原來閣下是一個很難對付的人。」

俞秀凡冷冷地說道：「那位徐兄，想都奉告你姑娘了，我俞某人忍辱負重，已經盡到了最大的耐心，希望姑娘能夠守住分寸，免得鬧一個血流五步的慘劇。」

青衣少女點點頭，道：「我知道你難纏，年輕氣盛，而且又很具才智，是一個軟硬都不吃的人。」

俞秀凡道：「姑娘誇獎了。在下也許真的很難纏，不過倒有一個字，可以使在下服輸。」

青衣少女道：「請問那是一個什麼字？」

俞秀凡道：「理。理必含道，有道理的事，在下是一向遵服。」

青衣少女點點頭，道：「我明白你的意思，如若不是很難對付的人，也許用不著我來。」

俞秀凡冷然一笑，道：「姑娘很自負。」

青衣少女道：「不過，他們還是低估了你，不曉得你竟未喝下那杯毒茶。」

俞秀凡道：「就算喝了那杯毒茶，也未必就能毒死我。」

青衣少女道：「這一點不用倔強，那是天下的至毒，沒有人能逃過毒發而死的命運，不論你有多麼精純的內功，而且除了特製的解藥外，沒有另一種解藥能夠解去身中之毒。俞少俠如是喜愛冒險，希望你別冒這個險。三個人，三條命！」

俞秀凡道：「我想取得解藥的地方，定然是凶險萬狀了。」

青衣少女道：「不錯，那地方有如銅牆，牢不可破，任何人到那裏，只有兩條路走。」

俞秀凡道：「請教是什麼樣的兩條路？」

青衣少女道：「一個是屈己從勢，改變志願；一個是受折磨而死。」

俞秀凡道：「我想在那裏還可遇上貴組合身分較高的人。」

青衣少女道：「你推斷的很正確。」

俞秀凡道：「姑娘送我們到下一站麼？」

青衣少女搖搖頭，道：「我們改變了計劃，由小妹陪諸位直往我們要去的地方。」

俞秀凡道：「姑娘玉瓶的解藥……」

青衣少女道：「還有兩粒，他們可以多撐一天。」

俞秀凡道：「算的果然是十分精細，在下多收了一顆藥丸，你們也算出來了。」

青衣少女道：「小妹是一位不太相信巧合的人，巧合的事，人生一世，難得幾回，所以敝組合一向注重算計。」

俞秀凡取出懷中一粒丹丸，笑了一笑，道：「是姑娘保管呢，還是交給在下保管？」

青衣少女略一沉吟，把玉瓶送到俞秀凡手中，笑道：「俞少俠保管，也許更放心一些。」

俞秀凡也不客氣，接過玉瓶，打開看了一看，把手中一粒丹丸，也放入玉瓶，再放入袋中，笑道：「好吧！姑娘盛情，區區生受了。」

青衣少女嘆了口氣，道：「可以上路了麼？」

俞秀凡點點頭，道：「可以走了。」

徐然突然一橫身，攔住了俞秀凡，道：「俞少俠，咱們分手在即，少俠可以解開我被封的穴道了。」

俞秀凡笑了一笑，道：「徐兄，怎不同往一行？」

徐然道：「俞少俠，徐某人沒有這個身分。」

俞秀凡嗯了一聲，道：「這麼說來，這位姑娘的身分，高過你徐兄很多了。」

青衣少女道：「我是奉派來接你們的特使，身分有些不同。」

俞秀凡道：「徐兄，很抱歉，我早說過了，我不太仁慈。你還是跟著去吧！等我們取到解藥，在下會爲你解穴。」

徐然急道：「你認爲真的能取得解……」忽的發覺失言，立時住口不言。

俞秀凡道：「爲什麼取不到呢？可是那裏沒有解藥？」

青衣少女道：「解藥倒有，不會很容易取到手，俞少俠可是有些怕了？」

俞秀凡道：「江湖上爾虞我詐，但也該有個限度，不能險詐到下流之境。不論那地方危險到什麼程度，那是貴方的布置，但如那裏沒有解藥，那就不是險詐而是謊言了。」

青衣少女笑了一笑，道：「這個，你可以放心。到時間，我們先拿解藥給你瞧過。」

俞秀凡道：「如若在下無法相信姑娘，那就得自己準備一下了。」

目光轉到徐然的身上，道：「要我爲你解去被封的穴道，只有一個法子。」

徐然道：「什麼法子？」

俞秀凡道：「你在我們身上下的毒藥，還有沒有？」

徐然道：「解藥沒有，毒藥還有一些。」

俞秀凡道：「拿出來，我就解開你被封的穴道。」

徐然回顧了那青衣少女一眼，滿臉誠惶誠恐之色。

青衣少女笑了一笑，道：「拿出來，俞少俠才智絕倫，你用不著耍花樣。」

徐然應了一聲，取出一個小包，解開了一層又一層的白綾。

最後一塊紅綢中，包著一點白色的粉末。

俞秀凡把藥調在一杯茶中，笑道：「姑娘，喝下去！」

徐然呆了一呆，道：「你這是……」

俞秀凡道：「那封穴發作的痛苦，徐兄沒有忘記吧！」

青衣少女一揮手，接道：「徐然，你最好別管閒事。」

徐然嘆口氣退到一側。
俞秀凡道：「姑娘請把這杯茶喝下如何？」
青衣少女道：「可以，不過我沒有解藥。」
俞秀凡道：「我多了一粒。」
青衣少女道：「那不夠，咱們還有兩天兩夜的行程，必得有兩粒解藥才成。」
俞秀凡道：「我相信，貴組合一定有特殊的傳訊之法，你姑娘以特使身分，如若中了毒，自然會想法子叫他們多送來一粒解藥了。」
青衣少女道：「說得倒也有理。」
端起茶杯，一飲而盡，道：「可以給我解藥了。」
俞秀凡笑了一笑，道：「毒發之時，才服解藥，是否還來得及。」
青衣少女點點頭，道：「來得及，俞少俠，你是個很細密的人。」
俞秀凡道：「實在很抱歉，我們的處境太險惡，我不得不小心一些應付。」
青衣少女道：「大約在一頓飯工夫左右，我服下的毒藥，就要發作了。希望你能及時給我服用解藥才好。」
俞秀凡神色突然變得十分嚴肅，冷冷說道：「姑娘既然知曉了我是謹慎的人，希望你別耍花樣，那會造成很大的遺憾。」
青衣少女道：「俞少俠可是在嚇唬我麼？」
俞秀凡道：「我說的老實話，因爲我出劍太快。」
青衣少女道：「可不可以讓我們開一次眼界？」

俞秀凡道：「不教而殺謂之虐。能讓你們先見識一下也好，不過要你姑娘出個題目了。」

青衣少女道：「小妹善用飛刀，而且也相當快，但不知俞少俠的快劍如何？」

俞秀凡道：「那不難證明，姑娘施用飛刀，在下用劍，不妨求證一下。」

青衣少女道：「小妹不喜這等面對面的搏殺，一個失神，即將鬧成血淋淋的局面。」

俞秀凡道：「姑娘的意思是……」

青衣少女隨手取出一枚制錢，斜裏拋起，雙手一探腰際，隨即揚起兩柄柳葉刀，後發先至，波波兩聲，釘在牆壁上，那枚制錢正落在雙刀之間，架在刀上。

俞秀凡道：「好刀法。」

青衣少女笑了一笑，道：「獻醜，獻醜！」

俞秀凡暗暗吸一口氣，忖道：她停身之處，距離牆壁不過一丈三、四，拋出制錢，再拔雙刀，釘在壁間，制錢先發後至，落在雙刀之間，速度、巧勁，都已到爐火純青之境，真是了得，我如不能把她鎮壓下去，這一路只怕是很難平安了。

心中雖有此念，但卻又全無把握。但事已逼上了頭，無法推辭，卻又想不出一個表達出快劍的方法。

正忖思間，忽見一隻蒼蠅飛了進來，心中一動，拔劍劈去……

沒有人看清他拔劍的動作，只見劍光一閃，那蒼蠅跌落在桌面之上，分成了四半。

青衣少女呆了一呆道：「果然很高明。」

伸手拔出飛刀，藏入懷中，笑道：「咱們上路吧！」

俞秀凡招過徐然，解了他被封的穴道。

室外果然早已停了一輛豪華大馬車，車中放著六個帶有靠背、扶手的木椅，上面鋪著黃緞椅墊。六張木椅，分成了三排。王翔、王倘坐在最後一排，桃花童子獨自坐在第二排，青衣少女大約是爲避嫌，和俞秀凡並坐在第一排。

趕車的是一個穿著藍衫的老者，放下了垂簾，立時揚鞭馳車。這是一輛特製的篷車，行馳起來十分快速。

青衣少女輕輕嘆口氣，道：「俞少俠，我這一生，從沒有這樣遷就過人，自己喝下了一杯毒藥。」

俞秀凡道：「這麼說來，在下是很榮幸了。」

青衣少女笑了一笑，道：「俞少俠如不信，不妨在江湖上打聽一下，刀釵冷萍是什麼樣一個人？」

俞秀凡道：「四大金釵之一。」

冷萍微微一笑，道：「原來你知道了。」

俞秀凡道：「那真是可惜得很，姑娘一世英名，只怕要死在自己飲下的毒茶之中了。」

冷萍道：「你不是告訴我多一粒解藥麼？」

俞秀凡道：「本來是多一粒，但你們都算得太精了，結果，你應該帶三粒解藥來的，但你只帶了兩粒。不過，我相信你還收存有一粒解藥，因爲你明明知道解藥的數量剛好。」

刀釵冷萍搖搖頭，道：「你錯了，我沒有收存解藥，我相信你的話，才飲下那杯毒茶。」

俞秀凡哈哈一笑，道：「冷姑浪，咱們明人眼睛裏不揉沙，你如真的沒有解藥，我的三個人中，必要有一個人付出性命的代價。」

冷萍道：「這麼說來，你是真的不準備管我了？」

俞秀凡道：「你們四個人，如若一定要有一個毒發而死，姑娘覺得應該是哪一個呢？」

冷萍道：「這要你決定了，你覺得他們三個人，應該哪一個死？」

俞秀凡道：「一定要我決定，我覺得姑娘應該等候毒發而死。」

冷萍接道：「那是要我死了？」

俞秀凡道：「我相信你不會死，你們的組合消息靈通無比，他們會及時送來解藥。」

冷萍緩緩說道：「這樣子冒險，對我而言，實在是一件很不划算的事。」

俞秀凡緩緩一笑，未再答話。

冷萍嘆口氣，道：「看起來，你似是很愉快，全沒有一點憂慮。」

俞秀凡道：「冷姑娘覺著在下應該憂慮些什麼？」

冷萍道：「我的飛刀如何？」

俞秀凡道：「出刀很快，認位亦準，是很高明的刀法。」

冷萍道：「但我在那個組合，只是五等以下的人。」

俞秀凡道：「姑娘怎的這等妄自菲薄！」

冷萍道：「我說的是實話，信不信由你了。」

俞秀凡道：「我相信又如何？你能放我們離開麼？」

冷萍杏目一瞪，道：「哼！不知好歹。」閉上雙目，不再說話。

特製的篷車行速逐漸地加快，但車簾低垂，見不到外面景物。

只聽冷萍低聲說道：「我的毒性發作了。」

俞秀凡轉頭看去，只見她臉上汗水如雨，滾落下來。她緊緊地閉上雙目，咬著牙齒，似乎在忍受著很大的痛苦。

桃花童子察看了一陣，低聲道：「公子，她真的是中了毒，不是裝作。」

俞秀凡緩緩說道：「因爲她喝的毒藥是真的，所以，她的毒也是真的。」

桃花童子道：「公子，這藥性發作很快，如若不能及時給她服下解藥，會造成毒發而亡。」

俞秀凡道：「我知道，如若你們四人，有一個人要死，那人應該是誰呢？」

桃花童子道：「公子，萬事莫若救人急，先救了冷姑娘，萬一明天還無法得到解藥，小的願意放棄服用解藥。」說完話，微微眨動了一下眼睛。

俞秀凡故意提高了聲音，道：「小桃童，兵不厭詐，害死了刀釵冷萍，江湖上至多罵我俞某人心狠手辣，不夠君子；但如你毒發而亡，武林同道豈不要罵我不仁不義麼？」

桃花童子道：「是小的自願放棄，那自然怪不到別人的頭上了。」

俞秀凡道：「好吧！話是你說的，現在車中有這樣多人，大概都聽到。你到時可不能反悔。」

小桃童道：「我知道，大丈夫一言如山，怎會反悔。」

俞秀凡取出玉瓶，打開瓶塞，倒出了一粒解藥。但他並沒有直接交給冷萍，卻把解藥送到了桃花童子的手中。

桃花童子捏開了刀釵冷萍的口齒，投入解藥。

車內鬧得人命關天，但篷車卻是一樣地行駛著，未曾停下。

片刻之後，冷萍毒性被解，睜開雙目，望了俞秀凡一眼，道：「俞少俠果然是心如鐵石，好叫小妹佩服。」

俞秀凡道：「姑娘誇奬了。」

冷萍哼了一聲，道：「難道還要我謝你不成？」

俞秀凡道：「那倒不用了，因為，明天，有一個人會代你死亡。」

冷萍回顧了桃花童子一眼，頷首致謝。這舉動證明了一件事，那就是冷萍在藥性發作時，仍然知道車內發生的事情。

俞秀凡嘆口氣道：「江湖上有很多可殺、可悲的人，但也有很多見義勇為、不畏死亡的人。」

冷萍道：「我這種人，是屬於哪一種人？」

俞秀凡回目望著冷萍，雙目神光加電，盯住了良久之後，始緩緩說道：「你是屬於可悲的一種人。」

冷萍臉色不變，道：「我自覺生活得很好，很快樂。」

俞秀凡道：「這正是你可悲之處，你失去了主宰自己的能力而不自知。」

冷萍怔了一怔，道：「我自己倒沒有這種感覺。」

俞秀凡道：「拿我們相逢這不足兩個時辰的光景來說吧，你難道是自願來接我的麼？你飲下毒茶，也完全是心中情願的？我想都不是。因為，你奉命來接我，為了要把我帶到一定的地方，不得不飲茶遷就我，你不敢生氣，也不敢發作，難道還不可悲麼？」

冷萍緩緩說道：「你的意思，可是說我很怕死？」

俞秀凡道：「也許不怕死，但你卻怕一個人，也許怕一件事。所以，你不惜吞下毒藥，把我引到你們準備好的地方。」

冷萍道：「我奉命把你帶到一定地方，如若我做不到，豈不是太過無能了。」

俞秀凡淡淡一笑，道：「冷姑娘，是我自己要去，並非你把我引導去的。」

刀釵冷萍突然微微一笑，道：「聽起來，倒也有理。」

俞秀凡道：「看來，你冷姑娘倒是一個明辨是非的人。」

冷萍緩緩說道：「俞少俠，竟也會灌人的迷湯啊！不過，我看你剛才那等見死不救的性格，和你的言談爲人，似是有些不同。」

俞秀凡道：「那並不太奇怪，因爲，我相信你不會死。」

冷萍道：「如非有人救我，此刻，我已魂歸地府了。」

俞秀凡道：「不會的，因爲，你身上帶有很多的解藥。」

冷萍呆了一呆，道：「你怎麼知道？」

俞秀凡道：「事情很簡單，我們一直跟著徐然，他沒辦法把消息傳遞過去，而姑娘知道在下沒有中毒時，你已無法留下需用的解藥，只好把多餘的解藥藏在別處。」

冷萍笑了一笑，道：「俞少俠，本來，我不大相信你精明，現在我倒是相信了。」

俞秀凡道：「只要在下能制服你姑娘，就可以多取得一天的解藥。」

冷萍道：「早知道你是如此，我也用不著遷就你了。」

俞秀凡道：「現在，你知道了，在下也希望你姑娘交出全部解藥，那可以使得他們三位，多延長一天的生命，那是很重要的一天。因爲，那一天正是在下和貴組一決勝負的一天。」

冷萍道：「俞少俠，如是交出解藥，對我們有著很大的不利，你想我會交出來麼？」
俞秀凡道：「對你個人而言，交出了解藥，並沒有什麼錯誤。」
冷萍道：「但也沒有什麼好處。」
俞秀凡道：「不交出解藥，對你個人卻有害處。」
冷萍笑道：「我想不出有什麼害處。」
俞秀凡道：「姑娘！別忘了，我們還有近兩天的行程，在這兩天內，我隨時可以找你姑娘的麻煩或者翻臉動手。」
冷萍沉吟了一陣，道：「你猜猜，我收存了幾粒解藥？」
俞秀凡心知她這是自找下台階的話，笑了一笑，道：「三粒。」
冷萍微微一笑，道：「四個人，兩日份，每人每日一粒，我交出三個人兩日份應該六粒，扣了你收存的一粒，只交出了五粒，還餘三粒。」
俞秀凡道：「姑娘也已算好了！」
冷萍未再答話，取出三粒解藥雙手奉上，道：「很可惜的是，你要在我身上試試那藥性如何，多損失了一粒解藥，致使你三位從人，一個人無法在那天助你。」
俞秀凡笑道：「有兩個人也夠了，世上沒有十全十美的事。」
冷萍道：「看來，你是個想得很開的人。」

十四　大義凜然

篷車飛馳在官道上，揚起了兩道滾滾的煙塵。俞秀凡閉目假寐，未再多問冷萍一句話，也未望冷萍一眼，也沒有人打開過車簾向外面瞧看一眼。

篷車停下來的時候，總是在一座宅院的門前，宅院中，備好了酒飯，吃過之後，就立刻登車上路。

篷車仍然是那一輛篷車，但拉車的健馬，卻是每一次進食之後，均重新換過，因此，篷車一直保持著穩定的速度。

第二天中午時分，俞秀凡又把解藥給王翔、王尙、桃花童子。

冷萍深深一笑，道：「俞少俠，是不是仍要我表演一次毒發的痛苦？」

俞秀凡道：「姑娘已有很多的機會取得解藥，如是還未取到，那只好等待毒發身死了。」

冷萍微微一笑，轉過話題，道：「俞少俠，太陽下山的時候，我們就要下車乘船了。」

俞秀凡道：「還要乘船？」

冷萍道：「是的，還要走一段水路，明天午時，走到咱們要去的地方，那正是毒性將要發作的時刻。」

俞秀凡冷笑一聲，道：「故作神秘，我不相信，你們會把時間控制到這樣精密的境界。」

冷萍道：「信不信是你的事，但事實上，確然如此，我告訴過你，我們是一直講究算計的組合，每一件事，都有著嚴密無比的計劃。」

冷萍說得不錯，篷車停下來的時間，正是「夕陽無限好，只是近黃昏」的時刻。

冷萍一直未再有毒發之徵，顯然是早已服了解藥。

她當即躍上甲板，舉手一招，道：「諸位都是身具武功的人，用不著搭扶板上船了。」

望著那滔滔江流，俞秀凡不禁有赵趄的感覺。上了船比不得陸地，波濤洶湧的大江，隨時可以吞噬下幾人的性命。

冷萍道：「俞少俠，怕了麼？」

俞秀凡摸摸長劍的把柄，飛身而起，落上甲板。王翔、王尙、桃花童子，魚貫躍登舟上。

冷萍一轉身道：「艙裏坐吧！」

艙裏早已高燃著兩支火燭，照得一艙通明。但窗門上卻掛著黑布，隔絕艙外的江流景色。

忽然間，船身移動，行馳於起伏的江流。

艙間一座木案上，放著香茗、細點。

冷萍盤膝坐在艙板上，道：「裏面有床，想坐息或睡覺，悉憑尊便，恕我不招呼了。」

一夜行舟，船身一直起伏不定，顯然江面上也一夜風浪未息。

兩支高大的火燭燃盡，船艙突然間暗了起來，但起伏不定的船身，卻突然靜了下來。

艙口大門，日光透入。

冷萍緩緩站起身子，道：「俞少俠，到了。」當先行出艙去。

俞秀凡登上甲板，只見日光耀目，已是中午時分，一夜半日的江上行舟，船身搖擺起伏不定，使得俞秀凡有些頭昏腦脹，長長吸兩口氣，清醒了一下頭腦，流目四顧，只見帆船停泊在一座山巒之中。這似乎是一道通往長江的支流，青山半繞，環抱著一片水色。一道浮橋，早已搭好。

冷萍當先帶路，行過浮橋，道：「俞少俠，看到這一條小徑麼？」

俞秀凡點點頭，道：「看到了。」

冷萍道：「照著小徑往前走，轉過那個山彎，自會有人迎接。」

俞秀凡長長吁一口氣，道：「你不去了？」

冷萍道：「小妹奉命迎賓，到此爲止。咱們異日有幸再會。」轉身一躍登上帆舟，但見六個大漢，搖動木櫓，帆舟轉頭而去。坐了一夜半日的船，此刻才算看到了行舟的人。

望著遠去的巨舟，俞秀凡打開玉瓶，倒出了僅有的兩粒解藥，低聲道：「小桃童，你是真的中了毒，還是假的中毒？」

桃花童子道：「小的沒有中毒，不過，我不能幫你們。」

俞秀凡道：「不用你幫忙，在沒有證明我的研判之前，你也不用脫離你們的組合。」

把解藥分給了王翔、王尚，道：「走！就算龍潭虎穴，咱們也要闖上一闖。」

俞秀凡當先帶路，沿著一道白石小徑，直向前面行去。這小徑，顯然是人工鋪成，一面是百丈峭壁，一面是江水支流。由峭壁到水邊，大約有一丈左右寬窄的黃泥灘，那一條白石小徑，就在那黃泥灘的中間。

轉過山彎，只見一個面目冷肅的黃衣大漢，擋在路中，冷冷問道：「你是俞秀凡？」

俞秀凡道：「不錯。」

黃衣大漢道：「你聽著，這地方不是任人撒野的所在，不論在江湖上有多大的名望，多高的聲譽，到這裏就得遵守這裏的規矩。」

俞秀凡劍眉聳動，本待發作，但想到此來旨在取得解藥，目下還不知解藥何在，用不著和這等人一般見識。心中念轉，按下怒火，淡然一笑，道：「多承明教，咱們有什麼不到之處，還望你朋友指點。」

黃衣大漢道：「跟在我後面走。」轉身向前行去。

登上了十餘丈的山坡，黃衣人一低頭，鑽入了一座山洞去。

俞秀凡暗暗吁一口氣，忖道：原來他們的巢穴在山腹之內，無怪外面瞧不出半點徵候。一低頭，已閃入洞中。

人一入洞，地面立成平坦，進入三丈，頓成開闊，分成三條岔道。黃衣大漢帶幾人走的是中間一條。又行四、五丈，路又向地下轉去，而天光也隱隱透了進來。

俞秀凡暗自心中估計，兩個上下坡度距離相差不多，果然又到了一處洞口。

洞外面是一片天井般的盆地，大約有百畝大小，四面都是聳立的石壁，寸草不生，光滑異常，但這片盆地倒是樹木繁茂。沿著四面的山壁，有不少青石砌成的房舍，中間卻建築了一座高大的廳堂。

黃衣大漢回顧了俞秀凡等一眼，道：「整整衣冠，我帶你們去見谷主。」

俞秀凡淡淡一笑，道：「原來還有谷主，我還認爲你朋友就是此地的谷主呢。」

黃衣大漢冷哼一聲，道：「你最好少說風涼話。」

俞秀凡心知那高大的廳堂，住的就是谷主，此刻似已用不著再遷就這黃衣大漢了。冷笑一聲，道：「我是你們組合請來的貴賓，你是什麼身分，竟敢三番兩次的對我無禮。」

黃衣人突然回過身子，冷冷說道：「我已經告訴你，到這裏要守規矩，這裏不允許任何人撒野。」

俞秀凡道：「別說你只是一個帶路的人，就算貴谷主，對我如此，俞某人也要惦惦他的份量。」

黃衣大漢怒吼一聲，右手一揮，迎面劈去。

俞秀凡一閃身，五指迅如電光石火，已扣住那黃衣大漢的右腕脈穴，借力施力地一帶，但聞蓬然一聲，那黃衣人已飛出了七、八尺外，跌了一個狗啃糞。

這一跤摔去了那黃衣大漢的狂傲之氣，站起身子，拍拍身上的土，望著俞秀凡發怔。

俞秀凡神情肅然地說道：「你記著，我不是個很仁慈的人，耐性有限，激怒了我，我也可能殺人。」

黃衣大漢未再多言，舉步向廳堂行去。

王尙低聲道：「公子，如是情勢迫人，咱們就殺他個落花流水，就算毒發而死，也早撈回本錢了。」

俞秀凡用極低微的聲音，道：「你們要十二個時辰，才會毒發，咱們時間很充分，最重要的是先取得解藥，這不能太軟弱，但也不能太剛硬，你不可輕易出手，一切由我來應付。」

王尙道：「好！咱們聽公子的吩咐行事。」

俞秀凡還未來得及答話，那高大的廳堂之中，突然間魚貫行出兩行人來。每行十二個，一行穿著黃衣，一行穿著紅衣，但有相同之處，那就是每人都佩著一把特別長的寶劍。

俞秀凡停下了腳步，兩道目光，凝注在那長劍之上，瞧了一陣，一皺眉頭，道：「這兵刃有些奇怪。」

王尙回顧了桃花童子一眼，道：「小桃童，這些劍特別長，不知有什麼古怪？」

桃花童子道：「劍上應該沒有古怪，古怪處在武功上了。」

王尙一伸手，握著了刀柄，道：「公子，我們一起上呢，還是我先試試？」

俞秀凡搖搖頭，道：「我剛剛說過的話，你已經忘了麼？」

王尙一欠身，向後退了一步，右手放開了刀柄。

二十四個分穿著不同服色的大漢，並未向四人攻擊，卻分列兩側，排在大廳門外。

一個身著長衫，頭束金環的年輕人，赤手空拳，緩步行了出來，兩道冷厲的目光，一掠俞秀凡道：「閣下就是俞秀凡麼？」

俞秀凡淡淡一笑，道：「不錯，在下俞秀凡。閣下怎麼稱呼？」

青衣人道：「兄弟方堃。」

俞秀凡道：「閣下這份氣派，似是此谷的谷主了？」

方堃道：「不錯，兄弟正是此谷谷主。」

俞秀凡道：「費盡了千辛萬苦之力，把區區等請來此地，不知用心何在？」

方堃道：「在下雖然很少離開此谷，但對你俞少俠的大名，卻是久聞了。」

俞秀凡道：「不敢當。我們身上中的有毒，時間對我們十分重要。」

方堃接道：「聽說你俞少俠並沒有中毒。」

俞秀凡道：「在下是沒有中毒，不過，在下三位朋友，卻中了貴組合的獨門奇毒。」

方堃望望天色，道：「毒性發作，還有一些時間，四位請大廳坐吧。」

大廳堂中很寬敞，近中間擺了一張木案，上面鋪著黃綾桌面。

方堃抱拳肅客，讓俞秀凡落了座，才緩緩說道：「俞少俠，敝上愛才如渴，俞少俠如肯歸服，職位決不在兄弟之下。」

俞秀凡冷漠地笑了一笑，緩緩說道：「方谷主貴上是什麼人？在下還沒有見過。」

方堃道：「俞少俠如肯歸服，必可獲敝上的召見。」

俞秀凡道：「這是你方兄的意思呢，還是貴上的意思？」

方堃道：「不管是誰的意思，但兄弟說了就算數。這一點，想來俞兄不會懷疑兄弟了。」

俞秀凡道：「在下相信。不過，事有輕重緩急，在下希望先取得解藥。」

方堃微微一笑，道：「俞兄，你不覺著兩件事是合而爲一的麼？」

俞秀凡道：「兄弟確有些不明白，這要請教方兄了。」

方堃道：「如是俞兄歸服了咱們，俞兄從人身上之毒，似乎是用不著俞兄費心，那就自然可解了。」

俞秀凡淡淡一笑，道：「方兄，但兄弟認爲是兩件事，兄弟願被刀釵冷萍帶來此地的用心，只是在取得解藥。其他的事，只有待兄弟取得解藥之後再說了。」

方堃淡淡一笑，道：「俞兄，事情如是這樣簡單，咱們也似乎用不著，把俞兄千里迢迢地帶來此地了。」

俞秀凡道：「很可悲的是，咱們距離太遠了，只怕很難有談得攏的希望。」

方堃道：「俞兄是聰明人，自然明白，處在目前境遇之下，如若太剛直了，難免損折。」

俞秀凡道：「是的，大丈夫寧折不屈，方兄如肯交出解藥，咱們還可以談談。如是不願先行交出解藥，咱們似乎很難談得下去了！」

方堃臉色微變，道：「如是兄弟不交出解藥，俞兄準備如何呢？」

俞秀凡四顧了一眼，道：「這就是兄弟所說的可悲了，我們如若鬧出一個兵刃相見的局面，只怕有很多人要流血五步。」

方堃霍然站起身子，道：「俞秀凡，在下敬重你是一位少見的英雄，故而好言相勸，想不到你竟然是一位不解利害、不識時務的人！」

俞秀凡也緩緩站了起來，道：「方兄，如若一定要兵戎相見，方兄才肯交出解藥，你們可以出手了。」

方堃仰面大笑三聲，道：「看來，咱們只有這一條路了。」

右手一托，那黃綾覆面的木案突然離地而起，緩緩移動，飛向大廳一角。

這等隔空送物，全憑一股內力凝聚的暗勁，只瞧得俞秀凡心頭怦怦亂跳，心恐對方也要自己露出一手，那就要當場出醜了。

方堃移動木桌的同時，黃衣大漢移開了四周的木椅。大廳堂中，空出一片寬敞的地方。

方堃淡淡一笑，道：「俞兄，想和兄弟動手呢，還是想先和兄弟這些從屬玩玩？」

俞秀凡道：「客隨主便。」

方堃道：「恭敬不如從命。」

左手連揮兩次，十二個黃衣大漢，唰的一聲，抽出了長劍，團團把俞秀凡圍了起來。

玉翔、王尚齊聲說道：「公子，我……」

俞秀凡接道：「住口，該你們出手時，我自會招呼你們。」

目光轉注到方堃的臉上，接道：「方兄，準備要他們群毆麼？」

方堃笑了一笑，道：「他們練的合搏劍法，如若俞兄覺著人數太多，兄弟要他們退下一半。」

俞秀凡肅然說道：「方兄誤會了，兄弟的意思是，這等群搏群殺，只怕會傷亡太大。」

方堃道：「俞兄儘管放手施爲，兄弟這些屬下，別無特長，只有一點，就是不怕死。」

俞秀凡道：「唉！江湖人最大的缺憾就是輕賤人命，方兄，這很必要麼？」

方堃道：「必要。他們一個人，就是一個人的力量，兩個人，就可能變四個人的力量，十二個人，是他們合手最大的極限，也是他們力量最大的結合。少林寺的羅漢陣，能夠馳名天下，並非是每人都有著絕世功力，單打獨鬥，他們只能算三流身手，但結合在一起，那就不是一加一等於二的力量。」

俞秀凡道：「多承指教。」

回目一顧王氏兄弟，接道：「你們都聽到了麼？」

王翔、王尚一欠身，道：「聽到了。」

俞秀凡道：「好！你們試試看，如是非人之敵，不可勉強出手。」

方堃微微一笑，道：「他們多了十二個時辰的解藥。不過，俞兄，他們毒性雖未發作，如是他們消耗的真力太多，那可能促使他們身上的毒性提前發作。」

俞秀凡冷肅地說道：「方兄受命接待兄弟，自有非常之能，不過，兄弟相信，我還有能力取得解藥。」

方堃道：「什麼事。」

俞秀凡道：「咱們之間的勝負，很快就可以證明了。不過，在下希望先問明一件事。」

方堃哦了一聲，道：「看來，俞兄果然是一個很自負的人。」

俞秀凡道：「方兄這裏是否藏有解藥？」

方堃點點頭，道：「有！不過，取得不易。」

俞秀凡道：「那就行了。只要有解藥，不論用什麼方法取得都行。」

方堃道：「最簡單的辦法，就是俞兄率領貴從屬歸服咱們。」

俞秀凡道：「方兄，這件事很難從命。」

方堃笑了一笑，道：「俞兄，我們已經打聽的很清楚，俞兄不是出身十大門派。單人匹馬，在江湖上走動，為的是什麼？如能在一人之下，千萬人上，那也是夠風光了，難道非要坐上第一把交椅不可麼？」

俞秀凡笑了一笑，道：「兄弟沒有這一份豪情壯志，但我生性有一個最大的特點，那就是喜歡自由自在的生活，不願屈居人下。」

方堃突然向後退了一步，道：「既然如此，在下就不用多費口舌了。」

俞秀凡也向後退了四步。

王翔、王佾，唰的一聲，抽出了長刀。兩人執刀，面對著十二個執刀大漢，提聚了真氣。形勢劍拔弩張，一場慘烈的搏殺，立時就要展開。

十二個黃衣大漢，身上佩著的長劍，也一齊出鞘，寒光閃閃，在王翔、王佾兩人的周圍，布成了一片劍陣。

方堃高聲說道：「俞秀凡，你要不要再想想？」

俞秀凡道：「方堃，我對自己的技藝，充滿著信心，對我從屬的武功，也寄以無比的信任。我希望他們能戰勝你手下這些劍士，使你能夠及時悔悟。因爲，我對你方兄，也有著一份相惜的感覺。」

方堃緩緩說道：「你該明白，我這些劍士，都是久經訓練的精銳，你俞兄也是習劍的人，應該從他們用的長劍上，瞧出他們有著不同於一般劍手的成就。」

俞秀凡突然仰天大笑一陣，道：「方兄，我們都堅持自己的意見，也對自己的從屬有著無比的信任，似乎是只有從武功上一決勝負了。」

方堃臉上泛起了怒容，道：「殺！」

十二個黃衣劍手，突然大喊一聲，四柄寬大的長劍，帶起一片劍氣，直向王翔、王佾捲襲過去。

王翔大喝一聲，呼的一刀，橫裏推去。但聞一陣金鐵交鳴之聲，傳了過來，四柄長劍，竟然完全被一刀封開。

但王翔卻感受到對方長劍的勁道，十分強大，雖然把四劍封擋開去，但右臂卻微感痠麻。

在第一次攻出的四個黃衣大漢退出的同時，另外四個黃衣大漢的長劍，卻如毒蟒出穴，

刺了過來。第一次和第二次出手，有著顯著的不同，第一次是四柄長劍，泰山壓頂一般直劈下來，第二次卻是直刺過來。

王尙忽然一轉身軀，手中長刀幻起一片光影，擋開了四柄長劍。

但第三批黃衣大漢手中的長劍，卻緊隨著攻了上來。王翔揮刀攻出，又封開四柄長劍。

捲雲十八刀本是以攻敵爲主，但在十二個劍士的迫攻之下，兩人已然無力發出攻勢。十二個黃衣劍士，憑藉手中的寬大長劍和合手力道，幾乎是每一招攻勢，都以強猛無比的內力，迫使兩人全力封擋。

十二個黃衣劍士，連攻了七波，三七二十一次，王翔接下十一次，王尙接下了十次。這二十一次攻勢，有如長江大河一般，綿綿不絕，王翔、王尙已完全處於被動，沒有還擊一招。

一側觀戰的俞秀凡和方堃，都皺起兩道眉頭。兩個人都沒有想到，對方竟有如此的功力。王翔、王尙是自出道以來，從未遇到如此的敵手。

十二個黃衣劍士，更是對方辛苦造就二十年的劍手，曾經在三招迫攻，搏殺了武當派一位成就很高的弟子；但十二人在二十一招的攻勢中，竟未能收拾王翔、王尙。

俞秀凡見王翔、王尙都已經滿臉汗水，而對方的攻勢卻是愈來愈凌厲。

王翔接下了對方第十一招攻勢後，低聲說道：「兄弟，這樣子不行，咱們得想法子出手還擊才行！」

王尙奮勇爭先，接下了四個黃衣劍士的第二十二波攻勢，高聲說道：「我接住他們的攻勢，你準備出手反擊！」

王翔還未來得及開口，四個黃衣劍士已然揮劍攻到。

十二個黃衣劍士攻勢更見快速，而且已布成了合擊方位；十二支寬大的長劍，有如一片光幕，直壓下來。

王翔、王尚汗透重衣，全陷被動，卻仍然無法還擊一招。

俞秀凡估計情勢，如若再打下去，王氏兄弟非傷在對方手下不可，不禁大急，高喝一聲：「住手！」

這一聲貫注內力喝出，聲音奇大，但十二個黃衣劍士，卻是我行我素，恍如未聞，仍然未停攻勢。

方堃微微一笑，低聲喝道：「停下！」

十二個黃衣劍士，聞聲收劍，各自向後退了五尺。

方堃目光凝注在俞秀凡的臉上，緩緩說道：「俞兄的兩個從屬，是兄弟見過的最好刀客，而且年紀甚輕，異日的成就，確實不可限量；不過，他們還無法抗拒兄弟手下這十二位劍士的合力攻勢，俞兄，如若現在改變心意，還來得及！」

俞秀凡冷漠一笑，道：「方兄錯了……」

方堃接道：「俞兄的意思是……」

俞秀凡肅然道：「當我們確然無能和方兄率領的劍士抗拒時，用不到等待毒發再死。」

方堃微微怔了一怔，道：「你的確是太剛正了些。」

俞秀凡道：「所以，我還得試試。」

方堃有些敬佩地點點頭，道：「俞兄可求證一下，不過……」

俞秀凡不再理會方堃，冷冷接道：「王翔、王尚，你們退下！」

兩個人回顧了俞秀凡一眼，緩緩退到了一側。

俞秀凡左手提著長劍，緩緩行動場中，目光一掠十二個黃衣大漢，道：「諸位請上吧！」

方堃目睹俞秀凡捧著連鞘的長劍，不自禁地說道：「俞兄，拔劍出來，區區手下的劍上攻勢很快。」

俞秀凡淡淡一笑，道：「不要緊，區區在下無能阻擋他們的攻勢，死而無憾。」

方堃一皺眉頭，欲言又止。

王翔、王佾已知道這十二劍士的厲害，那是要真本領、硬功夫的搏殺，俞秀凡的藝業如何，他們知道的太少，暗暗替他擔心。

但聞方堃輕輕嘆息一聲，道：「殺！」

四個黃衣劍士，突然揮劍攻來，手中又寬、又長的寶劍，像閃電一般快速。

俞秀凡右手一探，長劍出鞘，一抹寒芒，一閃而收。沒有人看清楚他，如何拔出了長劍，又如何把長劍歸入鞘中。

四個黃衣劍士，只感著右腕一涼，快速的劍勢，使他們沒有機會感覺到痛苦。

血，在他們停下來之後，才噴射而出。同時，才感受到斷腕的痛苦。

但四人感受的驚駭，超出了痛苦，呆呆地望著俞秀凡出神，似乎還不太相信剛才發生的事。但鮮血和劇烈的痛疼，證實這是千真萬確的事。另外八個黃衣劍士，本已發動了攻勢，但卻突然在途中停了下來。

方堃的臉色變了，變得一片蒼白。

輕輕咳了一聲，俞秀凡緩緩說道：「方兄，我想另外八位黃衣劍手，用不著再試了。他們

不會有更好的結局。是麼？」

方堃由震駭的驚疑中，清醒了過來。長長吁一口氣，道：「俞兄，你要我認輸？」

俞秀凡道：「我知道，這只是開始，不是這一場搏殺的結局。但我想，這一次對陣，我已經證明了你這些黃衣劍手，已不足和我對敵，你如強令他們出手，那不是命他們出戰，而是近乎殘酷的送死。」

方堃定一定心神，緩緩說道：「很好，那就請俞兄試試紅衣劍士的威力。」話落，舉手一揮。

八個黃衣劍手往後一退，六個紅衣劍手立時長劍揮動，交織成一片綿密劍網，朝俞秀凡疾攻而至！

在俞秀凡的眼中，任何綿密的劍招，都有著很大的空隙，但這個劍士的合搏之術，竟然綿密的有如一片劍網。心情微微震動了一下，俞秀凡疾快地拔劍擊出。

一陣金鐵交鳴，六個紅衣大漢向前攻出的長劍，全部擊空。但俞秀凡向下落空的劍招，這一次竟未能傷人。

方堃長長吁一口氣，心中暗道：這一劍，雖然凌厲絕倫，但卻沒有傷人。

就在他心念轉動之間，俞秀凡第二劍突然刺出。這一劍快速至極，但見寒光閃了幾閃，六個紅衣大漢還未來得及收回長劍，每人的右腕上，都中了一劍。

俞秀凡疾快地向後退了一步，還劍入鞘，冷冷地道：「方兄，夠了麼？」

方堃嘆一口氣，道：「好劍法！好劍法！你們都退開了下去。」

十二個紅衣劍士，六個腕上受傷，另外六個沒有受傷的大漢，已經換成了一種攻擊的姿

勢，一列並立，準備出手，聽到方堃的話，六個準備出手的紅衣大漢，全收回了長劍。

方堃揮揮手，道：「你們都出去。」

十二個紅衣大漢，黯然垂下了頭，緩步退出大廳。

方堃面對著俞秀凡，手握劍柄，冷冷說道：「俞少俠，該咱們了。」

俞秀凡點點頭，道：「方兄，在沒有動手之前，我想先看看你帶的解藥。」

方堃苦笑一下，道：「俞少俠，你真的希望取得到解藥麼？」

俞秀凡臉色一變，道：「你沒有解藥？」

方堃緩緩從衣袋取出一個玉瓶，放在木案上，道：「這玉瓶，據說是解藥，但是不是真的解藥，區區不敢保證。」

俞秀凡道：「方兄，如若那玉瓶不是解藥，你可知道是一個什麼樣的後果麼？」

方堃道：「我知道，俞兄在激怒之下，可能殺光這谷中所有的人。」

俞秀凡道：「是的。方兄，準備付出這樣的代價了？」

方堃肅然說道：「我沒有預想到會有這樣的結果。多少年來，我一直覺著自己是武林第一流的劍手，除了傳授藝業的人，我想不到世間真有比我出劍更快的人。我孤陋寡聞，很少在江湖上走動，但我自出道以來，從沒有嘗過失敗的滋味，也不知道失敗後應該做些什麼事。但今天看來，我似乎敗定了。」

俞秀凡道：「方兄既不願聽兄弟的意見，那咱們只好先在武功上分個高下了。」他似是胸有成竹，也不再問解藥的事。

方堃回顧了木案上的藥瓶一眼，道：「俞兄，可要先試試看，這解藥是真是假？」

俞秀凡道：「不用試了。這解藥如是真的，用不著試；如是假的，你也無法再交出真的解藥了。」

方堃輕輕嘆息一聲，道：「你出手吧！」

俞秀凡道：「強賓不壓主，還是方兄先請。」

方堃淡然一笑，道：「那麼，俞兄小心了。」突然一揚右手，飛起一道寒虹，直向俞秀凡的前胸刺去。果然出手迅快，揮手間，寒光已然帶近了俞秀凡的前胸。

俞秀凡拔劍擊出，橫封方堃的劍勢，就在胸前三寸處，封開了方堃的劍勢。劍勢雖被封開，但俞秀凡卻驚出了一身冷汗。

方堃出劍之快，和那些劍士相比，確然高出了很多，只要方堃能在出劍時，多校正三、五個缺點，這一劍就刺入了俞秀凡的前胸。

方堃卻是另一種想法。覺著自己這突然發難既快速，又在這樣子近的距離之下，實是不應該被人躲過，但竟被俞秀凡封開了自己的劍勢，心中甚是敬佩。

俞秀凡封開了方堃的劍勢之後，並未還擊，仍然採取守勢。

方堃卻在劍勢被封開之後，立時又展開反擊，長劍搖顫，一口氣攻出了十二劍。這十二劍快速的攻勢，有如閃電一般的迅捷，且在極短的時光連綿而至。

十二聲金鐵交響，俞秀凡封開了方堃的十二劍快攻。

但因劍和劍的接觸太快，撞擊的聲音溶成了一片，聽上去，有如一次金鐵撞擊。

俞秀凡雖然把十二劍一齊封架開去，但心頭卻震駭不已，只見此人出劍之快，和自己相差極微。同時，也使得俞秀凡覺到這一個神秘組合，確是藏龍臥虎，不可輕視。

但聞一聲長嘆，傳了過來，方堃突然棄去了手中的長劍，道：「你能封開我閃電十二劍，那的確比我高明，你如對我方某人，還有一點好感，那就給我一個痛快，一劍刺入我的心臟，或是斬下我的腦袋，讓我少受一點痛苦，方某人就感激不盡了。」言罷，閉上雙目。

俞秀凡還劍入鞘，緩緩說道：「方兄，你雖然未能殺了我，但你是我俞秀凡出道以來，所見到最快的劍手。」

方堃緩緩睜開眼睛，淒涼一笑，道：「多謝俞兄，我已經盡到了最大的力量。雖然，我早已知道你有著很好的反擊機會，而沒有出手，那已給了我很大的機會，但我們的技藝，有著顯明的差別，我不想再試了。」說完話，又閉上了眼睛，一副堅決求死的神情。

俞秀凡道：「男子漢大丈夫輸了要服，敗了要認，第一等的劍手，不該作生死之搏。」

方堃笑了一笑，道：「那是你的看法，在我而言，這一戰的意義，有著很大的不同。」

俞秀凡接道：「你受不起失敗的打擊？」

方堃道：「因爲，我敗了，不但失去了榮耀，也失去了我擁有的地位和權威；另一個人，會取代我的位置，生命對我已無意義可言。」

俞秀凡突然放聲大笑。

方堃呆了一呆，道：「你笑什麼？」

俞秀凡道：「那就難怪了。」

方堃怒聲接道：「俞秀凡，你敢譏笑我？」

俞秀凡道：「我不是譏笑你，我只是覺著你對生命意義的誤解太深了。」

方堃道：「一個人活在世上，如若平平庸庸，生命還有什麼可留戀的，何況，我已經得到

了權位，竟要在這一戰之中，全部化爲烏有，對我而言，這是一個很難忍受的打擊。」

俞秀凡道：「聽方兄的口氣，似乎是在你手中，已經挫折了不少武林高手。」

方堃淡淡一笑，接道：「俞兄，我不想聽你的高論，彼此的處境不同，我們的看法，當然有很多不同之處。而且，此時此情，也不是我們談論是非的時間。」

俞秀凡冷笑一聲，道：「方兄，你一味求死，不覺著太過輕賤自己麼？」

方堃猛然一瞪雙眼，道：「我活下去，這世間也沒有我立足之地，人存名亡，雖生猶死。」

俞秀凡接道：「方兄只要自己願意活下去，天下之大，又何愁無立足之處。哀莫大於心死，方兄的心中，早已被人收買而去，你所認爲的權勢、地位，其實，只不過是人家的工具而已。一個人活要活得心安理得，死要死得重如泰山，留名要留千秋名，這地方僻處江灣、絕谷，世人有幾個知曉你方兄的大名，江湖上又有幾人知道你的權勢，威權不出絕谷，威名不達江灣，竟使你如此留戀。」

方堃突然一伏身子，撿起長劍，反向前心刺去。

俞秀凡早已有備，右手一抬，長劍遞出，噹的一聲，封住了方堃的長劍。

方堃嘆息一聲，道：「俞秀凡，你要整得我求死不能麼？」

俞秀凡道：「兄弟希望你方兄好好活下去，等到非死不可的時間，再死不遲。」

方堃奇道：「什麼時刻是非死不可的時間？」

俞秀凡道：「這個很難說了。兄弟的看法，也許不完全對，譬喻說吧，我一人之死，可救千萬人之命，那就是非死不可的時刻。」

方堃似是悟到了什麼，微微一笑，道：「多謝俞兄指點。」
俞秀凡暗暗吁一口氣，舉步行近木案，取出解藥，道：「方兄，兄弟請教一事。」
方堃道：「什麼事？」
俞秀凡道：「如若你這解藥是假的，我要到什麼地方去討取真的解藥。」
方堃道：「如若解藥是假的，中毒的人等不及你再去取解藥。」
俞秀凡一皺眉頭，沉吟不語。
方堃道：「這解藥是真是假，我也無法確定。俞兄，你何不打開試試？」
俞秀凡道：「打開試試？」
方堃道：「是的！也許它是真的解藥呢！」
俞秀凡略一沉吟，打開瓶塞。
王翔大舉行了過來，道：「公子，給我一粒試試。」
俞秀凡倒出一粒藥物，托在掌心之上，瞧了一陣，道：「兄弟，這解藥……」
王翔接道：「公子，是真的，自然是好；就算是假的，也沒有什麼；反正我們已等不及解藥了。」接過一粒解藥，吞了下去。
俞秀凡道：「快些坐下去，運氣調息一下，試試看能否解中毒。」
王翔依言盤膝坐下，運氣調息。
方堃沒有說話，但他的神情卻十分緊張，雙目凝神，盯住在王翔的臉上瞧著。
過了一盞茶工夫，王翔突然睜開了雙目，搖搖頭，道：「公子，是假的。」
俞秀凡還未來得及答話，方堃突然大聲喝道：「來人！」

守在大廳門外的紅衣、黃衣劍士，聞聲急奔而入。

方堃神情冷肅，緩緩說道：「你聽到了麼？」

兩個武士面面相覷，不知方堃問得什麼。

大約方堃也知道問得太急了一些，輕輕咳了一聲，接道：「這解藥是假的！」

十二個紅衣劍士點點頭，不知如何接口，十二個黃衣劍士更是神情木然，瞠目不知所措。

方堃冷冷說道：「咱們敗在了俞秀凡劍下，卻沒有真的解藥交給人家，如何對人交代？」

二十四劍士，肅立靜聽，但卻沒有人接口。

方堃道：「你們都是江湖上第一等的劍士，總不能眼睜睜的欺騙人家，我這身為劍主的人，更不能做出這等不信不義的事。」

俞秀凡眼看事情突然間有了驚天動地的變化，索性住口不言。

為首的紅衣劍士，低聲說道：「劍主的意思是……」

方堃道：「咱們死在俞少俠的劍下，那是怪咱們學藝不精，咱們可以為上司賣命，但不能做欺騙人的事情。所以咱們要想法取得真正的解藥，交給俞少俠，然後，再合力和他一拚。」

語聲微微一頓，接道：「木劍主之意如此，但不知諸位意下如何？」

二十四劍士齊聲應道：「劍主所命，我等自然遵從。」

方堃道：「為了維護一個劍士的信用，咱們這作法，也許有些過分，因此，我也不願強迫你們，願意去的，跟我一起走；不願去的，任憑尊便。」

目光轉注到俞秀凡的臉上，緩緩接道：「俞秀凡，事先我確不知這解藥是真是假，現在，既然證明了這解藥是假的……」

俞秀凡嘆息一聲，接道：「方劍主，事實上，這也怪不得你。」

方堃接道：「咱們不談道理，你勝了我和我統領的劍士，我就應該交給你真正的解藥。現在，我盡我的力量去取，但能不能取得到，我無法保證，不過，俞少俠，我會對你有一個交代。取不到解藥，我會爲你幾個屬下償命。」說完話，舉步向外行去。

二十四個劍士，相互望了一眼，齊齊跟在方堃的身後，舉步向前行去。

俞秀凡輕輕嘆息了一聲，低聲道：「王尙，扶著王翔，咱們也去瞧瞧。」

王翔突然挺身而起，道：「公子，用不著扶我，那瓶中的藥物，雖然不是解藥，但也不是毒藥，不能解去我身中之毒，但也沒有傷害到我。」

俞秀凡神色凝重地低聲說道：「你們都記著，不論發生什麼事，都不許橫裏插手。」

王翔、王尙、桃花童子等，魚貫隨在身後。

這時，方堃已然帶領著二十四劍手，直向一片石壁處奔去。

俞秀凡等遠遠地隨在幾人的身後，行近石壁丈許左右處停了下來。

凝目望去，只見那是一面很光滑的石壁，至少在表面上看去，瞧不出有什麼特異之處。

但見方堃面對著石壁，高聲說道：「第二劍主方堃，求見使者。」

只見那光滑的石壁緩緩分開，出現了一個門戶。一個身著麻布及膝大褂的少年，緩步行了出來。

俞秀凡運足目力望去，只見麻衣少年臉色蒼白，全身散發一種冷索的寒意。

麻衣少年緩緩行出石門之後，冷冷說道：「方堃，什麼事？」

方堃道：「我想求見使者。」
麻衣少年道：「使者無暇，什麼事和我說也是一樣。」
方堃道：「使者交給我的解藥，是真的還是假的？」
麻衣少年道：「真假有何不同？」
方堃道：「我們和俞秀凡比劍落敗，無法交出解藥。」
麻衣少年笑了一笑，接道：「你們打不過俞秀凡是麼？」
方堃道：「不錯。俞秀凡劍招快速絕倫，我等都非敵手。」
麻衣少年道：「想法子困住他。」
方堃冷笑接道：「不論你們用什麼方法對付俞秀凡，但都應該先行交出解藥。」
麻衣少年道：「交出解藥，豈不是讓他們增加了實力？」
方堃道：「就一個劍士而言，如是言而無信，豈不要被天下英雄恥笑。」
麻衣少年冷笑一聲，道：「方堃，你打不過俞秀凡，已經是有虧劍主之職，還敢幫敵人來討取解藥麼？」
方堃心頭火起，怒聲喝道：「我們敗於人手，只怪學藝不精，大不了丟去劍主之位；但如言而無信，受人譏笑，那就生不如死了。」
麻衣少年冷冷說道：「方堃，你可知道本門的規戒麼？」
方堃道：「在下身為獨當一面的劍主，在十大劍主排名第二，豈有不知本門戒規之理。」
麻衣少年道：「你既然知道本門的戒規，當知一個使者身分，代表著什麼？」
方堃臉色一變，道：「馬騰，你去請使者見我，我不願和你這等不明事理的人，多費口舌。」

馬騰笑了一笑，道：「見使者也是一樣。」

方堃厲聲喝道：「就算我犯了輕藐使者之罪，自有門規制裁於我，眼下你只要做一件事，交出解藥來。」

馬騰冷然一笑，道：「方劍主，所求不准，本副使代傳使者之命，貴劍主應率所屬，不計犧牲，不擇手段，設法殺死俞秀凡。」

方堃突然一抬腿，陡然欺到了馬騰身側，冷森的劍尖，已然抵到了馬騰的咽喉，冷肅地說道：「馬騰，交出解藥！」

馬騰的臉色更見蒼白，頂門上也隱隱泛現汗水，盡量擠出一個笑容，道：「方兄，這算什麼？玩笑開夠了，快把長劍收回，兵刃鋒利，傷到人如何是好？」

方堃笑了一笑，道：「你既知兵刃鋒利，那就應該知機一些，快點交出解藥！」

馬騰感覺鋒利的劍尖，已然劃破了咽喉上的肌膚，死亡的威脅，迫在眉睫。

面對著死亡瞬息的危險，馬騰已全無副使者的尊嚴，急急說道：「方兄，解藥不在兄弟身上。」

方堃接道：「在哪裏？」

馬騰沉吟了良久，用極低的聲音，說了數語。

聲音很低……很低，俞秀凡傾盡了耳力，也未聽出他說些什麼。

但聞方堃冷笑一聲，出手一指，點了他的穴道。

馬騰身子搖了兩搖，向地上栽去，但被方堃疾出左手，提了起來，向後一拋，丟在一個紅

衣劍士的懷中。

只聞方堃厲聲道：「看守起來！」

俞秀凡輕輕嘆息一聲，道：「這位方劍主太過剛烈，看樣子，他是準備放開手幹了。」

王尚低聲說道：「他們自相衝突，對咱們豈不是大大有利。」

俞秀凡道：「方堃剛烈無比，一副只斷不屈的性格，又被劍主的名位所困，一時間，只怕難以擺脫。他可能寶劍相向，迫使副使者交出解藥，但他把解藥交給咱們之後，只怕……」

只怕什麼，俞秀凡沒有再說下去。

就在這時刻，一個面目冷森的中年人，正緩步由石洞行了出來。

方堃舉起手中的長劍，冷冷說道：「馬副使要我以他為餌，分你之神，暗施算計。但我不願如此，你亮兵刃和我一戰呢，還是要交出解藥？」

冷森的中年人輕聲一笑，道：「方劍主，本使者奉命來此的用心，方劍主知道麼？」

方堃道：「我知道，你要帶回俞秀凡覆命。」

冷森中年人笑了一笑，道：「萬一無法帶走活人，死的也好。」

方堃道：「很可惜的很，方某人不是那俞秀凡的敵手。」

冷森中年人道：「此地僻處江灣絕谷，與世隔絕，方劍主用不著顧慮太多，你在十大劍主排名第二，如若再加上二十四劍手之力，俞秀凡縱然身負絕技，也不是你的敵手。」

方堃冷笑一聲，道：「方某人已是敗軍之將，不足言勇，但咱們應該交出的解藥，不能失信於人，使者欺騙在下於先，希望你這一次交出的是真的解藥。」

冷森中年人一皺眉頭，道：「你身為一方劍主，極受器重，你準備如何對城主交代？」

俞秀凡暗運內功，凝神傾聽，希望從兩人的談話，聽出他們是一個什麼樣子的組合。但聽來聽去，只聽出城主兩字而已。

方堃道：「使者！如何向城主交代，那是方某人的事，不勞使者費心。目下重要的是，使者是否準備交出解藥？」

冷森中年人道：「我如不肯交出解藥呢？」

方堃道：「那就請亮兵刃出手吧！」

冷森中年人哈哈一笑，道：「方劍主言重了。十大劍主，向為城主愛護，本使者雖是奉有上命而來，也不願和劍主你衝突。」

右手探入懷中，摸出一個玉瓶，道：「解藥在此，方劍主拿去吧！」

方堃接過解藥，冷然一笑，道：「在下還有一事，請教使者。」

冷森中年人道：「什麼事？」

方堃道：「不肯一次交出真的解藥，是城主的授意呢，還是你使者擅專？」

冷森中年人笑了一笑，道：「自然是城主授意，本使者怎敢擅專？」

方堃一皺眉，未再多言，回過身一揚手，把玉瓶向俞秀凡投了過來，道：「這玉瓶的解藥，勞請你俞少俠令貴屬再試一次，我相信，不會再假了。」

俞秀凡拔開瓶塞，倒出三粒解藥，分給了玉翔、王尙、桃花童子，每人一粒。

王翔低聲道：「你們等等，我先吃。」

十五　反道而行

桃花童子突然興起了很大感慨，只覺和俞秀凡等相處一起，才有著一種純真、親愛的感受，個個搶先赴死蹈危，和江湖上的爾虞我詐，大不相同。

王翔服下了藥物，立時盤膝坐了下去。

片刻之間，王翔啓開雙目，低聲道：「真的解藥，而且對症下藥，我身上的奇毒已解。」

王尙立刻服下，桃花童子本未中毒，但也只好做個樣子，暗暗把解藥藏入袖內。

俞秀凡查看玉瓶，還有三粒解藥，但卻未據爲己有，合上瓶塞，道：「原物奉還。」

方堃接過解藥，回身交給那冷森中年人，沉聲說道：「俞秀凡，你還有什麼要求？」

俞秀凡道：「此地事已結束，如若方兄一定要在下要求什麼，那就是希望能遣人送我們離開此地。」

方堃搖頭一笑，道：「俞兄，這件事很難。因爲兄弟死在你劍下後，無法遣人相送了。」

俞秀凡微微一怔，道：「怎麼，還要打？」

方堃道：「是的，剛才兄弟敗在你的劍下，因爲兄弟答應過，你勝了之後，我會交出解藥。說出的話，自然應該辦到。所以兄弟不惜開罪使者，討到解藥。但眼下，兄弟準備和俞兄一決生死了。」

俞秀凡道：「方兄，看來，我是無法推辭了。」

方堃道：「不論你是否答應，咱們這一架是打定了。而且還得打一個生死存亡出來！」

俞秀凡道：「既是如此，兄弟只好從命。不過，在咱們未動手前，兄弟想請求一事。」

方堃道：「咱們雖今日會面，但這片刻的聚會，俞兄已是我方某最爲心儀的人，只要我能辦到，決不使你失望，可悲的是，咱們相逢的時間、地點，竟是無法並存的局面。」

俞秀凡道：「貴組合，有你方兄這樣的血性英雄，也有馬騰和貴使者那等卑劣人物，一個組合能夠兼容並蓄這兩種形同水火的人，足見貴城主的雄才大略。」

方堃道：「誇獎，誇獎，敝城主確是一位非同凡響的人物，希望俞兄日後能有機緣，和他見上一面。」

俞秀凡道：「我也希望有那麼一天。不過，我知道，在那一天到來之前，兄弟必得闖過很多生死的關口。」臉色一整，目光轉注那面目森冷的中年人身上，接道：「我想在咱們沒有動手之前，先見識一下貴使者的身手。」

方堃道：「這個，這個……」

回顧了使者一眼，接道：「使者的意思呢？」

森冷的中年人搖搖頭，道：「我不想和他動手。」

俞秀凡淡淡一笑，道：「可以。反正你是屬於能屈能伸的人物，不知人間有羞恥一事。只要肯答應我一個條件，我可以在方堃面前許下一句諾言，放你生離此地。」

方堃皺起了眉頭，不知如何回答。

但那森冷的中年人卻接口說道：「什麼條件？」

俞秀凡道：「你學三聲狗叫，我饒你一命。」

森冷的中年人臉色一變，似想發作。但卻突然哈哈一笑，道：「昔年興漢三傑之一，大將軍韓信，曾受過胯下之辱，學上三聲狗叫，那也未嘗不可。」竟然真的雙手扶地，汪汪汪地學了三聲狗叫。

俞秀凡輕輕嘆一口氣，道：「閣下至少還可再活一百年！」

森冷的中年人笑了一笑，道：「閣下誇獎了。」

方堃冷笑一聲，道：「俞兄，只怕是看錯了。」

俞秀凡聽得一怔、道：「為什麼？」

方堃道：「據兄弟看來，我們的這位使者，生就了早夭之相。」

忽然拔劍一揮，一道寒芒，閃電而過。

那森冷中年人縱身欲避，但沒有閃避開去。慘呼一聲，被方堃生生劈做兩段。

俞秀凡未料到方堃會突然出手，殺了使者，微微一愕後，緩緩地說道：「方兄，你……是看不慣這樣的人？」

方堃神色嚴肅，冷冷說道：「本門中人，如此沒有骨氣，很出兄弟的意料之外。」

俞秀凡淡淡一笑，道：「方兄殺了貴門使者，就算能勝了我俞某人，只怕也未必能逃過貴上的制裁。」

方堃冷冷說道：「我沒有準備再活下去，你亮劍吧！」

俞秀凡神色轉變得十分冷肅，道：「方兄，兄弟想不出有什麼理由，咱們非要拚一個血流五步不可？」

方堃道：「沒有理由。我自出道以來，從沒有遇過敵手；但你俞兄勝了我，方某人無顏再活下去。」

俞秀凡道：「方兄執意如此，請出手吧！」

方堃道：「那麼，閣下小心了。」

一揚手，長劍直刺俞秀凡前胸。

俞秀凡揮劍一擋，震開了方堃的劍勢。方堃長劍連揮，片刻間攻出了一十二劍。俞秀凡站在原地未動，長劍揮展，封開了方堃一十二劍後，突然還擊一劍。這一劍快速至極。

劍刃直逼上方堃的咽喉。

方堃肅立未動，一副視死如歸的氣勢。

俞秀凡劍近咽喉時，微微一抬，一縷寒芒，削落下方堃頭上的一綹頭髮，還劍入鞘。

俞秀凡道：「以髮代首，方兄已算是死於兄弟的劍下……」

方堃怒聲接道：「爲什麼不真的殺了我？」

俞秀凡冷冷接道：「我如殺了你，江湖上又少了一個敵手，豈不是可惜得很？」

方堃怔了一怔，道：「什麼意思？」

俞秀凡道：「你是我出道以來，遇上的最好劍手；十年後，咱們誰勝誰負，還難預料。所以，我留下你的性命。」

方堃大聲說道：「滿口胡言！」

俞秀凡冷冷說道：「信不信是你的事，在下說的是由衷之言。」

目光一顧王尙，道：「咱們走！」當先舉步向前行去。

王翔、王尚緊追在俞秀凡身後行去。望了方堃一眼，桃花童子轉身緊跟在王氏兄弟身後。

方堃突然厲喝一聲：「站住！」仗劍追了上去。

俞秀凡霍然轉過身子，道：「方堃，你要幹什麼？」

方堃嘆口氣，道：「你知道麼，你放了我，我也一樣不能活，為什麼不讓我死得瞑目！」

俞秀凡道：「你如何才能死得瞑目？」

方堃道：「那就是，我死去之前，希望能看到是什麼樣的劍招把我殺死。」

俞秀凡道：「方兄的意思，可是覺著除了兄弟之外，世間再無人能夠殺死你了？」

方堃道：「那也未必。單就十大劍主而言，我排名第二，至少有一位劍主比我高明。」

俞秀凡道：「不知排名第一的劍主，比起兄弟如何？」

方堃道：「這個，很難說了。不過，你對付我方某人用了七成功力，對付那位第一劍主，至少要用九成功力；如是你對付我用了九成功力，那就很難說誰勝誰敗了。」

俞秀凡道：「如是我用了十成功力對付你，那就是非敗不可？」

方堃道：「不錯。你如是全力對付我，對你就注定了非敗不可！」

俞秀凡淡淡一笑，道：「既然能遇上了你方兄，兄弟相信不難遇上那位第一劍主。」

方堃冷冷說道：「除了那位第一劍主之外，還有敝城主，以及四大將軍、左右丞相，都具有殺我的能力。」

俞秀凡笑了一笑，道：「看來，你方兄是一位很自謙的人。」

方堃道：「兄弟說的是由衷之言。」

俞秀凡突然嘆一口氣，道：「一個江湖人物的組合之中，既有城主，也有丞相、將軍，豈

不是形同造反麼？」

方堃道：「聽你的口氣，似乎是想和我們整個的組合作對？」

俞秀凡笑了笑，道：「學劍和讀書，雖是大不相同的事，但它的目的應該是一樣的。」

方堃接道：「什麼樣的目的？」

俞秀凡道：「救人濟世！如若一個人學了一身武功，不能用之於正途，那還不如一個販夫走卒有益於世。」

方堃怔了一怔，道：「俞兄，你是不是在罵我？」

俞秀凡道：「兄弟不是罵你，而是奉勸幾句金玉良言，方兄的生性、爲人，都有了一個劍士的條件，只不過缺乏一個劍士的劍格。」

方堃臉色一變，道：「俞秀凡，你說我沒有人格？」

俞秀凡道：「方兄不要誤會。以人格而言，方兄生性正直，不畏強暴，厭惡邪僞之徒；但如以一個劍士而言，方兄確少那一種仁心俠膽的高潔志節。」

方堃呆了一呆，道：「我？」

俞秀凡道：「你已有了一個劍士的身手和性格。如能再有著那種『先天下之憂而憂，後天下之樂而樂』的劍格，那就是一個完美的劍士，活得清清白白，死得也心安理得。」

方堃的臉上突然泛起了一片聖潔的光輝，沉吟不語。

俞秀凡悄然轉過身子，大步向前行去。

四個人照來路平安地離開了絕谷。

抬頭看去，但見濁流滔滔，目力所及處，不見舟影。

俞秀凡道：「小桃童，我們此刻的處境，四顧茫茫，是一個什麼樣的結局，我也無法預料。你似乎用不著和我們在一起了。」

桃花童子道：「我到哪裏去？」

俞秀凡道：「去找方堃，顯示出你的身分，他定會收留你。」

桃花童子嘆口氣，道：「方堃只怕已無法自保，小的投靠他，豈不是自尋死路。」

俞秀凡微微一怔，道：「他在十大劍主的排名第二，又是貴城主教養長大的，而且他也沒有重大錯誤，難道就不能受到優容麼？」

桃花童子道：「方劍主太單純了，他對組合的事情，了解太少，也許他們的身分不同，所受到的教養，也不一樣。」

俞秀凡心中一動，接道：「貴組合似乎兼容並蓄，有著很多不同的人物。」

桃花童子道：「不錯，我們這個組合，不但兼容有很多完全不同的人物，而且，每一組人手，都因擔負不同的任務，而受了不同的教養，甚至連武功都針對需要傳授。方劍主算是本組合比較正統的人物，他不但不了解城主派來的使者，更不了解我。本組合的規戒，也因人而異，但最著重的一件事，就是令諭的尊嚴，方劍主殺了城主遣派來此的使者，不論他和城主有些什麼關係，都難逃死亡的命運了。」

俞秀凡微微一皺眉頭，道：「這麼說來，方堃是死定了？」

桃花童子低聲說道：「是的。公子，方劍主非死不可。」

王尚微微一笑，道：「小桃童，你不願去見方堃，那是準備跟我們在一起了？」

桃花童子道：「眼下看來，也只好如此了。」

王尙道：「小桃童，這地方很清靜，四顧茫茫，不見人跡，不論咱們談什麼，大約都不會有人聽到吧。」

桃花童子道：「王兄的意思是……」

王尙道：「我想知道，你們究竟是一個什麼樣的組合？」

桃花童子道：「這件事我很難答覆，因爲，我們這個組合太龐大了，究竟容納什麼人物，像我這樣的身分，沒有辦法知道。不過，對我們這一股力量，倒可奉告一、二。」

俞秀凡道：「其實，貴組合最可怕、最神秘的力量，應該是你們這一股力量了。」

桃花童子道：「公子誇獎了。和我一起的一共有十二個人，我們一面學習武功，一面接受了解江湖的訓練，自然，還有很多種的技巧。公子覺著我這點年紀，認識了很多人，心中定然十分奇怪，是麼？」

俞秀凡微微一笑，沒有接口。

桃花童子道：「我們有著很完好的教育，那些人，我都是從圖樣上認識的。我不但認識他們的人，還知曉他們的經歷往事，以及他們的性格。」

俞秀凡道：「你們十二個人，都已混入江湖了麼？」

桃花童子道：「沒有。就我所知，我們只有四個人派入了江湖。」

俞秀凡道：「小桃童，都是些什麼人，教你們的？」

桃花童子道：「那些人都是戴著人皮面具，或是蒙著面。那些人和我們相處了很多年，但我們一直未見過他們真正的面目。」

俞秀凡道：「小桃童，你見過那位城主沒有？」

桃花童子點點頭，道：「見過。以真正面目和我們見面的重要人物，只有城主一人。」

俞秀凡沉吟了一陣，道：「小桃童，可不可以把城主的形貌，給我描述一番？」

桃花童子道：「城主鶴髮童顏，儒衫飄飄，雖非世外之人，看上去有著一派仙風道骨。」

俞秀凡道：「他的為人如何？」

桃花童子道：「和藹慈祥。」

俞秀凡微微一怔，道：「小桃童，你沒有騙我吧？」

桃花童子道：「沒有，句句真實。」

俞秀凡道：「如真是這樣一個人物，又怎會妄動霸主武林之心？」

桃花童子道：「我從沒有聽城主說過，有謀霸武林的企圖。」

俞秀凡道：「但你們的所作所為，哪一件不是存下了謀霸武林的企圖？」

桃花童子笑了一笑，道：「我們只是身受嚴格的訓練，不論在武功上，或是在智計上，都有極高的要求，我們進入江湖，用心只是監視江湖上的人事變化。」

俞秀凡微微一笑，打斷了桃花童子的話，道：「小桃童，你相信自己講的話麼？」

桃花童子嘆口氣道：「不相信。」

俞秀凡道：「他們把你造成了一個精明的人，但也磨亮了你的智慧。」

桃花童子道：「唉！我如若不是追隨公子這些時日，老實說，我也無能去分辨善惡。看到了方劍主和那使者之後，更使我心生警覺，道不同難相為謀，為什麼我們這一個組合，竟然容納了這樣多全然不同的人物。」

俞秀凡道：「照你的說法，貴城主是一位外貌忠厚，內藏奸詐的人物了。」

桃花童子搖搖頭道：「不像，他的慈祥應該不是裝作的。」

王尚接問道：「小桃童，真是越說越玄了。貴城主是不是你們的首腦？」

桃花童子道：「不錯，任何人，都對他尊敬無比，和他相處，有著如沐春風的感受。」

王尚道：「那你為什麼連自己說的話都不相信呢？」

桃花童子笑了一笑，道：「我們學的技能之中，有說謊一科。我也不知道，這些年來，說過了多少謊話，我在說謊的時候，定然是表情逼真、絲絲入扣。」

俞秀凡接道：「現在呢，是不是也在說謊？」

桃花童子道：「不是。你公子太精明了，使我不得不小心一些，最好的方法，就是少說話，以免露出馬腳。處於順境時，我沒有想過什麼。但這些日子來，我想了很多。我們那個組合，除了城主之外，為什麼都戴著面具，或是蒙著面紗，他們又在怕什麼？」

王尚冷冷說道：「因為他們自知無顏見人。」

俞秀凡微微一笑，道：「小桃童，你自己的看法呢？」

桃花童子道：「想一想，其中確然有很多的問題。」

俞秀凡道：「你覺著最大的問題是什麼？」

桃花童子道：「他們對每一個屬下，都認得清清楚楚，但我們卻不知他們是誰。一旦出了事，我們也無法說出他們的身分。」

王尚道：「還有一點，他們如是想殺你滅口時，隨時可到你們身側，而你們無法躲避。」

桃花童子點點頭，道：「我想不出，他們為的是什麼？是名？抑是利？」

俞秀凡道：「小桃童，他們賦與了你很多的才慧，你為何不用呢？」

桃花童子眨動了一下眼睛，道：「我怎麼用呢？當時，我沒有想到這些，他們傳我武功，授我衣食，教我讀書識字。雖然，他們都蒙著臉，但我只覺著他們神秘一些罷了。從沒有想過要了解他們什麼。但現在時機已逝，再沒有這種機會了。」

俞秀凡道：「小桃童，一點也不晚，只要你肯用心，定然可以想出一點內情出來。」

桃花童子道：「想什麼？」。

俞秀凡道：「他們的聲音，他們說的每一句話，都是值得回味的。」

桃花童子凝目沉思，一片神馳往事的神情。

俞秀凡笑了一笑，道：「小桃童，你先想想看，除了城主之外，還有多少人傳授你們不同的藝業？」

桃花童子沉吟了一陣，道：「除了一些很特殊的藝業之外，常和我們接觸的，大約有十四、五個之多。」

俞秀凡道：「小桃童，你如何能確定只有十四、五個人呢？」

桃花童子道：「我從他們的聲音，分辨出他們的身分。」

俞秀凡道：「他們百密一疏，戴上面具，蒙上面紗，卻不知改變他們的聲音。」

桃花童子突然笑了一笑，道：「如非公子提醒，小的還無法想得這麼具體。」

俞秀凡道：「小桃童，你常常聽他們的聲音，定然是很熟悉了。」

桃花童子道：「不錯。」

俞秀凡道：「好！你能不能把聽到的聲音分一下？」

桃花童子道：「如何一個分法？」

俞秀凡道：「你可以把它分成憂鬱和歡暢兩種。」

似乎是解說得很吃力，俞秀凡略一沉吟，才接著說道：「如是一個人，他心不甘、情不願的，把藝業傳授給你們，他心中定然有著很大的痛苦，是麼？」

桃花童子似是突然間開了竅，一下跳了起來，道：「公子一語啓發，使我茅塞頓開。不錯，數年授業期，他們的聲音，我們都聽得很熟，但如從他們聲音的情感去分，確然可以分兩種，一種充滿憂鬱，一種應是歡暢之外，加上冷厲。」

俞秀凡道：「小桃童，這就對了。想想看，這兩種各佔多少？」

桃花童子道：「大體分來，各佔一半。」

俞秀凡突然間變得神情沉重，默然不語。

桃花童子道：「公子，這兩種聲音，代表些什麼呢？」

俞秀凡道：「那屬於憂鬱聲音的，應該是身不由己，被迫傳藝，他們可能是真正大門派的高人，也可能是武林的名宿高人，他們受到了極嚴厲的迫害，不得不抱恨傳藝；至於那些歡暢、冷厲的人，自然是甘心爲虎作倀，又極嚴厲的要求你的武功了。」

桃花童子嘆口氣，道：「公子，這一解說，事情頓然明朗。但在公子未作解說之前，我竟然未能想到。」

俞秀凡目睹滾滾江流，有些黯然地說道：「如若你分得不錯，那是說，在那個組合之中，至少有近半數的人，都是被迫投效了。」

桃花童子道：「要是公子的分析不錯，情勢確然是如此了。」

俞秀凡臉上泛出一種大義凜然的神情，道：「小桃童，你知不知道那地方？」

桃花童子怔了一怔，道：「我在那地方住了很多年，那似乎是一座山谷，谷中的一草一木，我熟悉得很，但那座山谷位於何處，我就不知道了。」

王尚怔了一怔，道：「你在那裏住了很多年，怎會不知道呢？」

桃花童子道：「只要能進入那座山谷，我一眼就能瞧出來它是或不是，我雖在那裏住了很多年，但卻從未出過山谷。」

王尚道：「你去的時候呢？」

桃花童子道：「被蒙著眼睛帶了進去。」

王尚道：「離開的時候呢？」

桃花童子道：「被蒙上眼睛，坐在一頂二人抬的小轎送了出來。」

俞秀凡道：「走了多久？」

桃花童子道：「大約四個時辰。」

俞秀凡道：「四個時辰，最快也不過百里多些，你能記得那停轎的地方嗎？」

桃花童子道：「下了二人抬的小轎之後，就被送上一輛篷車。又走了兩天，才把我放出來。我記著那是在江州地面。」

俞秀凡道：「果然是設計得很精密。」

王尚道：「以後呢？」

桃花童子道：「以後，我們就在一張特殊的朱符指揮下行動。」

王尚道：「什麼人執掌朱符？」

桃花童子道：「每次的人都不同，我們認符不認人。」

俞秀凡嘆口氣，道：「你和我們混在一起，也是受朱符令諭所指示了。」

桃花童子點點頭，道：「是！」

俞秀凡道：「五毒門也是你們組合的一個分舵？」

桃花童子道：「是的，不過，我事先並不知道，進了五毒門，才和他們取上了連絡。」

俞秀凡道：「方堃是否已經知道了你的身分？」

桃花童子道：「不知道。他如知道了我在組織的身分，早就把我留下了。」

俞秀凡道：「方劍主和你小桃童，都是貴組合費盡心血，由童年培育的人才。至於那兩個使者，卻似是吸收江湖人。」

桃花童子道：「所以，我們那個組合，才有著大海汪洋的氣勢，叫人莫測高深，叫人心神嚮往。」

俞秀凡笑了一笑，道：「小桃童，你似是仍然陶醉在貴組合的神秘之中。」

桃花童子道：「我很清醒，但卻正有著無數的人，想叩開神秘的門戶，希望能得一席之地。這世間，除了你俞少俠之外，大約再不會有人敢與我們爲敵了。」

俞秀凡想到了艾九靈和璇璣宮主金玉蓉，淡淡一笑，道：「小桃童，這只是你的想法。」

神情逐漸轉變得十分嚴肅，緩緩接道：「貴組合能調教出方堃和你這樣的人物，的確是非同凡響；又能收羅像兩位正副使者的奸詐人物，當真是金鐵共合鑄，水火可同爐，貴城主的能耐，實在叫人敬佩。」

桃花童子話題一轉，突然說道：「俞公子，小的有一事不明，想請教一、二。」

俞秀凡道：「你說吧！」

桃花童子道：「你爲什麼非要和我們作對不可？是爲名，還是爲利？」

俞秀凡雙目深注在小桃童的臉上，道：「你看呢？」

桃花童子道：「我想不通，以你的武功，如想要名，只要改變一下目標，一夕可以揚名江湖。爲利吧，你又不是唯利是圖的人，美色又不能使你動心。」

俞秀凡接道：「小桃童，如是我想改變一下自己，不知能否有些好處？」

桃花童子道：「好處大啦！你可以得到想要的東西，很快成爲江湖上人人敬畏的大俠，當然，也不可能太苛求。」

突然哈哈一笑，接道：「其實，這些話，我說了也等於白說。」

俞秀凡接道：「你怎麼知道白說呢？」

桃花童子道：「你公子爲人方正，怎會……」

俞秀凡望著那滔滔江流，嘆道：「人性最大的缺憾，就是他內心中常存一種近乎虛幻的理想。」

桃花童子笑接道：「公子，可不可以把你虛幻的想法，說給我聽聽呢，只要你想的不太空泛，都有可能使它實現。」

王翔、王尙都聽得呆在那兒，不知道俞秀凡和桃花童子，兩人在談些什麼。

俞秀凡輕輕嘆息一聲，道：「小桃童，你真有這樣的能力麼？」

桃花童子道：「我沒有，但我們那組合有。動員了這樣多的人力對付你，足以證明對你的重視。」

俞秀凡搖搖頭，道：「如若你說的不錯，你們那個組合之中，充滿著險詐、惡毒，如何肯助我實現願望。」

王尚心中大爲詫異，暗暗忖道：本是要說服小桃童叛離他們的組合，怎的一轉變，似乎被小桃童說服。

但見桃花童子哈哈一笑，道：「上天取月亮，當世第一巧匠，也造不出那樣的梯子，自然辦不到。」

俞秀凡道：「在下那想法雖然實現不易，但也不是完全不著邊際。」

桃花童子道：「公子，俗話說得好，有錢能叫鬼推磨，只要大批金銀，人間還有什麼辦不通的事情呢？」

俞秀凡點點頭，道：「說得是啊！小桃童。不過，只要有很大一筆財富，我的願望，不難實現，可是小桃童，這總不至於全無條件吧？」

桃花童子道：「自然是有條件，最低的是，你要封劍歸隱，不問江湖事。」

俞秀凡道：「這個你放心，如是我的願望能實現，我哪還有時間和他們走在一起？」

桃花童子道：「這就有些眉目了。」

俞秀凡道：「我想建一座大宅院，僕從數百，還有……」

桃花童子接道：「這些事都容易得很，但公子是否能脫離江湖？」

俞秀凡點點頭，道：「如是活在自己的想像之中，自然不會多找麻煩。」

桃花童子突然站起身子，道：「公子，這話是真是假？」

俞秀凡冷然道：「只要你們真助我實現願望，在下自非說謊。」

桃花童子道：「公子，請在此小坐片刻，在下去去就來。」轉身向遠處奔去。

王尙伸手欲攔，卻被王翔拉住。

桃花童子的動作很快，片刻間，走得人影全無。

王尙嘆口氣，道：「你們在討價還價？」

俞秀凡微微一笑，道：「小桃童雖有棄暗投明之心，但他心中顧慮太多，而且對那位城主養育之情，眷戀極深，一時間沒有法子說服於他，只好要他說服我了。」

神情突轉嚴肅，接道：「咱們不能死在這裏，那太不值得。但此地僻處江灣，又遠離航道，極目不見舟楫，咱們不能渡過這片江湖，必須得用智慧求生了。」

王尙啊了一聲，道：「公子高明。」

俞秀凡嘆口氣，道：「咱們這一陣在江湖上走動，時日雖短，但卻歷經了不少凶險，使人感覺機智比武功，有時還要重要。」

一向很少說話的王翔，道：「公子你看，小桃童真會把咱們帶出絕地麼？」

俞秀凡道：「他作不了主。但他會向上面請求。」

王尙過：「咱們已被困於此，只怕他們不肯接受談判了。」

俞秀凡微微一笑，道：「咱們有很多優越的條件，但最重要的是，他們還沒有摸清楚咱們的底細，這對他們太重要了，不到萬不得已，他們不會置咱們於死地。」談話之間，突見一道紅煙，升上高空。

抬頭望著沖入雲霄的紅煙，王尙低聲道：「這是小桃童放出的信號了。」

俞秀凡道：「不錯，可怕的是，咱們不明內情，瞧不出它的用意。」

話題一轉，接道：「你們記著，不論事情如何變化，都由我來應付。除非你們生命受到威脅和聽到我的令諭，不許出手。」

王翔、王尙齊齊點頭。

俞秀凡望了那高入雲霄的紅色煙柱一眼，道：「和方堃動手一戰之後，我感覺到自己的武功，有很大的缺憾。」

王尙接道：「公子出劍之快，天下人只怕已無出其右了。」

俞秀凡道：「我出劍雖然很快，但並非全無修正之處，至少，我還有四、五個缺點要經過修正。但最糟的是，我劍勢上的變化，不夠凌厲，缺少一分威武逼人的勢道。所以，目下最重要的一件事，那就是我要盡快再求精進。」

王尙道：「公子，你這麼一說，我們就更慚愧了。」

俞秀凡道：「有一點令人欣慰的是，我懷中的驚天劍譜，正可補我之不足。」

王翔道：「這劍譜不是很名貴麼？」

俞秀凡道：「是的，我不知別家劍招如何，但驚天劍譜上記述的劍法，都是極爲精奇之學，尤其是驚天三式，真是威勢凌人，莫可抗拒。」

突然掏出懷中的劍譜，撕成碎片，投入江流之中。

王翔道：「那麼，公子爲什麼把它撕成碎片，投入江中？」

俞秀凡道：「我仔細想了很久，那驚天三式，如是落入他們手中，定然如虎添翼，整個武林，都將蒙受其害，無數的俠義人物，都將死於驚天三式之下，權衡輕重，只有把它棄了才較安全。」

王翔道：「但公子……」

俞秀凡道：「劍譜上記述的一點一滴，都已經熟印在我的腦際，除非他們有辦法逼我寫出來，這世間再無驚天劍譜。」

王尙道：「以公子之能，當不致連這本劍譜也保不住吧？」

俞秀凡正色說道：「居安思危，咱們的名氣愈大，別人對付咱們的方法就愈是毒辣，小桃童謀取劍譜已然很急，此秘一旦被他洩漏，他們對付咱們，必更積極，總有一天，咱們會失算落於敵手，留著驚天劍譜既是禍患，那就不如早些把它毀去。」

語聲一頓，接道：「記著，這件事，不可洩漏出去了。」

王翔、王尙點點頭道：「我等明白。」

俞秀凡突然盤膝坐下，閉上雙目。

王翔、王尙，分立前後，全神護法。

足足過了一個時辰之後，俞秀凡才睜開了雙目，道：「小桃童回來沒有？」

王尙道：「沒有。」

回目一顧，只見俞秀凡雙目流露出無限的疲倦，不禁大感驚異，暗道：他調息了這麼久時光，怎的反見睏倦無比？

輕輕咳了一聲，王尙道：「公子，似乎是很累麼？」

俞秀凡點點頭，輕鬆一笑，道：「不錯，我很累，但累得很有代價。」

王翔道：「公子不是剛剛運氣調息麼？」

俞秀凡笑了一笑，道：「我在想驚天劍法。」

王尙道：「公子想通了沒有？」
俞秀凡道：「對驚天三式，我已經下了很多的工夫，但卻一直有幾點疑問想不明白，如今驚天劍譜，已被毀棄，假如再想不通這中間幾處關節，時日一久，很可能記憶模糊，那就難再有貫通之日。此刻，不但驚天三式，對我們十分重要，而且也不能讓此絕技由我絕傳，一時間，我想到肩負的重任，就集中全部心神去推想那驚天三式，總算讓我給想通了。」
王尙道：「想得一臉睏倦，耗費了不少的心血吧？」
俞秀凡道：「不錯。我從來沒有感覺到如此疲倦過。」
談話之間，桃花童子快步奔了過來。
俞秀凡長長吁一口氣，強打精神，站了起來。
桃花童子滿臉欣喜之容，奔到了俞秀凡的身前，道：「公子，小的已得到了回音。」
俞秀凡嗯了一聲，道：「什麼回音？」
桃花童子道：「太陽下山的時分，有一艘巨舟來接咱們離開江灣。」
俞秀凡道：「好吧！那我們就坐在這裏等他們吧！」當先盤膝而坐，閉上了雙目。他適才思考驚天三式的變化，疲累異常，此刻卻是真的運氣調息。
桃花童子暗中查看王翔、王尙的神情，兩人氣定神閒，全無惶惑或不安之感，顯然，他們已被俞秀凡說服。
心中甚是歡喜，忖道：如是真能說服這三人，不和我們作對，實是大功一件。
又過半個時辰，果見江流之中，一點帆影直馳而來。
片刻工夫，已清晰可見船身，竟然是一艘雙桅巨舟。

船頭杏黃旗隨風飄動，繡了一隻飛燕。

桃花童子怔了一怔，道：「是她？」

俞秀凡目睹桃花童子的愕然之色，奇道：「什麼人？」

桃花童子道：「燕姑娘。」

俞秀凡道：「燕姑娘是什麼人？」

桃花童子道：「是城主的義女，我們都稱她爲燕姑娘。」

俞秀凡道：「燕姑娘在貴組合的身分很高吧？」

桃花童子道：「很高。」

大船來勢極快，片刻之間，已在靠岸。

但見大船上人影一閃，躍落一個鬚髮蒼然的老者，道：「哪一位是桃花童子？」

桃花童子一抱拳，道：「區區便是。」

蒼然老者道：「是你放出了召請船隻的信號？」

桃花童子道：「正是在下。」

蒼然老者道：「好！你先跟我到船上去。」

桃花童子道：「勞請老丈帶路了。」

蒼然老者轉身行近巨舟，一提氣，飛身而上，桃花童子緊隨蒼然老者的身後，躍上大舟。

等約一刻工夫之後，桃花童子突然又從船上跳了下來，笑道：「三位，請上船吧！」

俞秀凡微微一笑，道：「小桃童，談好了麼？」

桃花童子道：「談好了。很給公子的面子，客艙內早已備好香茗、細點，等候公子的大駕。」

俞秀凡行到江邊，抬頭望望那高大的雙桅巨帆，微微一笑，道：「小桃童，咱們可是要跳上去麼？」

桃花童子笑了一笑，道：「公子的意思呢？」

俞秀凡還未來得及講話，那巨舟之上，突然放下來一道軟梯。軟梯上鋪著紅色的毛氈。

桃花童子一欠身，道：「公子，如是不願意跳上去，咱們就從軟梯上去吧！」

俞秀凡微微一笑，舉步向上行去。

桃花童子緊隨在俞秀凡的身後，王翔、王佾等魚貫而行。

登上了巨舟，立刻有兩個青衣少女行了過來，二女都生得十分清秀，不過十五、六歲的年紀，臉上都帶著嬌稚的笑容，看上去都十分純潔。

桃花童子急急行了兩步，搶在俞秀凡身前，低聲說道：「兩位姑娘，這位就是俞少俠。」

二女齊齊一欠身，道：「見過俞少俠。」

俞秀凡一抱拳，道：「不敢當，在下俞秀凡。」

兩個少女相視一笑，道：「小婢們替俞少俠帶路。」轉身向前行去。

十六　劍主遭厄

俞秀凡緊隨在少女身後，行入客艙之中。艙中的布置很豪華，紅色鋪氈，白綾幔壁，中間一張長方木案，鋪著白綾桌單。

十二張紅漆木椅上，放著黃緞的坐墊。

兩個青衣少女，把俞秀凡等四個人，讓入座位後，奉上香茗，一欠身，笑道：「俞少俠，請坐片刻，小婢們去請姑娘。」

片刻之後，那青衣女婢帶著一個全身白衣的女子，緩步行了出來。

白衣女臉上蒙著一片白色的面紗，無法看清她的面貌，但隱隱感覺那面紗透出兩道神光。暗暗地震動了一下，俞秀凡暗自忖道：這女人好精深的內功。

白衣女緩緩在主位上坐了下來，問道：「桃花童子，哪一位是俞少俠？」

其實，她兩道目光，早已落在了俞秀凡的身上。

未待桃花童子接言，俞秀凡已搶先站了起來，道：「在下便是俞秀凡。」

白衣女哦了一聲，欠欠身子，道：「失敬！久聞大名，如雷貫耳，今日有幸得會。」

俞秀凡道：「不敢當。俞某一介武夫，浪跡江湖，怎敢當姑娘的稱讚。」

白衣女笑道：「桃花童子再三推介俞少俠，小妹還有些存疑，今日一見，尤勝聞名。」

俞秀凡道：「姑娘誇獎。」

白衣女道：「我的身分，桃花童子是否對你說過？」

俞秀凡道：「約略一提，說得不太詳盡。」

白衣女道：「哦！我還得替自己介紹一番了。」

俞秀凡道：「在下洗耳恭聽。」

白衣女道：「在我們這個組合，我可以作一部分主，如是你俞少俠要求的不太苛刻，我立刻可以答應你。」

俞秀凡道：「多謝燕姑娘的好意，不過，在下恐怕提出來的條件太苛刻。」

白衣女道：「俞少俠不用多慮，只管提出來，生意不成仁義在，如果小妹不能作主，也將把俞少俠的條件，轉請敝上裁決。」

俞秀凡在這段時間，心裏像風車一般不停地轉動，在想什麼爲難的條件，以困擾這位姑娘。他讀了滿腹詩書，再加上這些日子的江湖歷練，這一陣思維，果然想出一些自覺很苛刻的條件。

待白衣女說完話，笑了一笑，俞秀凡立刻接道：「姑娘這麼說，在下就直言了。」

白衣女道：「小妹洗耳恭聽。」

俞秀凡道：「我要方圓百里一片地，而且還要替我建造一座金碧輝煌的院宅，屋舍千間，不輸王宮的氣派。」

白衣女點點頭，接道：「可以辦到。」

俞秀凡接道：「那片地要有山有水，風景秀麗，不能有重山阻隔，但也不能太多人住。」

白衣女沉吟了一陣，道：「我相信有這樣一處地方，到時間，我會帶你去看，還有什麼條件？」

俞秀凡道：「我要僕從百人，女婢百人，護院武師十個。」

白衣女格格一笑道：「這容易，壯男美女，我們會讓你滿意。」

俞秀凡嘆口氣，道：「可是我沒有錢養活這些人。」

白衣女道：「我們月供白銀五萬兩。」

俞秀凡表面上雖然還保持鎮靜，但心中卻暗暗震驚，這樣子苛刻的條件，她竟然一口答應了。看來，我俞某人在她的心中，分量不輕。

心中念轉，口中卻說道：「百里內是我俞秀凡的私產，貴組合任何人不得進入。」

白衣女嗯了一聲，道：「這條件確實很苛刻，不過，我還是準備答應你。」

俞秀凡道：「第二件，我要在一個月內，成名江湖。」

白衣女道：「這個我們也可以替你安排，還有麼？」

俞秀凡道：「唉，這第三件事很難啟口。」

白衣女道：「你已經說出了第一、第二，多說一件，有何不可？」

俞秀凡道：「那座深宮，必定十分寂寞，因此我想找個人陪我住在那裏。」

白衣女道：「百名美女，任你選用，你又怎會寂寞？」

俞秀凡笑道：「那些人，我雖然還沒有見過，但我相信，她們未必能使我一見動心。」

白衣女道：「俞少俠的意思是……」

俞秀凡道：「姑娘可否留在那裏？」

白衣女不怒反笑道：「你知道我長得什麼樣子？」

俞秀凡道：「不知道。」

白衣女道：「因爲我太醜，所以戴上了一片面紗。」

俞秀凡道：「在下只好碰碰運氣了。」

白衣女道：「俞少俠，一定要我也留在那裏陪你麼？」

俞秀凡眼看兩個很苛刻的條件，人家都一口答應下來，心中大是焦急，而提出了近乎羞辱對方的一個條件，在他的想像之中，那白衣女就算不立刻翻臉，也必然難以忍受這些羞辱，拂袖而去，但他沒有想到白衣女竟然坐著未動。

這一下俞秀凡真的慌了，料不準那白衣女心中打的什麼主意。

沉吟了一陣，俞秀凡才冷冷說道：「姑娘可是覺著在下不配麼？」

白衣女聲音有些怒意，冷冷地回話道：「也許是我配不上你俞少俠！」

俞秀凡心中暗喜，忖道：只要你肯生氣，那就好辦了。

需知俞秀凡乃熟讀詩書的人，具有君子風度，生恐自己說出的難題，對方件件都答應了，那就很難再行反悔。

心中念轉，口中卻冷然一笑，道：「姑娘，可否取下你的面紗？」

白衣女道：「俞秀凡，你不覺請求太過分一些麼？我還沒有答應你。」

俞秀凡道：「那是你的事了。姑娘可以不答應，但在下提出的是條件。」

白衣女道：「要我取下面紗，難道也是條件之一？」

俞秀凡突然感覺到座椅在微微顫動，回目一顧，原來是桃花童子不停地顫抖，臉色蒼白，

有如大病初癒一般。顯然桃花童子對俞秀凡提出極不合理的條件，有著無比的震駭。

淡淡一笑，俞秀凡緩緩說道：「小桃童，你可是很害怕？」

桃花童子微微一笑，道：「我是有些害怕，只因你公子提出的條件太苛刻了，跡近強橫。」

俞秀凡接道：「小桃童，這不關你的事，我已事先聲明，我提的條件可能很苛刻，是麼？」

桃花童子道：「話是不錯，但不能苛刻得離了譜啊！」

白衣女一揮手，道：「桃花童子，你出去，這裏沒有你的事。」

桃花童子一欠身，道：「屬下遵命。」起身行了出去。

白衣女道：「俞秀凡，有一件事，你得先想清楚。」

俞秀凡道：「什麼事，在下洗耳恭聽。」

白衣女道：「我取下了面紗，那就成了定局，不論怎麼個醜法，你都得把我留下，你是一方之主，我自然是女主人了。」

俞秀凡微微一呆，半晌說不出話。

白衣女深沉一笑，接道：「對我而言，並無不可。因爲你是我所見的男人中，最使我動心的一個。」

俞秀凡硬起頭皮，道：「這麼說來，在下豔福不淺了。」

白衣女道：「俞秀凡，別高興得太早了，等我取下面紗，你看過之後再說。」

事情逼上了虎背，俞秀凡不得不裝出一副輕鬆神情，哈哈一笑，道：「燕姑娘，在下拭目

以待。」

白衣女道：「好！要你兩個從人，退出艙去，要看我，只能你一個人看。」

俞秀凡道：「燕姑娘，在下還想說明一件事。」

白衣女道：「小妹洗耳恭聽。」

俞秀凡道：「一旦姑娘做了俞某人的妻子，那就不能再戴面紗。」

白衣女道：「那是自然，如果我嫁了人，用不著再戴面紗。」

俞秀凡聽她說得十分認真，心頭大大一震，道：「姑娘，看來，你是準備答應了？」

白衣女道：「我們不想和你作對，只好遷就你些，但最重要的是，我從來沒有失敗過，我不想失敗。」

俞秀凡道：「今天，姑娘似乎是有些失望了。」

白衣女搖搖頭，道：「我不會失望，我會和你賭下去！」

俞秀凡道：「賭下去，對你有什麼好？」

白衣女沉吟了一陣，道：「俞少俠，你似乎是有些後悔了？」

俞秀凡道：「是的。燕姑娘，我是個很善變的人，你最好早些做決定。」

白衣女道：「好！要他們退出去。」

王翔、王尙，望了俞秀凡一眼，也未待俞秀凡說話，轉身向外行去，俞秀凡口齒啓動，欲言又止。

目睹王翔、王尙離去之後，白衣女緩緩解開了面上的白紗。

俞秀凡伸手取了木案上的茶杯，借機會低下頭去，喝了一口茶，就沒有再抬起來。

白衣女冷笑一聲，道：「俞秀凡，你爲什麼不敢抬起頭來？」

俞秀凡放下茶杯，眼前現出了一張十分嚇人的面孔。那臉的輪廓，並不太醜，只是在頰上長了半臉黑毛。

白衣女冷冷地笑了一笑，道：「俞秀凡，你看清楚了麼？」

俞秀凡鎮靜了一下心神，道：「看得很清楚。」

白衣女道：「你輸了，是麼？」

俞秀凡道：「爲什麼？」

白衣女道：「因爲，你不敢要我了。」

俞秀凡淡淡一笑，道：「我說過的話，自然算數。」

白衣女接道：「這麼說來，你是要定我了？」

俞秀凡道：「是的。」突然站起身，直對那白衣女行了過去。

他究竟是滿腹詩書的人，進入江湖，智慧也高人一等，瞧瞧那白衣女的皮膚和她臉上的膚色，心中忽有所悟。

眼看俞秀凡直對自己行了過來，白衣女的雙目，忽然間泛起了驚懼之色。

俞秀凡心中更有了把握，舉步直逼白衣女的身前，冷冷說道：「姑娘，是否決定嫁給我了？」

白衣女有些畏怯的點點頭。

俞秀凡伸出手去，抓起了白衣女的右腕。

白衣女很想閃避，但揚揚手，沒有閃開。

俞秀凡微微一笑，道：「姑娘，把人皮面具取下來！」

白衣女怔了一怔，道：「你說什麼？」

俞秀凡笑道：「取下你的面具吧，難道還要我動手麼？」

白衣女道：「我！我就是這個樣子。」

俞秀凡道：「如是姑娘不肯合作，在下就自己動手了。」他希望逼得白衣女情急翻臉，推翻前約，也不致落個失言之名。

但他這一著算錯了，白衣女爲難地說道：「一定要拿下來麼？」

俞秀凡笑道：「不錯，非得拿下來不可。」

白衣女緩緩伸手，取下了人皮面具。

俞秀凡轉眼望去不禁一呆。

那是一張絕世無倫的美麗面孔，清雅、秀麗，雙眉之間，有一顆硃砂紅痣。這也是一種缺陷，但一點缺陷，卻襯托出她別的部位更加嫵媚，整個人也被這一點紅痣，烘托得更加俏麗。

在蒙面白紗和人皮面具的隱藏下，燕姑娘是那麼落落大方，甚至有些近乎冷厲，一旦以真正的面目和人相見，她反而變得有些羞澀。

雙頰上，隱隱泛起了兩抹淡淡紅暈，聲音也變得那麼低沉，垂著頭，緩緩地說道：「很難看是吧！」

俞秀凡嘆道：「很美，俏而不妖，你該是美女中的美女，佳人中的佳人。」

白衣女臉上的紅暈更濃，但卻掩不住聲音的歡愉，道：「是真的讚美呢，還是隨口一句恭維話？」

俞秀凡霍然警覺，再無向前逼進的勇氣，緩緩退回到原位上，故作輕鬆地說道：「姑娘猜猜吧！」

白衣女抬起低垂的螓首，有些幽怨地說道：「俞秀凡，我不要猜，也不想猜。不論你是真的讚美，或是一句隨口恭維話，對我已都算不太重要。」

俞秀凡道：「哦！姑娘的意思是……」

白衣女道：「我把自己做爲一個條件，奉獻給你，因爲我既不願失敗，就寧可作慘勝了。」

俞秀凡道：「姑娘如是想反悔，現在還來得及。」他真的有些慌了。

白衣女道：「我爲什麼要反悔，對你的事，我已聽得很多，我沒有把握勝你，也不想太過冒險。」

俞秀凡哈哈一笑，道：「姑娘這做法，既太委屈自己，而且也無法獲得區區的好感。」

白衣女道：「你不用對我好，我也不想以一縷柔情，把你縛牢。我們組合中，少了一個水燕兒，不會受多大影響，但我們少了你這一個敵人，那就減少了很大的威脅。對我而言，就算戰死在你的劍下。」

俞秀凡道：「死不可怕，活苦難熬。深宮多怨，芳心寂寞，那是人間的一大慘事！」

白衣女道：「能使你龍蟄深潭，虎踞牢籠，我已經收回了很大的代價。」

俞秀凡冷笑一聲，道：「這麼說來，燕姑娘是準備拿一生的幸福，做爲孤注一擲了？」

水燕兒道：「你已經取下了我的面紗，而且揭下了我的人皮面具，把我的真面目露了出來，這一生，我只有兩條路走了。」

俞秀凡道：「哪兩條路？」
水燕兒道：「一條是嫁給你，一條是我永遠不再嫁人。」
俞秀凡道：「姑娘說得太嚴重了。」
水燕兒道：「我說得很真實，信不信那是你的事了。」
俞秀凡道：「姑娘，別忘了，咱們還是在敵對之中。」
水燕兒道：「我知道。」
俞秀凡道：「燕姑娘，兵不厭詐，咱們既然是敵人，在下對姑娘似乎是用不著太過憐惜。」
水燕兒緩緩戴上了蒙面白紗，道：「俞秀凡，你是不是男子漢？」
俞秀凡呆了一呆，道：「什麼事？」
水燕兒道：「江湖上雖然有兵不厭詐之說，但總要借一個口實才好，你提出的條件，我們都答應了，你憑什麼變來變去？」
俞秀凡道：「我，我……」
水燕兒低沉一笑，道：「俞秀凡，我們就這樣決定了，是麼？」
俞秀凡道：「決定什麼？」
水燕兒道：「你提出的條件，我都答應了，但不知這些條件，要幾時開始履行？」
俞秀凡道：「不用太急。」
水燕兒道，「別忘了，你三個條件，有一個條件要在一個月內成名江湖，如若我們沒有準備，只怕很難安排在一個月內使你成名。」

俞秀凡正待答話，突聞一陣步履聲傳了過來，艙門口處，傳來一個女的聲音，道：「啓稟姑娘，方劍主已然押上舟來。」

水燕兒道：「知道了，先把他押下底艙。」

俞秀凡聽得怔了一怔，道：「方堃不是貴組合的一位劍主麼？」

水燕兒道：「十大劍主，他排行第二。」

俞秀凡道：「爲什麼要押他來此？」

水燕兒道：「因爲，他犯了本門的規戒。」

俞秀凡道：「是不是敗在我的劍下之故？」

水燕兒道：「也不全是如此，不過，他如是勝了，將功可以折罪！」

俞秀凡冷笑一聲，道：「勝敗乃兵家常事，你們對一個屬下，要他常勝不敗，那未免要求太過分，也太苛刻了。」

水燕兒道：「本門規法森嚴，對於犯了門規的人，向不輕恕，但有重罰，也有重獎，功過可以相抵。」

俞秀凡道：「如是方堃敗在我手下無罪，但不知他犯了什麼規戒？」

水燕兒道：「他殺了我們派去的特使。」

俞秀凡道：「當時我也在場，方堃殺死特使，老實說，是爲了貴組合的顏面。」

水燕兒道：「你好像很關心方堃？」

俞秀凡道：「我是就事論事，你姑娘要不要知道貴組合特使那份表現？」

水燕兒道：「你如有興致，不妨說來聽聽。」

俞秀凡笑了一笑，道：「希望你燕姑娘能夠相信，區區據實而言，決不多加一句。」當下把特使的表現仔細說了一遍。

水燕兒沉吟了一陣，道：「有這等事？」

俞秀凡道：「字字真實，如非在下親眼看到，別人說給我聽，我也不太相信。」

水燕兒道：「我知道了，我會慎重處理此事。」

俞秀凡突然豪氣奮發地說道：「燕姑娘，在下不知道是否有機會見見貴組合第一名劍主？」

水燕兒道：「用不著了！」

俞秀凡道：「爲什麼呢？」

水燕兒道：「因爲我不願你受傷。」

俞秀凡道：「你是說他能夠勝了我？」

水燕兒道：「因爲你很可能是我的丈夫，他是本門第一劍手，二虎相鬥，必有一傷，不論傷了誰，都不是我的心願。」

俞秀凡冷冷說道：「如是在下想去看看方堃，不知是否得允？」

水燕兒道：「你非本門中人，自然不受本門的規戒約束。」

俞秀凡站起身子，道：「在下告退了。」

水燕兒道：「你要到哪裏去？」

俞秀凡道：「去看看方堃。」

水燕兒格格一笑，道：「時間還早得很，他還沒有找好住處。」

語聲微微一頓，接道：「俞秀凡，咱們的事，你想過沒有？」

俞秀凡道：「我只是想出了條件，但應該如何，是你的事了。」

水燕兒道：「先選擇讓你成名一事，因為這件事很急促。」

俞秀凡道：「你們準備替我安排什麼？」

水燕兒道：「這不用你操心，我會布置。要緊的是，必須和我們合作。」

俞秀凡道：「我不喜歡殺人，也不願把自己的聲譽，用別人的鮮血托起。」

水燕兒道：「就算你不願踏著別人的鮮血成名，但你總不能坐待勝利。」

俞秀凡道：「這個，在下明白。」

這時，一個女婢，疾步衝了過來，俯身在水燕兒身邊，低言數語。她說的聲音極低，俞秀凡根本無法聽到。

但水燕兒聽了似很忿怒，霍然站起身子，道：「有這等事？」急急舉步向外行去。

俞秀凡心中一動，暗道：這座小船之上，有什麼大事，很可能和方堃有關了。

心中念轉，人卻一橫步，攔住了水燕兒。

水燕兒也未料到他會陡然攔住去路，全無防備，嬌軀幾乎撞入了俞秀凡的懷中，不禁怒道：「你要幹什麼？」

俞秀凡笑道：「燕姑娘，你還記得你答應的條件麼？」

水燕兒道：「我記得，但和這件事全無關連。」

俞秀凡道：「咱們說的是你不管我……」

水燕兒接道：「我不會管你的事。」

俞秀凡道：「但卻沒有說過我不能管你的事，對麼？」
水燕兒道：「這和你全無關係，快請閃開。」
俞秀凡道：「我一向愛管閒事。」
水燕兒冷冷地道：「你這等強詞奪理，行若無賴。」
俞秀凡開始冷靜下來，所以對水燕兒的謾罵，全未放在心上。淡淡一笑，道：「燕姑娘，像你這麼潑辣，咱們談成的機會不大了。」
水燕兒道：「俞秀凡，你聽著，咱們談的事情，還沒有開始，我還是水燕兒。就算你要管束我，那也是以後的事，等我嫁給你之後再管我也不遲。」
俞秀凡笑道：「燕姑娘，話不是這麼說，咱們話已經談明白了，除非你不願接受，既然接受了，就應該聽我的。」
水燕兒皺皺眉頭，道：「俞秀凡，你究竟要幹什麼？」
俞秀凡道：「我想跟你去瞧瞧。」
水燕兒道：「瞧什麼？」
俞秀凡道：「你要去辦什麼，我就去瞧什麼。」
水燕兒嘆口氣，道：「俞秀凡，這是我們組合的私事，和你完全無關，你不用去了。」
俞秀凡道：「可惜的是，我的好奇之心太重，非去瞧瞧不可。」
水燕兒道：「一定要去麼？」
俞秀凡道：「不錯，非去不可！」
水燕兒道：「好吧！要去也可以，不過，你得答應我一件事。」

俞秀凡道：「不要太苛刻，我可以考慮一下。」

水燕兒道：「你跟著去看，不許插手，不許多口。」

俞秀凡淡淡一笑，道：「那要看什麼事了。」

水燕兒道：「自然是我們自己的事。」

俞秀凡道：「好吧！能不插口的事，我就不插口。」

水燕兒嘆口氣，低聲道：「我對你真是一點也沒有辦法了。」

她說的聲音很低，但俞秀凡卻聽得很清楚，微微一笑，跟在水燕兒身後向外行去。

兩個女婢和王翔、王尚站在艙門外面。

水燕兒一出門，兩個女婢立刻跟在身後行去，王翔、王尚，眼看兩個婢女跟著，也跟著俞秀凡身後行去。

水燕兒一皺眉頭，道：「俞秀凡，他們不能去。」

王尚望著兩個婢女，道：「她們兩位能去，我們怎麼不能去呢？」

水燕兒道：「哼！有其主必有其僕，你們都和俞秀凡一樣。」

俞秀凡一揮手，道：「你們留在這裏！」

王翔、王尚一欠身，停下腳步。

水燕兒兩個從婢，卻緊追在水燕兒的身後，直行入一座艙門之中。

一道樓梯，直向艙底行去。轉了兩個彎，到了艙底，俞秀凡才發覺那似是囚人的地方。只見一座門戶緊緊地關閉著。

俞秀凡暗中用手一推，發覺那關閉的門戶竟是鐵鑄的門，不禁一呆。

兩個身軀魁梧的大漢，身佩單刀，快步行了過來，一欠身子，道：「燕姑娘！」

水燕兒一揮手，道：「方堃呢？」

兩個大漢齊聲應道：「在特別的囚艙之中。」

水燕兒嗯了一聲，轉向右面行去。那是一座靠在右邊的囚艙，鐵門早已打開。行到門口，已聽到方堃的聲音，傳了出來，道：「請燕姑娘來！」

水燕兒快步行了進去，道：「你要見我？」

俞秀凡緊追在水燕兒身後，進入艙中。

這座囚艙，只是一間房子大小，除了一張木榻之外，另有一張小小的木桌和一張竹椅。方堃手上已戴了手銬，雙腳上也被一條白色的鏈條繫住。

一個年約四旬、身材瘦小的黑衣人，腰中橫繫著一條皮帶，分插著十二把柳葉飛刀。回身向水燕兒一欠身子，道：「見過燕姑娘。」

方堃一見水燕兒就想開口，但他一瞥間，看到了俞秀凡緊隨在水燕兒的身後，立刻嚥下了要出口之言。

水燕兒對那瘦小的黑衣人一揮手，道：「你出去！」

黑衣人應了一聲，退了出去。

水燕兒又低聲吩咐兩個從婢，道：「守在門外，不許任何人接近這座特別囚艙。」

兩個婢女一欠身子，也退了出去。

水燕兒兩道清澈的目光，透過了蒙面白紗，凝注在方堃的臉上，道：「什麼事？你可以說了。」

方堃目光一掠俞秀凡，道：「燕姑娘，這位俞少俠，不是咱們組合中的人。」

水燕兒道：「他不是，但和你無關，我既然帶他來了，自然由我擔當。」

方堃沉吟了一陣，道：「燕姑娘，在下說的話，也許會洩露本組合的隱秘，最好不要有外人在場。」

水燕兒道：「我說過，我帶他來了，不論什麼事，都由我承擔，你是劍主的身分，不論犯了什麼嚴重的規戒，都還有面見城主申訴的機會，你可說出今天的事。」

方堃眨動一下星目，嘆口氣，道：「看來，我對本門的規戒，是越來越不明白了。」

水燕兒道：「應該很好懂，只要聽命行事，和約束屬下，別讓他們犯下太大的錯，就行了。」

方堃道：「對上面的事呢？」

水燕兒道：「最好別管。」

方堃道：「燕姑娘，你是城主的義女，咱們對你自應有幾分敬重。但如論公銜，你未必高過我這劍主的身分吧？」

水燕兒道：「是的。不過，現在有所不同，我奉命出巡，帶了城主的飛龍令，就算比你劍主身分再高一些，我也一樣的可拘拿、囚禁。」

方堃道：「燕姑娘，我替咱們的組合，建立不少的功勳，就算殺特使有些過分，也不至於囚押處死。」

水燕兒接道：「方劍主，你劍法高明，咱們不得不先予囚押，以保安全，至於你是否會身

遭處死，那要城主決定了。」

方堃冷冷說道：「你妄自傳下飛龍令，使我誤認城主駕到，才甘願受縛。」

水燕兒接道：「這麼說來，如不是飛龍令，你就不肯受縛了？」

方堃冷冷說道：「燕姑娘，既然不是城主的大駕親臨，在下不願接受姑娘的束縛。」

水燕兒緩緩說道：「方劍主，飛龍令是城主之物，你如違抗了飛龍令，那就等於輕藐了城主。再說，你已經戴上了刑具，除非你有心背叛，否則那就只有等城主的裁決了。」

方堃道：「在下要求姑娘的，也就是先替我取下刑具。」

水燕兒搖搖頭，接道：「辦不到，方劍主。你要學習忍耐。一個人難免會遇上挫折，你還有晉見城主的機會，有什麼事，不妨見城主再講。」

方堃霍然站起身子，道：「燕姑狼，我不希望對你有什麼不敬的行動，但在下雖在飛龍令下受縛，卻有一種受騙的感覺。如是姑娘執意不肯替我除去刑具，那可能是一樁很麻煩的事情。」

水燕兒道：「如何一個麻煩法？」

方堃道：「燕姑娘可是覺著這些刑具真能困得住我方某麼？」

水燕兒道：「方劍主，你錯了。那繫在你雙足上的鐵鏈，乃是天山萬年鐵母製成之物，除了用鑰匙開啓之外，你方劍主雖然功力精深，也無法掙脫。」

方堃微微一怔，道：「這麼說來，燕姑娘非要把在下鎖在囚艙之中不可了？」

水燕兒道：「我勸你忍耐一些。」

一直未說話的俞秀凡，突然開口說道：「姑娘，在下覺著方劍主是一位英雄人物，答允一

句話，也就是了，用不著動用刑具，把他鎖於囚艙之中。」

水燕兒冷哼一聲，道：「這不關你的事，你就不要插口。」

俞秀凡微微一笑，道：「燕姑娘，我不是貴組合中人，似乎是用不著對我這等嚴厲。」

水燕兒道：「你既然明白自己的身分，那就不要說話。」

俞秀凡道：「你燕姑娘若囚禁的是別人，在下自然不管，但你囚禁方劍主，似乎和我有點關係。」

水燕兒道：「什麼關係？」

俞秀凡道：「在下和方劍士比過劍法，彼此未真正分出勝敗。」

方堃冷然接道：「俞兄用不著給兄弟臉上貼金，我方某人就是敗了，只怪我學藝不精，我雖是劍主的身分，但並不是天下第一劍手。」

俞秀凡笑道：「其實，咱們還未算真的分出勝敗，方兄還有再戰的能力。」

水燕兒突然轉身向外行去，出了艙門之後，砰然一聲，關上了鐵門，竟把俞秀凡也關在囚艙之中。

方堃輕輕嘆道：「惟婦人與小人爲難養也，古人誠不欺我，俞兄，你不該來的。」

俞秀凡微微一笑，道：「這座囚室真能夠困住人麼？」

方堃道：「這不是普通的木板造的。」

俞秀凡神情很輕鬆，笑道：「門是鐵鑄的，難道這四面的船板，也是鐵鑄的不成？」

方堃道：「雖非鐵鑄的，但卻比鐵鑄的更爲困難。」

俞秀凡道：「方兄可否見告內情？」

方堃道：「這四面的艙壁，雖然是木板，但在那木板之中，卻別有裝置。」

俞秀凡道：「什麼裝置？」

方堃道：「毒。是什麼毒，在下就下太清楚了。」

一聽到那木壁內暗置奇毒，俞秀凡不禁為之一呆。

但聞方堃說道：「所以，我勸你俞兄，最好還是不要打破門而出的主意。」

俞秀凡道：「這麼說來，咱們甘為她困於此地不成？」

方堃道：「那也是沒有法子的事了。」

俞秀凡搖搖頭，笑道：「也好，兄弟留在這兒陪陪方兄。」

輕輕咳了一聲，接道：「方兄，兄弟覺著應該先行設法除去你身上的刑具。」

方堃搖搖頭，道：「俞兄，沒有聽燕姑娘說過麼，兄弟身上的刑具，是天山萬年寒鐵所製，只怕不是輕易能夠除下。」

俞秀凡淡淡一笑，道：「方兄，試試看。」

方堃嘆息一聲，道：「俞兄的好意，兄弟心領了。」

俞秀凡道：「看來，方兄並無除下刑具的決心。」

方堃道：「這刑具代表著城主的威嚴，只有兩種情形下，兄弟才能除去身上的刑具。」

俞秀凡道：「哪兩種情形下，方兄才肯取下刑具呢？」

方堃道：「一是城主下令，一是燕姑娘替在下除了刑具。」

俞秀凡道：「兄弟不行麼？」

方堃哈哈一笑，道：「俞兄，咱們不打不相識，兄弟雖已心許你俞兄是我的朋友，但咱們還是在敵對相處之中，一旦兄弟奉到了令諭，咱們還要有一場搏殺。」
俞秀凡道：「我明白，方兄用不著說得太清楚，兄弟無意勸說方兄脫離貴組合。」
方堃道：「好！除了我們組合的隱祕，和兄弟身上的刑具外，咱們倒可以好好的談談。」
俞秀凡笑道：「先談談燕姑娘如何？」
方堃道：「俞兄，兄弟對燕姑娘知道的不多。」
俞秀凡道：「方兄，見過燕姑娘的真正面目麼？」
方堃搖搖頭，道：「沒有。聽俞兄的口氣，似是你見過了？」
語聲微微一頓，接道：「在下雖然沒有見過燕姑娘的真正面目，不過在下倒聽人說過。」
俞秀凡道：「燕姑娘的容貌如何？」
方堃突然微微一笑，道：「據說她長得很醜。」
俞秀凡未置可否，淡淡一笑，道：「燕姑娘在貴組合中的身分，可是比你方兄高了一些？」
方堃道：「談不上高一些。十大劍主，在我們組合中，都算是獨當一面的人物，不過她持有城主的飛龍令，在下只有束手就縛了。」
俞秀凡神情突然轉變得十分嚴肅，道：「江湖上有門有派，有教有幫，在下倒未聽說過稱為城主的，那應該別有一番來歷了。」
方堃道：「因為他是那座城堡的主人，我們自然稱他城主了。」
俞秀凡道：「不錯，看來兄弟很寡聞，但不知是一座什麼城堡？」
方堃道：「造化城。能進那座城中的人，都是有造化的人了。」

俞秀凡點點頭，道：「單聽這座城的名字，就有著非同凡響的感覺了。」

方堃道：「所以，我倒希望你能見見敝城主。」

俞秀凡道：「希望咱們能見到他。不過，兄弟覺著，貴城主如真是一位春風化雨的人，那就應該堂堂正正的把你派入江湖，主持武林正義，以貴組合的實力，必可使江湖上大門派失色，不知貴城主何以不作此圖？」

方堃怔了一怔，道：「這個……這個……在下想必另有緣故。」

俞秀凡不再說話，突然向後退了幾步，靠在另一面牆壁處盤膝而坐。

方堃本是極為聰慧的人，此情此景，再經俞秀凡的提醒，使他開始生出了懷疑，只覺這中間確有很多無法解釋的疑竇，當真是越想越糊塗，越想越可疑。

忽然間，想到了俞秀凡的一句話，忍不住叫道：「俞兄醒醒，兄弟有事請教。」

俞秀凡緩緩睜開雙目，道：「方兄，什麼事？」

方堃道：「唉！兄弟仔細想過了俞兄的話。這中間確有很多的可疑之處。」

俞秀凡道：「方兄覺得哪些可疑呢？」

方堃道：「照在下的看法，至少城主不會下令把我關在囚艙裏。」

語聲微微一頓，接道：「而且，我一直懷疑一件事。」

俞秀凡道：「什麼事？」

方堃道：「我一直不相信敝城主會下令把我囚禁起來，所以，我覺著這可能是燕姑娘的意思。」

俞秀凡道：「如若是燕姑娘的意思，你方兄又將如何呢？」

方塋臉上泛現出一片激怒之色，冷冷說道：「她雖然是城主的義女，但也沒有權力把我方某人囚禁起來！」

俞秀凡道：「她手中執有飛龍令，就代表了貴城主大駕親到，我看方兄還是認命了吧！」

方塋微微一呆，道：「俞兄，你好像忽然間改變了態度。」

俞秀凡笑了一笑，道：「方兄對貴組合忠誠無比，兄弟就算是要說什麼，也是白說了。」

方塋一皺眉頭，道：「兄弟覺著俞兄想要說服兄弟，現在應該是最好的時機了。」

俞秀凡接道：「方兄，既是想聽聽兄弟的意見，兄弟就直言無礙，就教方兄了。」

方塋道：「咱們患難相共，閒著也是閒著，不妨談談吧！」

俞秀凡道：「兄弟說的也是道理，至於結論如何，要你方兄裁決，兄弟決不勉強方兄。」

方塋點點頭，道：「俞兄請說吧！」

俞秀凡道：「先說造化城主，這個稱呼除了驚世、誇大之外，還有霸道、神秘的意味。」

方塋忍不住接道：「俞兄未到過造化城，也未見過造化城主，怎知它驚世、誇大呢？」

俞秀凡道：「造化二字，無邊無際，敢取此稱，自然是目空四海、目中無人了。」

方塋輕輕咳了一聲，道：「但那地方確具有無所不能、無所不有之能，世間再沒有一處地方能夠及得了。」

俞秀凡啊了一聲，道：「方兄可否列舉一、兩件事例出來，以開兄弟茅塞。」

方塋沉吟了一陣，道：「先說醫道，不論什麼重病、重傷，只要他還有一口氣未絕，他只要進入造化城，就可保住性命。斷肢重續、返老還童，造化城都能夠辦得到。試問當今之世，哪裏還有這等醫術？」

俞秀凡哦了一聲，沉吟不語。

方堃道：「再說造化城，那該是天地間空前絕後的一大工程。」

俞秀凡接道：「修築得很美麗、堅牢。」

方堃搖搖頭，笑道：「只是堅牢美麗，又怎能當得空前絕後之稱，整個城是一座活城，它不但隱現隨心，而且可以移動。」

這一下俞秀凡呆住了，他博覽群籍，讀破萬卷書。書中記述，不乏奇人異事，但卻從未聽過世間有著可以隱現隨心，且可移動的活城，但他又確信，方堃不是屬於說謊的一類人。

目睹俞秀凡臉上的驚奇之色，方堃有些得意的說道：「俞兄，不入造化城，不知人間有可奪造化的絕世人才。」

俞秀凡道：「貴城主也就是建築造化城的人了。」

方堃微微一笑，道：「不錯，他就是造化城主，自然是建築那造化城的人了。」

俞秀凡道：「一個人具備了如此的才慧，但他卻不肯爲武林正義出力，反倒花費龐大的精力，創造出一個造化城來。」

方堃道：「城主建築了造化城，但並非無所不能。一個人不論他有多大的才慧，但他總是一個人，不過他是才人中的才人，所以，有很多具有才慧的人，都很佩服他，有很多行業最好的人才，都願意留在那裏效命。」

俞秀凡哦了一聲，道：「這麼說來，造化城不是一個人創造的了。」

方堃道：「是的。俞兄，你應該到造化城去見識一下，因爲，你有資格留在那座城中。」

俞秀凡搖搖頭，道：「如若造化城的人，都是各行業的第一等人，在下就不夠資格留在那

裏。」

方堃道：「你在劍術上的造詣，能夠勝過我，天下能是你敵手的人，應該不多了。」

俞秀凡道：「我自己倒沒有這樣的感覺。」

方堃道：「可是因爲我在十大劍主排名第二的原因麼？」

俞秀凡道：「也算是原因之一。」

方堃道：「我雖是排名第二，但我知道，排名第一的不會比我高明太多，我們只是毫釐之差。」

俞秀凡淡淡一笑，道：「我想你們十大劍主在造化城，大約不是劍術最高明的人物。」

方堃道：「是的。俞兄如想求更上一層樓，除了造化城外，天下沒有更好的地方了。像俞兄這樣的天才，如是不能更求深造，那未免太可惜了。」

俞秀凡搖搖頭，笑道：

「我沒這樣的想法，因爲我沒有稱霸天下的意圖，一個真正的劍士，並不只是要他在劍法上有特殊的成就，而是要他在品德上、志節上，能和劍術配合，那才是一個真正的劍士，才能使後世的人，對他生出敬慕。」

方堃微微一怔，道：「俞兄，能不能告訴我，你是什麼身分？」

俞秀凡道：「我就是我，一個明辨是非的江湖人。我不是爲名，也不是爲利，我只是行所當行，爲所當爲。」

方堃道：「其實，你俞兄並沒有逃出名利的枷鎖，至少是你沒有拋棄成名。」

俞秀凡道：「如是我真的要成名，那只是因爲武林的壞人太多，這正像一個清官一樣，如是沒有作奸犯科的人，那就不會顯出他的清正了。」

方堃道：

「俞兄，你不是『生而知之』的神吧！你精深的內功，卓絕的劍術，都需要有著很高成就的人去培養你。像我方堃一樣，如若沒有城主，我方堃可能只是一個平平庸庸的人，因爲有了城主的造就，十大劍主，才有我方堃。」

俞秀凡嘆口氣，道：「他把你造成了一位赫赫劍手，用心只是要你爲他殺人麼？」

方堃道：「這個……這個……」

俞秀凡接道：「如若只是爲了殺人，那方兄還不如平庸好些，至少，那可以使你少造些殺孽，也可以活得長久一些。」

神情突然轉變得十分嚴肅，接道：「我不願殺人，但我有時爲了救人，又不得不殺人，殺一人可救千百人時，那是非殺不可了。」

方堃內心中突然生出一分愧咎，想到在他的劍下，曾死去很多的江湖高手。

俞秀凡長長吁一口氣，冷厲地說道：「方兄，在下一直覺著，你是一個明辨是非的人，所以，我才和你說這麼多。」

方堃接道：「我希望你能到造化城去，見識過一些事物之後，咱們再仔細的談談。」

俞秀凡道：「我雖然未見過貴城主，但我已領教過貴組合中很多的手段，除你方兄之外，我沒有遇見過一個堂堂正正的人。」

方堃長長嘆息一聲，不再多言。腦際間，又浮出重重疑問。

忽然間，鐵門大開，一個女婢當門而立，道：「俞公子，燕姑娘請你進艙敘話。」

俞秀凡回顧了方堃一眼，道：「方兄再見，如是還想和兄弟談談，不妨要他們叫我一聲。」

方堃輕輕嘆息一聲，道：「好！兄弟如若有事請教時，在下會叫人通知俞兄。」

俞秀凡微微一笑，舉步向前行去。

那青衣女婢正待隨手拉上鐵門，方堃突然高聲說道：「你給我站住！」

青衣女婢道：「你叫我有什麼事？」

方堃道：「告訴燕姑娘，就說我方某人不願再忍耐下去了，要她多想想，兩個時辰之內，如是還不能放了在下……」冷哼一聲，住口不言。

青衣女婢冷冷說道：「你的話，我可以照轉給燕姑娘，但放不放你，那要燕姑娘決定了。」

嫣然一笑，接道：「不過，就小婢所知，燕姑娘外和內剛，你這樣子威脅他，只怕對你方劍主沒有好處。」

方堃道：「告訴燕姑娘，別要逼急了我，那對她並不太好。大不了我身受五劍分屍的慘刑。」

青衣女婢呆了一呆，不敢再多言，轉身向外行去，順手帶上了鐵門。

俞秀凡聽到兩人的對話，但卻未多插口，也未問那女婢。

內艙中，一張小巧的木桌上，早已擺好了四樣精緻的佳肴，和一壺酒，兩只酒杯，兩雙筷，顯然，水燕兒只準備招待一位客人。

水燕兒微微欠身，先讓俞秀凡落了座，才揮手對那女婢說道：「你出去，沒有聽到召喚，任何人不許進來。」

青衣女婢一欠身子，道：「方劍主要小婢轉告姑娘，如若兩個時辰不放他……」

水燕兒接道：「他要怎樣？」

青衣女婢道：「他說，大不了落一個五劍分屍之罪。」

水燕兒冷笑一聲，道：「囚艙鐵門加鎖，先餓他三天再說。」

青衣女婢應了一聲，退出內艙。

十七　帳惘前程

水燕兒扣上艙門，取下面紗，露出千嬌百媚的粉臉兒，道：「俞兄，這是我的臥艙，進入這艙中的人，你是第一個男人。」

俞秀凡道：「在下有一些受寵若驚。」

水燕兒道：「咱們也用不著客套了，我想請問一件事。」

俞秀凡笑了一笑，道：「別給我太大的難題。」

水燕兒道：「不是難題，只要你誠誠實實回答我一句話。」

俞秀凡心頭一震，道：「你說吧。」

水燕兒慢條斯理的，先替俞秀凡斟滿了酒杯，然後，斟滿了自己的酒杯，笑道：「來，咱們先乾一杯酒，再慢慢談。」

俞秀凡端起酒杯，笑道：「如是姑娘真的想和在下合作，那就應該表現出一點真誠，希望這杯酒沒有毒藥才好。」

水燕兒道：「如是不幸有毒呢？」

俞秀凡道：「在下的快劍，相信能在毒性發作之前，取你燕姑娘的性命。」

水燕兒道：「內艙私室，低斟淺酌，刀刀劍劍的不覺煞風景麼？喝下去吧！就算你想死，

也許我還捨不得把你毒死。」

俞秀凡道：「最難消受美人恩，這迷湯比醇酒還要可怕一些。」

水燕兒冷冷說道：「快喝下去，君子不重則不威，男子漢，大丈夫，不可太貧嘴。」

俞秀凡突然覺著臉上一熱，雙頰上升起了兩圈紅暈，一仰首，喝乾了杯中之酒。不知是什麼釀成的美酒，入口清涼香甜，直透肺腑，忍不住讚了一聲好酒。

水燕兒嫣然一笑，道：「多謝誇獎，酒如不好，怎敢拿出來招待你這樣的貴賓。」

俞秀凡輕輕咳了一聲，道：「美酒可口，但不能多用，你要問什麼，可以說了。」

水燕兒很會表現出一個女人的嬌媚，纖手理一理鬢前的秀髮，拋過來一個巧笑，道：「你對我說的話，是真是假？」

俞秀凡道：「自然是真的。」

水燕兒忽然間變得十分嚴肅，道：「俞秀凡，有道是紅顏薄命，你要是騙了我，那會叫你終身負疚。」

俞秀凡道：「你自己可覺著你是紅顏？」

水燕兒道：「不錯。對我這份容貌，我確實有點自負。雖然，我也有很多缺憾，但天下沒有十全十美的人，你行走江湖，閱人多矣，想想看，是不是見過比我更美的女人？」

俞秀凡的腦際，迅速地浮現了金玉蓉的音容笑貌，和面前嬌媚絕倫的水燕兒，在心中衡量了一下：如論嬌媚俏麗，金玉蓉確不如水燕兒，水燕兒卻缺少金玉蓉那一股端莊嫻靜的氣質。

水燕兒看俞秀凡沉吟不語，若有所思，忍不住說道：「俞兒，如是覺著我水燕兒這份容貌，還不足匹配，不妨直言，你喜歡什麼樣子的女人，只要她還活在人間，我們都有辦法，使你俞兄稱心如意。」

俞秀凡暗暗嘆息一聲，心中忖道：看來你把我看做一個好色之徒了。心中感慨萬千，但表面上卻又不得不裝成一副江湖浪子的形態，淡淡一笑，道：「論姑娘之容貌，嬌艷俏麗，確是在下所見到最動人的女人。」

水燕兒似是聽得很窩心，微微一笑接道：「這麼說來，小妹甚得俞兄的歡心了。」

俞秀凡容色一整，緩緩說道：「在下的話還沒有說完。」

水燕兒道：「俞兄請說，小妹洗耳恭聽。」

俞秀凡道：「姑娘只是一個嬌媚橫生的佳人，可能會被千萬人所愛慕、崇拜，能得一親芳澤爲榮，不過……」

水燕兒接道：「不過，你是千萬人中的例外，是麼？」

冷然一笑，接道：「俞秀凡，不論你對我有些什麼評斷，我都會接受，但你要公平。沒有人知道我很美，我們這個組合中，只有一、二人見過我真正的形貌，一個是我的義父，一個是我的授業恩師，你是第三個見過我真正面目的男人。至少，我不是一個喜人奉承的人，我從沒有把自己的美向人展示、向人炫耀。」

俞秀凡心中一動，轉過話題，道：「姑娘的精深武功，不是得自義父嗎？」

水燕兒道：「義父傳了我不少的武功，但另外有一個極受我敬慕的恩師，我大部分的藝業，都由他所授。但如說到一身所學，那至少有十位以上的武林高人，傳了我武功。」

語聲一頓，道：「這艘巨船，至少有兩天以上的水域行程，咱們談話的時間很長，現在咱們先談清楚我的事。」

俞秀凡心中忽然生出了一種畏懼之心，輕輕嘆息一聲，道：「姑娘既生有這副絕世容色，不知何以卻把它藏在面紗之後？」

水燕兒淒迷一笑，道：「這就是我，一個孤芳自賞的人，夜闌人靜時，我也有著對鏡感傷，悲嘆年華的情懷，不過，只是偶爾有之，因爲，我一直沒有掛念過誰，沒有人在我的心目佔有一席之地，所以，我大半的歲月，都過得很快樂。」

俞秀凡道：「你得天獨厚，不但沒有受過生活上的困苦，而且練成了一身高深的武功，一開始踏入江湖，你就手握大權，生殺予奪，隨心所欲，你不知人間有疾苦，江湖道上到處是難爲人道的陰險罪惡、弱肉強食、全無人性的蠻橫。」

水燕兒眨動了一下明亮的大眼睛，道：「你知道？」

俞秀凡笑了一笑，道：「是的，我知道。因爲我出身貧苦，也見過那些不講理的江湖人物，他們仗憑著一身武功，魚肉良民，在下也曾身受其害。」

水燕兒微微一笑，道：「你身受其害，所以，心存報復。」

俞秀凡笑道：「我不存心報復，但可悲的是，人性有很多缺憾，我這個人在江湖上走了一段時間，漸漸的染上了很多毛病，最大的一個毛病，就是自私。」

水燕兒嗯了一聲，道：「所以，你要建築一座金碧輝煌的宅院，要百名美女，好好的享受一下？」

俞秀凡道：「說得是啊，江湖上的誘惑太大了，一個人很難抗拒。」

水燕兒笑道：「其實，這也怪不得你，江湖上有很多人，都逃不過這些誘惑。」

俞秀凡道：「想不到啊，我竟然是這麼脆弱，連這一點抗拒之力也沒有。」

水燕兒笑了一笑，道：「你的決定，也不能算錯。人嘛，不能不爲自己打算一下，有些人，希望成名，有些人，希望得利，但你卻想名、利兩得，但你具有了這樣子的本錢。」

俞秀凡道：「我擔心一件事。」

水燕兒道：「什麼事？」

俞秀凡道：「貴組合志在江湖，只怕不允許武林其他不順從的門派存在吧！」

水燕兒道：「這題目太大了，小妹無法答覆。」

俞秀凡道：「我想一旦貴組合稱霸了江湖之後，只怕也不會允許我俞秀凡在江湖上獨樹一幟吧！」

水燕兒道：「俞兄，你想得太多了。」

俞秀凡道：「其實，我應該說，是對我們不利，因爲你一旦答應了我的條件，他們決心消滅我們時，只怕也不會把你留下。」

水燕兒道：「我不擔心這件事。我只擔心你是不是真的能安分下來，百名美女，加上我一個水燕兒，不知能不能把你拴在宅院中。」

俞秀凡道：「這要你姑娘才明白了。」

水燕兒道：「你看吧？我能不能使你傾心相待，你知道男女之間，一旦有了事，吃虧的總是我們女人。」

俞秀凡微微一笑，道：「我們之間，真能夠推誠相待麼？」

水燕兒微微一怔，道：「難道真的不能麼？」

俞秀凡道：「那要看姑娘的表現了。」

水燕兒道：「難道說，只要我做一個賢淑的妻子，你就可以當一個浪子丈夫？」

俞秀凡微微一笑，道：「你自己不是也覺著男女之間，女人總是要吃虧一些麼？」

水燕兒嘆口氣，道：「咱們不談這個了。你的條件如是我都答應了，不知可否換來你一點誠意。」

俞秀凡道：「說說看，要我如何表現出誠意來。」

水燕兒道：「我只要求你一件事。」

俞秀凡道：「在下洗耳恭聽。」

水燕兒道：「答應和我舉行一次拜堂大禮。」

俞秀凡道：「姑娘本是灑脫之人，怎會拘泥於這等世俗禮法？」

水燕兒道：「別的事，我都看得開，唯獨這件事，我無法看開。黃花閨女上花轎，一生只有這一回，就算你以後收上十房八妾，我也可以不管你，但我要個名分，你總該答應我吧？」

俞秀凡道：「姑娘不覺太誇獎我？」

水燕兒愣了一下，道：「誇獎你什麼？」

俞秀凡道：「討上十房八妾，俞某人想倒是想，只怕沒有人肯嫁我。」

水燕兒道：「只要你真的想，不用你發愁，我自會代你安排。」

俞秀凡道：「果然是一位淑女賢婦。」

水燕兒道：「不用灌迷湯，我不吃這個。說吧！你還沒有答應我的話。」

俞秀凡道：「就算我答應了，你也作不得主，你還上有義父。」

水燕兒道：「那是我的事了，不用你管，你只要答應了，這件事咱們就算決定了，不再更

改。」

俞秀凡心頭大大地震動了一下，緩緩說道：「要不要問過你義父再做決定？」

水燕兒道：「不用問了，我只是在等你一句話，你如答應，咱們就可以擊掌爲誓，決定大計。」

俞秀凡心中一凜，忖道：看她說得這樣認真，似乎不是做作了。

這一來，俞秀凡不敢再談論正題，話題一轉，道：「姑娘，在下想先說明一件事。」

水燕兒道：「怎麼？又有新的條件了。」

俞秀凡道：「那倒不是，在下只想問姑娘一聲，一旦在下和你那義父衝突起來，姑娘要幫助哪一個？」

水燕兒道：「俞兄，你爲什麼一定要和我義父衝突？」

俞秀凡嘆口氣，道：「燕兒，不論我們之間是真情還是假意，但我們談了這麼多話，總算是有些緣分。我俞秀凡孑然一身，琴劍飄零，別認爲我不敢答應你的婚事，正如你姑娘所說，一旦男女交往，吃虧的自然是姑娘了……」

「但事情很明顯，有一天，你義父霸業有成，決不會讓你在江湖上獨樹一幟，我可能是他們最後對付的人，也可能是他先下手的對象。這一點，你大概也心中明白。」

水燕兒搖搖頭，道：「俞兄，不會的。爲了我，他們也該替我留一席安身之地。」

話出口，心中實感後悔，這豈不是不打自招，被他套出了內情。

俞秀凡神情很嚴肅，接道：「燕兒，我在江湖上的閱歷，談不上什麼豐富，但我對事理的分析，卻是自有見解。我相信，貴組合中，可能已下達了對付我的令諭，也可能強調我在某些

武功上有很特異的成就，這就使貴組合中的人，遇上我時，先動了三分戒心，反而給了我很多的方便。貴組合中的首腦人物，下達這道令諭之前，也許是爲了珍重我，但他們沒想到，卻收到了這樣相反的效果。」

水燕兒默然不語，俏麗的粉頰上，泛起了重重愁雲。

俞秀凡道：「就拿你燕姑娘來說吧！你可能也受了這道令諭的影響，對我太過慎重，一錯再錯，最後，不惜把身體也賭上來。」

水燕兒道：「別把我看得太孩子氣，我不會輕易的把自己也賭上去。賭上去是因爲俞兄值得我這一賭。」

俞秀凡笑道：「是不是你已經胸有成竹，認爲贏定了？」

水燕兒正容說道：「別說得這樣難聽，我不是那種輕浮的人，也別把我看得全無主張，但也不能把我想得太過陰險。」

俞秀凡道：「不輕浮，有主張，又不陰險，姑娘算是哪一種人呢？」

水燕兒道：「應該怎麼做，我自有分寸，我對你已經盡到了最大的容忍，適可而止，對你我都有好處。如果你一味的逼迫，得寸進尺，也會激怒我。」

俞秀凡道：「看你處置方堃的事，我已知道你是位有決斷、魄力的人。」

水燕兒道：「你太誇獎了。」

俞秀凡道：「不過，你這人變得太快，一會兒柔情若水，充滿女性的溫柔；片刻間，又冷若冰霜，大有反臉成仇之勢。」

水燕兒嫣然一笑，接道：「丈八燈檯照遠不照近，只看到我水燕兒的毛病，沒有看到你俞

秀凡的缺點。」
俞秀凡道：「我有什麼缺點？」
水燕兒道：「你口不應心，有時滿口仁俠，有時又自私得很，兩種性格自相矛盾。」
俞秀凡笑了一笑，道：「所以，姑娘有些不相信在下的話麼？」
水燕兒笑道：「無欲則剛，我不想得到你太多，所以，我不會太妒忌你，隨便你將來怎樣子鬧，我都不放在心上。所以，我不太計較你的爲人，不過……」
俞秀凡道：「不過什麼？」
水燕兒道：「不過，我要名分，所以，我只堅持一件事，你要用花轎娶我，這樣子，我才能對義父交代過去。至於，你把我娶來之後，如何安排，那就隨便你了。」
俞秀凡道：「想不到啊！手握生殺大權的水燕兒，竟然是這樣一個肯向命運低頭的女人！」
話鋒一轉，突然接道：「只是，燕姑娘，閨艙私室，咱們是不是太過言無禁忌了？」
水燕兒道：「你還有什麼話，可以放心大膽的說，就算說錯了也不要緊，這裏只有我們兩個人。」
俞秀凡微微一笑，道：「那好，燕姑娘既如此說，在下就斗膽直言了。」
語聲微微一頓，接道：「問題不完全在兒女私情之上，如是姑娘在這上面兜圈子，那就永遠找不出問題的癥結了。」
刁蠻聰慧的水燕兒，似是已想到他要談些什麼事，突然嘆息一聲，道：「俞兄提的條件我都答應了，其他的，似乎是以後的事，用不著想得太多。」

俞秀凡道：「這是一個很嚴酷的現實，怎麼能夠不想呢？燕姑娘，從好處說，是貴組合看得起我，從壞處說，是貴組合不願我成爲你們計劃中的一個小障礙，對麼？」

水燕兒不能不承認了，點點頭道：「所以，我們才不惜一切的籠絡你，你應該滿足了，是麼？」

俞秀凡感慨地說道：「我們之間本無情意，只是在一種權謀之下，把我們天南地北地拉在一起，就算我們彼此都確具了相悅之心，但我們都又不能不防範著對方，其相處又何止同床異夢……」

「如果我是貴組合大計中的一個小障礙，最安全的辦法，就是把我消滅了，只要我活著一天，那就是貴組合背上之芒，肉中之刺，也許大局未定之前，他們可以忍受一點痛苦，一旦局面安定，就會想到拔出這個背芒、肉刺，燕姑娘，我說的不誇張吧？」

水燕兒道：「我的看法，倒非如此。」

俞秀凡道：「嗯！願聞高見。」

水燕兒道：「瓦罐不離井口破，將軍難免陣上亡，江湖上揚名聲，幾人能得好下場。只要你放棄了爭雄江湖的心念，不住溫柔住何處？英雄氣本短，兒女情卻長。笑邀風月，紅袖添香，你肯置身紛爭之外，我相信，沒有人會找咱們的麻煩。」

俞秀凡搖搖頭，笑道：「燕姑娘也許是言有所本，但在下卻不作此想。」

水燕兒道：「那算是真有那麼一天，我也會陪著你同生共死。」

俞秀凡笑了一笑，道：「燕姑娘，你認爲他們現在不是在利用你麼？」

水燕兒微微一怔，道：「利用我什麼？」

俞秀凡道：「對付我！刀釵冷萍，劍主方堃，到你燕姑娘，一個比一個強，我相信，在燕姑娘的後面，可能有更高明的人物。方堃敗在我的劍下，由第二劍主的身分，一變為階下之囚，如是姑娘你也敗了呢？」

水燕兒怔了一怔，接道：「我……我……我……」

俞秀凡笑了一笑，道：「燕姑娘，你不能失敗，在貴組合中，你是公主的身分，如是一旦不幸落敗了，只怕你這公主的榮耀，也將隨風消失。縱然不致步那方堃的後塵，變為階下之囚，只怕不會再有你現在這樣的氣勢了。」

水燕兒道：「所以，我不要失敗。」

俞秀凡道：「可惜的是，你的勝敗並不完全操諸在你的手中。」

水燕兒突然臉色大變，冷聲一笑，道：「俞秀凡，原來你提的條件都是假的，只是想從我身上套問一些內情是麼？」

俞秀凡搖搖頭，道：「不是。在下說的話，自然算數，問題是你。」

水燕兒道：「我？」

俞秀凡整容說道：「不錯。貴組合真的會答應我的條件麼？」

水燕兒點點頭，道：「這是真的。我既然答應你，自然有把握。」

俞秀凡笑了一笑，道：「燕姑娘，你在貴組合中的身分可能很高，但卻未必能左右大局。」語聲微微一頓，接道：「聽說貴城主是一位身負非常之能的人物，且為人很和藹。」

水燕兒道：「你怎麼知道？」

俞秀凡笑了一笑，道：「貴組合對付我俞某人，雖非精銳盡出，但可也費盡了心機，在下總不能對貴組合完全沒有一點了解吧！」
水燕兒道：「是方堃告訴你的吧？」
俞秀凡笑了一笑，道：「姑娘別多問，我不會說。我的用意不在炫露，只是覺著很奇怪。」
水燕兒道：「有什麼好奇怪的。我義父功參造化，無所不能，他已經到了不生嗔意的境界。」
俞秀凡微微一笑，道：「真如你所說，他實已不用插手江湖是非了。燕姑娘，不是你那義父裝作，叫人難分真假，很可能別有內情。」
水燕兒道：「你不要危言聳聽，這中間還會有什麼內情。」
俞秀凡道：「他可能只是一個傀儡，被人暗中操縱？」
水燕兒呆了一呆，道：「這不太可能吧？」
俞秀凡道：「如若我是你，我就能找出其中的破綻來。水域行程還有兩日，咱們可以多想想。」突然起身，打開艙門而去。
水燕兒一對清澈的雙目，望著俞秀凡呆呆地出神，沒有出手攔阻，也沒有出言呼叫。
俞秀凡大步行出船艙，步上甲板，伸展一下雙臂，長長吁一口氣。沉目四顧，但見江流滔滔，江風拂面，微生寒意，頓覺神情一清。
不知過了多少時間，突然一聲輕輕的呼喚，打破了沉寂傳了過來，道：「公子！」
俞秀凡停下腳步，轉頭望去，只見王翔、王尙並肩而立。

王尙快步行了過去，低聲說道：「公子在想什麼？」

俞秀凡道：「我想的事很多，不過還未想出結果。」

王尙道：「公子，咱們是否應該想法子逃離此地。」

俞秀凡四顧了一眼，但見江流滔滔，不見一點帆影，微微一笑，道：「怎麼一個走法？」

王尙低聲道：「我在後艙處見到了兩艘小艇，咱們只要想法子搶到兩艘小艇，就可以離開此舟了。」

俞秀凡笑道：「這裏有什麼不好，巨舟龐大，有如陸上一般。一旦動上手，咱們也不受覆舟的威脅。」

王尙道：「咱們自然是很可能遇上很大的凶險，不過，總比在這艘大船上好一些。」

俞秀凡道：「咱們三人，都不會水中工夫，如是在水中攻擊咱們，那要如何對應？」

王尙有些困惑地說道：「難道咱們不準備離開了麼？」

俞秀凡道：「不錯。如是咱們生命不受迫害，我倒想任她帶咱們到他們的老巢去瞧瞧。」

王尙道：「咱們三個人去麼？」

俞秀凡道：「我想一個人去。」

王尙道：「什麼，公子，我並不是貪生怕死之輩。」

俞秀凡道：「王尙，聽我說，我不是這個意思。」緩步行到了甲板邊緣。

王翔、王尙都明白俞秀凡的用心，離開船艙遠一些，必有重要的話說。

兩人追了過去，俞秀凡低聲說道：「登上陸地之後，他們決不會讓咱們三人守在一起，把咱們分開了，彼此都無法照顧，你們跟我同入賊巢，豈不是全無作用。」

王翔道：「公子深入賊穴，我等不能隨行，但不知應在何處等候公子。」

俞秀凡道：「我已安排好你們的去處，不過，現在不能告訴你們，以免洩露了隱祕。」

王尙道：「公子，可是已有了通盤的詳密計算？」

俞秀凡點點頭，道：「談不上全盤詳密，不過，我三思之後，覺著我一人跟他們走，是一個較好的辦法。」

王尙道：「我們幫不上公子的忙，但讓你一人涉險……」

俞秀凡笑了一笑，接道：「我一個人去，不但行動自由、迅速，而且咱們也不能全部落在他們的掌握之中，如是我一旦被他們殺死或生擒囚禁起來，你們也可以把消息傳出去。」

王尙嘆口氣，默然不語。

俞秀凡道：「就這樣決定，咱們每天至少要想法子見上兩次面，如是一旦有了什麼特殊情況，你們不要顧慮什麼，立刻找我。」

王翔點點頭，道：「我們會小心。」

俞秀凡嘆道：「他們這個組合裏，似乎十分複雜，什麼手段都可能用得出來，而且，他們的手段千奇百怪，叫人防不勝防，飲食方面，要特別小心，他們很可能在食物中下毒，你們要特別的小心，每次食用之前，要查查看食物是否有毒，早晚也要運氣試試是否有中毒之徵。」

王翔點點頭，道：「多謝公子指點。」

俞秀凡道：「如若對方沒有招惹咱們，兩位不可惹事生非，如受到攻擊，也不用太顧慮，儘管全力反擊。」

王尙道：「我們記下了，多謝公子指點。」

俞秀凡道：「好！你們回去吧。」

兩人一欠身子，退回艙中。

俞秀凡又在甲板上走了一陣，回到艙中。

進入艙門，一個女婢已早在門內恭候。

俞秀凡還未來得及開口，那女婢已欠身說道：「咱們已替公子備好了宿住的小艙，燕姑娘吩咐婢子，先帶公子進去瞧瞧，如是公子不滿意，咱們再替公子換一間。」也不待俞秀凡回答，轉身而去。

俞秀凡在那女婢身後，行入一座艙門口處，推開艙門，迎面撲過一陣清香的花氣。木案花瓶中，正放著一束盛開的黃菊。

俞秀凡道：「這船上還種的有花麼？」

青衣女婢一欠身，笑道：「燕姑娘很愛花，所以，在這艘巨舟頂層之處，燕姑娘養了十幾盆花，這是剛從花盆剪下來的菊花。」

俞秀凡道：「代我謝謝燕姑娘爲我準備了這樣舒適的住處。」

青衣女婢一欠身，道：「小婢名叫秋蘭，奉燕姑娘之命，侍候公子，有什麼事，但請吩咐一聲。」

俞秀凡揮手一笑，道：「有事情在下自會勞請姑娘幫忙。」

青衣女婢一欠身，退了出去，順手帶上了艙門。

小艙布置得很雅致，鮮花、綾被，色彩都很調和，顯見那布置人十分用心。

俞秀凡和衣仰臥榻上，立刻聞到枕頭上散出的陣陣幽香，香氣不濃，但卻清幽醉人。忽然間，俞秀凡感覺到這股香氣，似乎在哪裏聞過，但卻一時間想不起來，一陣波波的敲門聲，傳了過來。

俞秀凡挺身而起，打開艙門，當門而立的正是水燕兒。

水燕兒輕輕吁一口氣，道：「俞兄，打擾你了。」

一陣清幽的香氣，撲了過來。俞秀凡立刻辨出那股清幽的香氣，和枕上散發出來的一模一樣，原來，那木榻上的枕頭，竟然是水燕兒所用之物，才沾染了水燕兒那一股特有的香氣。

俞秀凡微一欠身，道：「姑娘請進來坐坐吧！」

水燕兒緩步行了進來，順手掩上了艙門。

俞秀凡微微一笑，道：「姑娘請坐！」

水燕兒道：「謝謝你了。」在緊靠木案旁側的一張木椅上坐了下來。

俞秀凡道：「姑娘，有什麼見教？」

水燕兒道：「如果我沒有事，難道就不能來瞧瞧麼？」

俞秀凡道：「在下艙中沒有好酒佳肴。」

水燕兒道：「你還想喝點酒麼？」

俞秀凡搖搖頭，道：「在下酒量不好。」

水燕兒嘆道：「我來此的用心，也只是想請教你一件事。」

俞秀凡道：「姑娘請說。」

水燕兒道：「我想過了你說的話，但不知我想的是不是對。」

俞秀凡道：「說說看。」

水燕兒道：「你說的話，最終的目的，好像要我背叛我們的這個組合，離開我的義父。」

俞秀凡笑了一笑，道：「燕姑娘，我不是這麼說，我並無意讓你背叛你義父，也無意讓你背叛你的組合，我只是希望姑娘能服從真理，維護武林正義。」

水燕兒道：「俞兄，我好生爲難啊！」伸手取下了臉上的面紗。

她沒有再戴那醜陋的人皮面具，露出了一張美麗絕倫的面孔。緊緊地鎖著眉頭，帶著滿臉憂苦，美麗中有著一股淒迷。

俞秀凡嘆口氣，道：「燕姑娘，你不用太爲難，我講的話，只是供你參考，你是個很聰明的人，應該如何自處，你總會想出一個結果。」

水燕兒道：「俞兄，告訴我，我應該怎麼做？」

俞秀凡笑道：「燕姑娘，我應該怎麼說呢？」

水燕兒道：「不要笑，我說的這些事很嚴肅。」

俞秀凡容色一整，道：「燕姑娘，要我告訴你些什麼？」

水燕兒道：「肯定的告訴我應該怎麼辦。」

俞秀凡道：「你真的聽我的麼？」

水燕兒道：「我不知道，那要看你的說服力了，你已經使我動搖，現在，要看你能不能使我完全相信你的話了。」

俞秀凡嘆口氣，道：「燕姑娘，我不希望你現在決定什麼，但我希望你對貴組合能再深入的觀察，了解一下，再做決定如何？」

水燕兒點點頭，道：「這很公平，唉！我困擾很久的事，你這一句話，解去了我心中的困惑。我會再認真的去想想。」

俞秀凡道：「自然是真的了。」

長長吁一口氣，接道：「俞兄，你是否真的要和我一起去見我那義父？」

水燕兒道：「你是否想過，去了之後，如何能再回來？」

俞秀凡道：「這要看你燕姑娘了。」

水燕兒嬌軀震動了一下，道：「看我？我……我！」

俞秀凡笑道：「你不是告訴我，你那位義父很仁慈麼？」

水燕兒道：「我義父對我們組合中的人，十分仁慈，對敵人是否也十分仁慈，那就不知道了。」

俞秀凡道：「燕姑娘，這麼說來，你對你義父並不十分了解了。」

水燕兒道：「我從沒有見到義父對付敵人，他要如何對付敵人，我實在無法想像。」

俞秀凡道：「如若一個人天性仁慈，不論對敵人或對自己人，都不會太過分。」

水燕兒道：「一日之前，你問我這件事，我連想也不用想，立刻就可以答應你了。但現在，我已經不太相信自己的判斷了。」

俞秀凡笑了一笑，道：「燕兒，不要為這件事難過，你無法判斷義父意願一事，早已在我的意料之中。」

一聲燕兒，只叫得水姑娘嬌軀微微顫動一下，緩緩說道：「俞兄，你怎麼這樣肯定？」

俞秀凡道：「當局者迷，旁觀者清，我一直是旁觀者。」

水燕兒淒涼一笑，道：「俞兄，我的確亂極了。」

緩緩站起身子，接道：「相信我，好好的在舟上休息一天，你必須要保持著最佳的體能。」

俞秀凡道：「燕兒，謝謝你的關心。」

水燕兒突然流下淚來，道：「俞兄，我真不知如何自處。」緩緩把嬌軀偎入了俞秀凡的懷中。

俞秀凡輕拂著燕姑娘頭上秀髮，低聲說道：「燕兒，別難過，以你的才慧，你會選出你自己該走的路。」

水燕兒舉起衣袖拭去臉上的淚痕，道：「我要走了，你好好的休息一下。」戴好面紗，緩步而去。

俞秀凡關上艙門，盤坐調息。

一日夜在船上過去，俞秀凡和王翔、王尙，碰過了幾次面，也見過桃花童子，但一直未見水燕兒。

在那青衣女婢的照顧下，俞秀凡生活得很好，但一日夜未見過水燕兒，他有著一種悵然若失的感覺。

第二天黃昏時，帆舟進入一座水灣之內，俞秀凡快步行出艙門，希望能看到港灣形勢。

不知是巧合，還是有意安排，船轉入水灣之後，太陽剛好下沉。一層迷濛的白霧，迎面撲來，片刻間，整個水灣，完全爲濃霧迷漫。夜色加上濃霧，就算是最好的目力，也無法看到一丈外的景物。

俞秀凡長長吁一口氣，道：「好大的霧。」

只聽一聲輕輕的嘆息，道：「俞兄，別認為這是偶然發生的事。事實上，這是很精密的算計，每一艘船在進入這個港灣時，都遇上這樣的大霧。」

俞秀凡道：「燕兒，不會一年四季都有這樣的大霧吧？」

水燕兒道：「你聽過一句話麼，人定可以勝天？」

俞秀凡道：「難道這大霧也是人為的麼？」

水燕兒道：「山川水域，聚集成這片多霧的水港，這地方本就多霧，十天有八天起霧，至於另外的兩天，可以用人工補助，這就是每一條船進入這水港後，必遇大霧的原因。」

俞秀凡道：「看來，貴組合果然是人才濟濟。」

十八　全人大宴

水燕兒低聲說道：「俞兄，船很快就可以靠岸了，你打算怎麼辦？」

俞秀凡答非所問地道：「燕兒，我如是走了，你一定會受到很嚴重的懲罰，是麼？」

水燕兒道：「很可能。不過，我不會阻止你離開的。」

俞秀凡道：「唉！燕兒，我答應你去見你的義父，所以，我不離開。不過，我那兩個隨來僕人，希望他們能夠離去，只不知會不會影響到你？」

水燕兒道：「我們的用心，只是對你，其他的人，無關重要。」

俞秀凡道：「好！咱們就這樣一言爲定，什麼時候能讓他們走？」

水燕兒道：「他們應該早一點換舟離開，登上了陸地之後再走，只怕會有些麻煩。不過，不要緊，我會想辦法讓他們平安離去。」

俞秀凡道：「燕兒，我該謝謝你！」

水燕兒道：「你知道麼，咱們這一次晤面帆舟之後，使我有了很多的改變。」

俞秀凡道：「能不能告訴我，你改變了些什麼？」

水燕兒道：「變得很脆弱，變得更像女人，我變得怕事，變得爲你擔心。過去，我不是這個樣子。」

俞秀凡笑了一笑，道：

「燕兒，堅強些，別害怕，也別替我擔心，我相信能夠照顧自己。事實上，要來的總歸要來，躲過今天，也無法逃過明日。」

水燕兒黯然接道：「俞兄，為我保重，別人不會像我。」

俞秀凡道：「我明白。」

水燕兒道：「俞兄，我想請你答應我一件事。」

俞秀凡道：「什麼事，只管請說。」

水燕兒道：「答應我，要好好的活下去，不能死。」

俞秀凡沉吟了一陣，點點頭道：「好！燕兒，我答應你。不過，我只能盡量求生，好好的活著出來。」

水燕兒道：「我還想告訴你一件事。」

俞秀凡道：「你說吧！」

水燕兒道：「你如若死了，有一個人也活不下去。」霍然轉過身子，行入艙中。

她沒有說出是什麼人，會陪他而死，事實上，也用不著說出來。

情意是那麼真實，語氣是那麼含蓄，但決心卻又那麼堅定。

俞秀凡呆了一呆，望著水燕兒離去的背影，暗自出神。其實，夜色、濃霧，目力難及數尺，水燕兒早已經走入了艙中。但俞秀凡仍然望著那艙門處呆呆出神，似乎是那水燕兒一直停在眼前不遠的地方。

忽然間，火光一閃，船艙亮起了一盞明燈。燈光有些金黃，在濃霧中，光亮十分清明。

俞秀凡緩緩吁一口氣，緩步行入艙中。

只見水燕兒端坐在虎皮金椅上，兩個女婢各抱長劍，站在身後，兩旁十二個穿金黃色衣服的大漢，每人抱著一把鬼頭刀。

水燕兒臉上仍然戴著面紗，在燈光下微微顫動。她好像心中有著無比的忿怒，俞秀凡心中一動，暗暗提高了警覺。

突然，一聲長的鐘聲，傳了過來，行走本已很慢的巨舟，突然間停了下來。

但聞水燕兒的聲音，傳了過來，道：「俞秀凡，你準備和我們一起下船麼？」

俞秀凡笑了一笑，道：「是的。」

水燕兒道：「我們很歡迎你，不過，我們希望你能遵守三件約定。」

俞秀凡道：「說說看吧！如是在下能答應，那就答應了；如是不能答應，在下也直言奉告。」

水燕兒雖然盡量把聲音放得很平靜，但俞秀凡聽得出來，她聲音中帶著輕微的顫動。

長長吁一口氣，水燕兒緩緩說道：

「下船後，就進入了我們的禁區，那地方充滿凶險的埋伏，所以你必須聽從我們的吩咐，不可擅自行動。」

俞秀凡道：「入境隨俗，這約定合理，在下可以答應。」

水燕兒道：「第二件事，登岸後，你無論遇見了什麼樣奇怪的事情，都不要生出好奇之心，要視若無睹，不可隨便多問。」

俞秀凡沉吟了一陣，道：「如是在下不遵守這個規定，那將如何呢？」

上。」

水燕兒道：「爲了免去咱們之間可能發生的不幸，奉勸俞少俠，最好能留在這艘帆船上。」

俞秀凡道：「第三個約定呢？」

水燕兒道：「在離開這艘大船時，你要留下你的長劍。」

俞秀凡雙目盯在水燕兒臉上，但他見到的只是一張蒙面的白紗，無法從那裏得到任何暗示，也無法瞧到水燕兒任何神情。

揚了揚劍眉，俞秀凡緩緩說道：「在下好像已經失去了貴賓的身分。」

水燕兒道：「現在，你已面臨著選擇，願爲階下之囚，或是願做我們座上貴賓。」

俞秀凡嗯了一聲，道：「做貴賓必須遵守那三個約定了！」

水燕兒道：「不錯，那是必須遵守的約定。」

俞秀凡道：「如是在下選擇了階下囚呢？」

水燕兒道：「那是一種很悲慘的際遇。」

俞秀凡道：「至少，用不著遵守那三件約定了，是嗎？」

水燕兒道：「這地方，水中有著重重的機關布置，刀輪、鐵網，就算是那第一流水中功夫的人，也無法在水中行動，何況你根本不懂水中功夫。」

俞秀凡道：「姑娘的意思，是要在下答應了？」

水燕兒道：「你無法生離此地，就算你能把我們全部殺死，也無法離開此地；至多，我們鑿沉這條船，你和你的兩位從人，都將葬身江中。」

俞秀凡嘆口氣，道：「貴組合的手段，不但惡毒，而且卑下！」他無法了解水燕兒的用

心，也無法知道水燕兒的話是真是假，這幾句話倒是罵得十分尖刻。

水燕兒冷冷一笑，道：「兵不厭詐，就算我們用了些手段，那也不算什麼卑下。」

俞秀凡陡覺一股怒火，直沖上來，右手握住了劍柄。

耳際間，突然響起了水燕兒的傳音之聲，道：「俞兄，為我珍重！」

俞秀凡無法分辨真假，心中暗自盤算道：就算我傷了他們所有的人，王翔、王尚勢必要陪我葬身於此了。

心中念轉，放棄了拔劍反抗的念頭，道：「要在下答應三個約定可以；不過，在下也有一個條件！」

水燕兒道：「你說吧！」

俞秀凡道：「在下願意答允三個約定；不過，我那兩個從人，要安全離此。」

水燕兒道：「可以，夠格做本組織貴賓的，只有你俞秀凡一個人。」

俞秀凡神情肅穆地說道：「在下要確知他們安全離此，才能交出兵刃。」

水燕兒道：「我答應你了，自然要為你辦到。」轉頭吩咐：「帶王翔、王尚進來！」

片刻後，王翔、王尚並肩而入。兩人手中提著長刀，隨時準備出手。

水燕兒高聲說道：「俞公子已自願留此作客，兩位作何打算？」

王尚道：「咱們公子一言。」

俞秀凡道：「你們去吧！我承燕姑娘看得起，留此作客數日。」

王尚道：「我們在何處等候公子？」

俞秀凡道：「回家去吧！」

王尙怔了一怔，道：「回家？」

俞秀凡道：「不錯。我離此地後，自然會找你們。」緩步向王尙行去，一面施展傳音之術道：「離開了十里之後，就想法子易容，潛跡遁形，到璇璣宮去。」

說完話，人也行到王尙身前，提高了聲音道：「你們回家等我，如是我半年之後，還不回去，你們就不用等了。」

王尙一欠身子，道：「公子保重。」

俞秀凡回目望著水燕兒高聲說道：「燕姑娘，幾時可以放他們離開？」

水燕兒道：「立刻可以放他們離開。」

俞秀凡道：「在下希望能看到他們離開。」

水燕兒沉吟了一陣，道：「好吧！咱們一起下船。」轉身向外行去。

俞秀凡緊隨在水燕兒的身後，兩個女婢緊追在俞秀凡的身後。

船身不知停在了什麼地方，眼前是一片黑暗，黑得伸手不見五指。俞秀凡運聚了目力，向前望去，也不過能看出兩、三尺的距離。

突然間，冷風拂面，星光閃爍，景物隱隱可見。俞秀凡回頭看去，只見王翔、王尙魚貫行出了一個黝黑的洞口。

水燕兒停下了腳步，道：「送客馬。」

俞秀凡暗暗一皺眉頭，忖道：送客馬，不知是怎麼回事。

一個青衣女婢，轉身而去。片刻之後，帶著一個半百老者，牽著老馬，行了過來。雖然是

夜色幽暗，但幾人剛從更暗的地方，行了出來，只見那兩匹馬，瘦骨嶙峋，但卻鞍鐙俱全。

水燕兒道：「老馬識途，這兩匹馬都已有近二十年的歲數，牠們很老，但牠們近十年來，一直出入這一片險惡之區，除了這兩匹馬之外，沒有人能逃過這一片險惡之區。」

目光轉到俞秀凡的臉上，接道：「要他們馬上走吧！」

俞秀凡道：「這是什麼地方？」

水燕兒道：「這地方叫做死亡帶，有一個相當大的區域，裏面有很多種的致命布置，任何一種布置，都可以取人性命，這地方共有一百七十四種布置。」

俞秀凡道：「我如何能知道，他們安全離開此地？」

水燕兒道：「這兩匹馬回來時，可以帶回他們安全離此的信號。」

俞秀凡道：「好！王尙，你們安全離去之後，留一個記號回來。」

王尙點點頭，道：「我們會在馬鞍上留下安全與否的記號。」翻身躍上馬背。

水燕兒冷冷說道：「馬出險區後，會自動停下來，仰天長嘶，你們就可以下馬離去了。」

王尙道：「多謝指點。」

水燕兒道：「還有一件事，你們應該知道。」

王尙道：「什麼事？」

水燕兒道：「馬鞍前面，掛著一副黑色的眼罩，兩位應該把眼睛蒙起來。」

王尙怔了一怔，道：「爲什麼？」

水燕兒道：

「因爲你們要經過幾處很險的地方，如若一個人不把眼睛蒙起來，見到的恐怖，必將會影

響到胯下坐馬，如是老馬受了影響，行錯一步，可能會要了兩位的命。」

王尚道：「不知道有些什麼恐怖的事？」

水燕兒道，「我只能告訴你，你見到的恐怖，足以使任何人心生驚悸。」

王尚道：「在下倒希望能見識一下。」

水燕兒冷笑，道：「不要太逞強了，那恐怖不是任何一個人所能承受。」語聲微微一頓，接道：「兩位的生死和我無關，但如是兩位死了，這位俞少俠，很可能改變他自己的決定。」

王尚緩緩取下馬鞍前掛的眼罩，戴在頭上。

俞秀凡冷冷說道：「你們記著燕姑娘的話，戴好罩布，我在此地等候你們平安的消息。」

王翔、王尚一點頭，提韁縱馬而去。

俞秀凡右手中握住劍柄，肅然而立。

足足等候了一頓飯工夫之久，兩匹瘦馬去而復返。俞秀凡疾上兩步，雙目在兩匹馬鞍上瞧了一陣，突然舉手，在第二匹馬鞍上，拍了一掌。

水燕兒冷笑一聲，道：「用不著毀去他們留下的暗記，我答應放他們，就不會派人追蹤。」

俞秀凡回顧了水燕兒一眼，道：「在下是不是應該交出兵刃了？」

水燕兒道：「不錯。你交出兵刃之後，我才帶你入城。」

俞秀凡道：「什麼城？」

水燕兒道：「造化城。」

這一次，俞秀凡倒是很仔細地追隨在水燕兒的身後。

明明一條平坦的路，但行約數十丈之後，突然向地下斜去。迎面似是一座山壁，兩旁也都是連綿的峰崖。那條路，雖然是向下斜去，但斜度不大，走起來感覺不到。

幽暗的夜色，使人無法看到一丈外的景物，水燕兒停了下來，俞秀凡幾乎收不住腳步，撞在了水燕兒的身上。

俞秀凡凝目望去，只見一道黑色的牆壁，攔住了去路。只見水燕兒舉起了右手，突然在黑色的牆壁上，擊了三掌，那黑色的牆壁，突然間裂開了一座門戶。

水燕兒回顧了兩個女婢一眼，道：「你們留在這裏。」

舉步行了進去，一面接道：「俞兄，請進來吧！」

俞秀凡緊隨在水燕兒的身後，進入了門戶。

突然間石門合起，一道強烈的燈光，直射過來，照得兩個人的雙目難睜。

片刻之後，那燈光突然消失，只見石道兩側，點起了很多燈火，照得整個石道一片明亮。

水燕兒冷冷說道：「俞少俠，現在開始，你要小心了，咱們已進入了危險之區。」

俞秀凡道：「多承照應。」

水燕兒道：「過了這一段明燈區，就轉入了另一個區域之中。那地方，可能有很多使人看了難過的事，但希望你不要多管。」

俞秀凡道：「看一看行不行呢？」

水燕兒道：「不要停下來看，更不要多問一句話。」

俞秀凡道：「燕姑娘，可否告訴在下，那一處是什麼樣子的地方？」

水燕兒道：「你的眼睛，到時間就可以看到，既未看到，現在用不著告訴你。」

俞秀凡目光轉動，四顧了一眼，低聲道：「燕姑娘，這地方是不是有人在監視咱們？」

水燕兒道：「你的話太多了。」

俞秀凡只覺一股怒火，直沖上來，冷笑一聲，道：「燕姑娘，在下有一種受騙的感覺。」

水燕兒道：「人總要經歷過很多痛苦，所以，一個江湖人成名之前，必須要有著很多痛苦的經驗。」

俞秀凡道：「燕姑娘，在下一向自認為是一個很小心的人，但我想不到，竟然被你燕姑娘輕易的騙了。」

水燕兒道：「俞少俠，眼前你只有面對現實。回顧過去的人，永遠會在痛苦中折磨自己。」

一種被輕侮羞辱的怒火，在俞秀凡的胸腔中熊熊燃燒著。胸藏萬卷書，使著俞秀凡有著不同於一般江湖人的莽撞，在極度的忿怒中，他仍然能控制著自己，默誦著大學之道，逐漸平消去胸中燃燒的怒火。

不知走了多少時間，也不知走了多少路，眼前又恢復了黑暗，已然是燈火盡處。

水燕兒未回顧，口中卻冷冷說道：「俞秀凡，你可在跟著我麼？」

俞秀凡長吁一口氣，道：「不錯，在下一直走在姑娘的身後，舉手之間，就可以搆到姑娘的要害。」

水燕兒道：「那你為什麼還不出手暗算我？」

俞秀凡道：「俞某人沒有你燕姑娘那份卑劣的手段。」

水燕兒一直未回過頭，舉步直向黑暗中行去，口中卻冷冷說道：「俞秀凡，你口舌羞辱我一番，是不是覺著很快樂？」

俞秀凡道：「談不上什麼快樂。不過，在下覺得既是事實，說說有何不可。」

這時，兩人已然完全行在黑暗之中，俞秀凡地形不熟，更不知走在何處。抬頭看去，不見星月，似是又走在一條地道之中。他很想問問水燕兒，這是什麼地方，但話到口邊，又強自嚥了下去。

轉過一道彎，景物突然一變，燐燐綠火映照著三個大字，寫的是：「地獄門」。

俞秀凡冷哼一聲，道：「這就是造化城麼？」

水燕兒道：「上面寫得明明白白，難道你連『地獄門』也不認識？」

俞秀凡冷冷道：「難道你要帶我進地獄去？裏面有什麼值得看的？」

水燕兒道：「咱們三條約定，你大概還記得，其中有一條，就是別管閒事。你可以看，但不能停下來看，你能夠記得好多，看得好多，那要靠你的才慧了。」

俞秀凡有些茫然地說道：「幽燐藍焰，布置如鬼域一般，這又代表些什麼？」

水燕兒道：「我已經說得太多了，進入了地獄，我就不再答覆你任何問題，記著我的話，別多管閒事，別胡說八道。」話才落口，人已踏入了地獄門。

俞秀凡心中暗道：就算這裏是真的人間鬼域，你水燕兒既然敢去，我俞秀凡難道還怕了不成。

大邁一步，跟進了地獄門。

一陣冷風迎面吹來，抬頭看，仍然不見星光。風從哪裏來，想一想頓覺背脊上升起了一股涼意。流目四顧，只見四周閃動著綠色的燐火，除了一陣陣吹上身來的寒風之外，靜得聽不到一點聲息。

水燕兒一直保持著適當的速度，走得是不快不慢。俞秀凡這一陣思索張望，不覺間慢下來，落後了七、八尺遠。但仍可隱約看到水燕兒的背影。

突然間，一聲尖厲的怪叫聲，一下劃破了荒淒的寂靜。俞秀凡不自覺地停下了腳步。就是這一陣工夫，身後兩丈外，已燃起了七、八盞藍色的燈光。雖然燈光並不明亮，對俞秀凡這樣的人物，已經很夠了。

藍焰的照射下，只見兩個分穿著黑、白衣服的人，各執一柄長劍，相對而立。忽然間，兩人同時舉起了長劍，刺向對方的前胸。那是很快的劍招，其攻勢的凌厲，直可穿心致命。兩個人以同樣快速的劍招，把長劍刺入了對方的胸中，鮮血隨著激射而出。兩個人同時倒了下去。像一道流光，突然出現，又那樣快速的消失。

人倒了下去，八盞藍色的燈火，也突然飄風而起，四下流散。

突然間，俞秀凡想起了那水燕兒的約定，不能管閒事，不能停下來看。但像這等突然發生的事情，怎能會一下按捺住好奇之心呢？

抬頭看去，哪裏還有水燕兒的影子。忽的腦際間靈光一閃，俞秀凡想到了這是一個圈套，真是欲加之罪何患無詞了。

他滿腹詩書，才慧過人，想透了這是故意安排下的陷阱，心中反而平靜下來，也激起了豪壯奮發之心，暗自運氣，調息了一下，舉步向前行去。

緩步行約五、丈遠，眼前忽然亮起了一盞紅燈。那紅燈亮得很突然，似乎是忽然由地下長出來一樣。任何人都要爲這突然出現的紅燈，大爲震駭一下，但俞秀凡卻十分鎮靜，緩緩轉眼望去。

那是由地下豎起來的一根木竿，紅燈就挑在木竿之上。

俞秀凡緩步行了過去，仔細看了一陣，發覺那木竿早已埋在了地上，而且十分堅牢，那說明了這根木竿早已在此處，自然不可能突然由地下冒了出來。毛病出在那盞紅燈上。但俞秀凡相信不論何等快速身法的人，決無法在點燃起紅燈之後，能輕易逃過自己的目光。

略一思忖，俞秀凡已想出那毛病全在燈上的設計了，如若用一種易燃之物，用一截燒香，接在那易燃物上，燒香的火勢燃到，自然起火，很輕易就燒起了那挑起的紅燈，隱起一根香頭的火光，該不是一件太難的事。

想通了個中的道理，俞秀凡忍不住微微一笑，轉身向前行去。

瞭然了這地方都是人花費心思設計的機關埋伏，就算是滿眼恐怖的鬼火形像，俞秀凡也不放在心上了。

行約數十步，突然聽到一聲冷冰的聲音，由身後傳了過來，道：「站住。」

俞秀凡停下腳步，回頭望去，只見那紅燈之下，站著一個長髮披垂、面色雪白的怪人。

這等形情之下，任何一個人，見到這樣一副形貌，都不會認爲他是個人。這等形如鬼域的地方，驟然間出現這麼一個人樣，任是他俞秀凡心中膽大，但也不覺由背脊上升起一股寒意。

鎮靜了一下心神，俞秀凡緩緩說道：「閣下是人還是鬼？」

那白面人冷笑一聲，道：「你認爲我是人是鬼？」

俞秀凡心神已完全鎮靜下來，淡淡一笑，道：「閣下是人，但扮成了鬼樣。」

白面人道：「不用研究我是人是鬼，你這膽氣，很叫在下佩服。」

俞秀凡道：「誇獎，誇獎。」

白面人道：「閣下既有這份膽氣，但不知敢不敢入屋坐坐？」忽然移開了身子。

俞秀凡凝目望去，只見那白面人的身後，果然有一個黑色的房子。

這一下倒使俞秀凡大吃了一驚，暗忖道：一個人突然出現在身後，那也罷了。但這一幢房子，突然出現在紅燈之下，那決非一般的障眼小術所能辦到，難道這就是造化城。

但聞白面人道：「你不敢進去，是麼？」

俞秀凡手中沒有寶劍，人也變得持重了很多，略一沉吟，道：「那座房子，都有些什麼人？」

白面人道：「閣下怕不怕我？」

俞秀凡笑了一笑，道：「在下的感覺，人比鬼更爲可怕。」

白面人道：「閣下既有著不怕鬼的豪氣，何不進來坐坐？」

俞秀凡道：「好！你是否要陪我進去？」

白面人道：「自然要陪你進去。」

俞秀凡道：「那就有勞了。」緩步行了過去。

白面人一轉身，行入室中。俞秀凡行至屋前，仔細打量了那黑色房屋一眼，只見那黑色房屋，上下不見一點雜色，不知是何物做成。

只聽那白面人，冷漠的聲音傳了過來，道：「閣下請進！」

黑色的屋子，室內又未點燈火，看上去更為黑暗。剛剛跨入室中，那黑屋的兩扇門，突然關起來了。

室外透入的一點燈火，也因室門的突然關閉，完全隔絕。

夜暗、黑屋，密不透光，黑得伸手不見五指。俞秀凡凝目望去，只見一片黑暗，哪裏還能瞧到那白面人？

忽然間，感覺停身的黑屋，開始旋動，向下沉落，但卻聽不到一點聲息。

俞秀凡暗暗咬一口氣，忖道：果然製作得十分靈巧，屋舍移動，竟然不聞聲息。

暗暗吸一口氣，內入丹田，全神戒備。

只聽那冷冷的聲音道：「閣下感覺到怎樣？」聽聲音，就在身前不遠的數尺之處。

俞秀凡暗暗吁了一口氣，道：「這座黑屋，帶區區到什麼地方？」

那冷冷的聲音應道：「不論到什麼地方，你已經沒有選擇的機會了。」

過約一刻工夫，黑屋突然停了下來。黑屋兩扇門突然大開，一陣白色的燈光透了進來。

在伸手不見五指的黑暗中，停了一陣，驟然間看到了燈火，有著一種特別明亮的感覺。

只見人影一閃，那白面人，快步向黑屋外面行去。

俞秀凡右手一伸，一把扣住了白面人的右腕脈門。

他的擒拿手法，乃金筆大俠艾九靈綜合天下擒拿手法的精粹，向無虛發。

白面人怔了一怔，道：「你幹什麼？」

俞秀凡一步跨出黑屋，淡然說道：「你知道我是誰麼？」

白面人道：「不管你是誰，到這裏都是一樣。」

俞秀凡道：「不一樣。在下是貴組合的貴賓，你竟敢對我如此無禮。」
白面人哈哈一笑，道：「貴賓！貴賓怎會到這地方來？」
俞秀凡劍眉聳動，冷冷說道：「你穿著一身鬼衣服，大約不會是想真的做個鬼吧？」
白面人道：「你想殺我？」
俞秀凡道：「你可是認為我不敢殺你？」
只聽一個嬌甜清脆的聲音，傳了過來，道：「放開他，他只是一個傳話的鬼卒。」
俞秀凡目光轉動，才發覺自已正停在一座小廳之中，敢情那舉步一跨，人已進入了此廳。
廳中的布設，簡單的很，一張木桌，兩張木椅，木桌上放了一支熊熊燃燒的白色蠟燭，和一個白色的茶壺，一個瓷碗。
俞秀凡點點頭，道：
「果然是構造得十分精妙，不過，這房中的布置太差了。」
那女的也穿了一身白衣，一張臉也白得像雪一般，白得恐怖，白得不見一點血色。但她兩條眉毛，卻是又黑又濃，一對眼睛，生得十分靈活，總之，這女人除了膚色的可怖之外，每一處都生得十分秀美。
只聽那白衣女人冷冷說道：「這地方哪裏不好？」
俞秀凡道：「布置得太簡單，而且色彩也不調和。」
白衣女人道：「這地方根本就沒有第二種顏色。」
俞秀凡笑了一笑，道：「不錯，所以看起來有些淒涼。」
白衣女道：「這倒不要閣下費心，咱們住在此地，時日已久，覺著並無不便。」

俞秀凡內力湧出，一下把那白面人震退了五步遠，緩緩說道：「姑娘，你是不是此地的首腦人物？」

白衣女道：「那要看你問的範圍了，如是單指那小小的房舍而言，我就是這裏的主人。」

那白面人被俞秀凡內力震退之後，突然轉身而去。

俞秀凡隨著那白面人的背影向外望去，只見門外一片黑暗，瞧不出一點景物。

暗自提聚了一口真氣，目光轉注到白衣女的身上，道：「你們準備如何應付在下，現在是否已經決定了？」

白衣女冷然一笑，道：「別把我身分看得太高，我比那傳話的鬼卒的身分，高不了很多，我能夠管轄的，只是這一間小屋。」

俞秀凡道：「姑娘既然連一點力量也沒有，想必是完全無法作主了。」

白衣女道：「我只是不能答覆你的問題，我奉到的令諭是留你在此。」

俞秀凡哦了一聲，道：「姑娘是否自覺有這份能力麼？」

白衣女道：「我沒有。但這房子的機關布置，卻有把你困於此地的功能。」

俞秀凡心頭大大地震動了一下，道：「困住以後呢？」

白衣女道：「以後，等待第二道令諭傳來再說。」

俞秀凡鎮靜了一下心神，道：「只怕姑娘對在下還不太了解。」

白衣女道：「我不要了解你什麼，我只是奉命行事。」

俞秀凡道：「我是造化城主和燕姑娘的貴賓。」

白衣女接道：「你如不是貴賓，怎能到此，早把你打入血池、刀山了。」

俞秀凡哦了一聲，道：「這地獄門還有刀山、血池？」
白衣女道：「十八層地獄，該有些什麼，這地方應有盡有。」
俞秀凡淡淡一笑，道：「想不到，世間真的會有人間地獄。」
俞秀凡已經完全鎮靜下來，索性坐了下去，笑了一笑道：「這是一座人造地獄，自然所有的鬼卒都是活人改扮的了。」
白衣女道：「我們是人，但也不過是比死人多一口氣，沒有太多的分別。」
俞秀凡道：「姑娘何以這樣的自暴自棄，在下的看法，你們躲在築造精妙的地獄中，雖然像鬼，但如一旦離開此地，和常人有何不同？」
白衣女格格一笑，道：「你看我和常人有些什麼不同？」
俞秀凡道：「你臉上塗的白粉太厚了，厚得不見血色，不像一個普通人。」
白衣女道：「你看我臉上是塗的粉麼？」
俞秀凡道：「不是粉，是什麼？」
白衣女臉上的肌肉僵硬，看不出什麼變化，但雙目中卻現出淚光，嘆口氣，道：「地獄門人，沒有什麼偽裝，你看到的我的臉，是我真正的面目。」
俞秀凡呆了一呆，道：「一個人怎麼是這樣一張臉？」
白衣女道：
「活人的臉，有肉有血，鬼的臉，沒有血肉，我們是介於人和鬼之間。像我這樣的一個人，能夠跑到人間去麼？不論我們如何委屈求全，別人也不會把我當人看待了。」
俞秀凡道：「你的臉是……」

白衣女道：「我的臉是經過了特殊的改造，成了現在這副模樣，它不太像一個人的臉，是麼？」

俞秀凡點點頭，道：「好殘酷的手段！」

白衣女道：「因此，就算有一天大開地獄門，放我們出去，我們也不能離開這地方。」

俞秀凡道：「地獄人都是像你這個樣子麼？」

白衣女道：「不都是如此，但是大部分都是如此。」

俞秀凡道：「那是說，地獄之中，也不是很公平的地方了？」

白衣女道：「到處都是一樣，人間，鬼域，都有不平。」

俞秀凡沉吟了一陣，道：「人間的不平和罪惡已然夠多，想不到鬼域竟也有這樣多不平的事。」

白衣女沒有立刻回答，沉吟了一陣，道：「這些話可能太深奧了，我不太懂，自然也無法答覆。」

俞秀凡淡淡一笑，道：「他們把我誘入此地，不知用心何在？難道，這座白色的小屋，門裏是和平，門外是搏殺？」

白衣女道：「不錯，一個是鬥智，一個是鬥力，貴賓可以選擇其一。」

俞秀凡雙目凝注在那白衣女的身上，仔細打量了一陣，發覺這白衣女子，除了臉色白得特別可怕之外，身材十分嬌小玲瓏，五官也很端正，膚質也很細膩，但那一張白得像銀板一樣的臉，怎麼看，也不像一張活人的臉。

輕輕咳了一聲，道：「姑娘準備如何招待在下？」

白衣女道：「貴賓已決定留在此地了？」

俞秀凡實未想到會遇上了這樣一個環境，敵人的意向，是那麼妙不可測，看來，想見到那造化城主，似乎是一件十分困難的事了。

俞秀凡第一次感覺到困惑，也失去主動的能力，一切都要看敵人的來勢，才能隨機應變。

但聞白衣女道：「貴賓有絕對的選擇自由。留在這裏，還是行出去，不過，只有一個選擇，一旦決定了，就無法再行更改。」

俞秀凡道：「在下決定了，姑娘有些什麼手段，可以施展出來了。」

白衣女突然轉過身子，推開了一扇門，道：「貴賓走前面呢，還是由賤妾帶路？」

俞秀凡道：「有勞帶路。」

白衣女帶著俞秀凡行過了一條甬道，景物突然一變，只見一座空空蕩蕩的大廳中，燃著八盞藍色的燈火。雖然有八盞燈火，但都是藍色光焰，看上去並無明亮之感。這座廳不很小，也不太大，中間放著一張木桌。

白衣女把俞秀凡迎在客位上，緩緩說道：「貴賓可要吃點什麼？」

俞秀凡四顧了一眼，道：「這就是你接待我的地方？」

白衣女道：「這是進食的餐廳。」

俞秀凡道：「只有咱們兩個人麼？」

白衣女道：「賤妾如非沾了貴賓之光，只怕永無機會在這座大廳吃一餐了。」

俞秀凡道：「在下倒有些餓了，但不知這地方和人間的食物，有什麼不同之處？」

白衣女道：「此間的佳肴美味，別處很難及得，賤妾招呼他們送上來，請貴賓品嘗一下。」

俞秀凡突然微微一笑，道：「姑娘，可是不用再等第二道令諭傳下來麼？」

白衣女道：「不敢欺瞞你貴賓，賤妾已得到了令諭，負責招待貴賓。」

俞秀凡道：「看來，地獄門內這傳諭之法，也非常人能夠看到了。」

白衣女道：「我們有二種很特殊的傳訊之法，不知內情的人，無法看到。」

俞秀凡道：「所以，你可以自作主意了。」

白衣女道：「這全是貴賓所賜，賤妾作夢也沒想到這一天。」

俞秀凡道：「既是如此，希望姑娘別在食物之中下毒。」

白衣女道：「你不妨小心一些，我吃過的食物，你再食用。」

突然提高了聲音，道：「奏迎賓樂。」

但聞一種難聽刺耳的怪聲突然間響了起來。

俞秀凡本精音律之學，但卻從未聽到過這樣難聽的聲音，那是天下最不調和的樂聲了。該是鼓聲的時候，卻突然響起了兩聲尖厲的銅板，該是弦聲配合的時候，卻突然冒出來幾聲大鼓和金鈸之聲。該是鐘、鼓交作的時刻，聲音卻一下低了下去，輕管慢弦，完全變成一種上氣不接下氣的怪聲音。

這是一種完全離經叛道的樂聲，但又並非是全無章法，只是它的高低快慢、急鼓多弦，完全出人想像之外。世上若有難聽的音樂，這一陣樂聲實是當之無愧了。

樂聲足足響了一刻工夫，才停奏了下來。

大廳又恢復了原來的鎮靜。

俞秀凡長長吁了口氣，道：「地獄和人間，果然有著很大的不同，在下從來沒有聽過這樣的音樂。」

白衣女笑了一笑，露出了一口整齊雪白的牙齒，道：「你現在聽到的樂聲如何？」

俞秀凡道：「極端不調和，刺耳錐心，要有一點修養的人，才能聽得下去。」

白衣女道：「你是自覺很有修養了？」

俞秀凡道：「在下聽過了，仍然好好的坐在這裏。」

白衣女點點頭，道：「不錯。很少有人能夠聽完這一段樂聲而能端坐不動。」

俞秀凡道：「他們的樂聲，也不是隨隨便便敲打出來的，最好、最壞的聲樂，最感人、最難聽的配合，都是一樣的耗費了無比的心血和才慧譜出的。」

白衣女點點頭，道：「閣下這點年紀，知道的可真不少啊！」

俞秀凡道：「姑娘誇獎了。」

目光盯注在白衣女身上，緩緩說道：「姑娘這一張臉，是怎麼造成的？」

白衣女道：「一種藥物。唉！不談也罷！」

俞秀凡道：「只是藥物傷害的，也許能夠醫好。」

白衣女道：「只有連皮帶肉的挖下這張臉。」

俞秀凡道：「這是一件不太可能的事。」

白衣女道：「所以，還是不談得好。」

俞秀凡神色肅然地說道：「可惜，他老人家一直不願出世，以他的醫術之精，醫學之博，

我相信只要他肯出手醫治，一定可以解除這等痛苦。」

白衣女道：「你是說世間真有這樣的人，這樣的醫術？」

俞秀凡道：「有人能把一張有血有肉的臉，變成僵硬雪白，不像一張人臉，而你們又能活下去，保持血液流暢，不會潰爛，就應該有人能夠醫好它。」

白衣女道：「你說什麼人？」

俞秀凡道：「花無果。」

白衣女道：「花無果……」

沉吟了良久，長長吁一口氣，接道：「我好像聽人說過這個名字。」

俞秀凡道：「他號稱天下第一神醫，當今之世，以醫道而言，只怕再無人高過他了。」

白衣女忽然一變話題，道：「貴賓，咱們吃飯了。」

俞秀凡道：「不錯，姑娘要他們上菜吧。」

白衣女舉手互擊三掌，道：「上菜！」

大廳一角處，突然開啓了一座門戶，一個面色血紅的黑衣大漢，手中托著一個大瓷盤，快步行了過來。瓷盤上放著一個血淋淋的人頭。

俞秀凡呆了一呆，道：「這是什麼菜？」

白衣女道：「全人宴，先從人頭上起。」

那人頭太像了，俞秀凡雙目盯在那人頭上良久，竟然瞧不出一點破綻。

俞秀凡暗自忖道：難道那是一顆真的人頭不成？

只見那白衣女伸手把一雙筷子遞了過去，道：「貴客請啊！你如是想保持著體能活下去，總不能不吃飯啊！」

俞秀凡實在舉不起手中的筷子，搖搖頭，道：「算了，這頓飯不吃也罷。」

白衣女道：「爲什麼？你害怕，不敢吃，是麼？」

伸出筷子，挾住那人頭上的鼻子，微微一擰，鼻子應手而下，放入了小口之中，吃得津津有味。

俞秀凡只覺腹中一股酸氣上升，張口欲嘔，咬咬牙強自忍不去，總算還未嘔吐出來。輕輕嘆息一聲，道：「姑娘，味道如何？」

白衣女放下手中的筷子，緩緩說道：「味道不錯。貴賓既然腹中饑餓，爲何不進些食用之物？」

俞秀凡道：「生食人肉這份本領，不但在下不能下嚥，天下敢吃的人，只怕也沒有幾個。」

白衣女道：「貴賓好生客氣。」

俞秀凡道：「這麼看來，在下確有很多不及姑娘之處了。」

白衣女笑了一笑，道：「貴賓連這一點膽氣也沒有，如何能夠在江湖上闖蕩！」

俞秀凡道：「姑娘進入這地獄門後，就敢吃人肉麼？」

白衣女道：「如是你餓得太厲害了，大概什麼都可以吃了。」

俞秀凡道：「就算在下生生餓死，也無法食進一口。」

白衣女道：「何不吃一口試試？」伸出筷子，又在那人頭上挾了一隻耳朵下來，放入口中吃了起來。

俞秀凡搖搖頭，轉過臉去。

白衣女笑了一笑，道：「貴賓，人頭過後，就開始了五腑六臟，然後四肢，你要一口不吃，就要撤下去了。」

俞秀凡道：「謝啦！姑娘，這全人宴，你一個人吃下去吧！」

白衣女突然伸手抓起了俞秀凡面前的筷子，夾下來一片耳朵道：「貴賓請吃一口嘗嘗吧！」

俞秀凡冷笑一聲，道：

「生吃人肉，除非有一天二地的大仇大恨，你們爲我生生殺了一個活人，這手段的殘忍，當真是聞所未聞了。」

白衣女突然把夾在筷子上的一片耳朵，放入俞秀凡的口中。

俞凡秀驟不及防，一片耳朵已被放入口中，正待吐出來，突然覺著有一種甜香之味，流入咽喉。不禁心中一動，嚼了兩口，品嘗一下，頓覺一片香脆美味。

輕輕吁一口氣，道：「這不是人肉？」

白衣女笑了一笑，道：

「很多事，不能太早下結論，需知一個人的見識終是有限得很，跑上一輩子江湖，也無法識得萬事萬物。」

俞秀凡頓覺著臉上一熱，說不出一句話來。

白衣女道：「吃一隻眼睛吧！這顆人頭，每一處的地方，都有不相同的味道。」

俞秀凡道：「姑娘來這裏有多少時間了？」

白衣女道：「記不得了，這裏面不見太陽，十二個時辰，一般模樣，很難叫人記得時光。」

俞秀凡道：「姑娘就沒有一個大約的數計麼？」

白衣女道：「真的是記不得了。一定要說一個時間，總該有四、五年了吧！」

俞秀凡道：「四、五年了，那該是一段不短的日子！」

白衣女道：「在這裏，時間對我們並不重要，甚至連對生命都很淡漠。」

俞秀凡道：「但你卻沒有面對真理的勇氣。」

白衣女搖搖頭，道：「不談這個，我的職司就是要善盡招待之誼，貴賓希望什麼，只管吩咐。」

俞秀凡笑了一笑，突然舉起筷子，夾起另一隻眼睛，大吃起來。

那白衣女說得不錯，眼睛有眼睛的味道，吃起來有一種蜜桃、脆梨的感覺。除了難看之外，這實在是一種極爲可口的美味。

一閉雙目，俞秀凡又在那人頭上挖下來一塊，放入口中，這一次是頰上之肉，入口又是一種味道，鬆軟、清香，似是吃了一口最好的千層糕。

白衣女招呼川流不息地送上佳肴，果然是一個人全身子所有的肢體、腑臟形狀。雖然是每一道佳肴都有獨特的口味，但它的形狀，卻給人一種無法入口的威脅。

上完了最後一道手、足羹湯，白衣女才起身說道：「貴賓想看些什麼？」

俞秀凡道：「有些什麼可看呢？」

白衣女道：「聲色之娛，應有盡有，你有什麼吩咐，只管請說。」

俞秀凡道：「客隨主便，姑娘覺得能給在下看些什麼，在下就看些什麼。」

白衣女道：「要不要看看地獄的歌舞？」

俞秀凡道：「那些歌男舞女，是人是鬼呢？」

白衣女道：「像我一樣的人，不過，他們有一張鬼臉。」

俞秀凡道：「也像你一樣白？」

白衣女道：「那就難說了。他們有紅臉，也有白臉，也有全黑的臉，鬼域形形色色，此地無不具備。」

俞秀凡道：「如是這樣，不看也罷！」

白衣女道：「好吧！貴賓既無欣賞歌舞的雅興，咱們就隨便走走吧！」站起身子，向前行去。

白衣女帶著俞秀凡，穿過了幾處殿院，突然聞到一股濃重奇異香氣。行過不少地方，但在俞秀凡的感覺，並無不同。因爲到處是一片黑暗，就算是有幾盞燈光，也是幽幽燐火，照不過三尺方圓。但那濃重的異香，卻給人一種刺激、誘惑的感受。

俞秀凡吸了兩口氣，道：「姑娘，這是什麼味道？」

白衣女道：「福壽膏的煙氣，不知公子是否聽人說過？」

俞秀凡怔了一怔，道：「福壽膏？」

白衣女道：「是的。一種清心提神的藥物，可以使一個人忽然間精神大振。」

俞秀凡沉吟了一陣，道：「鴉片產自苗疆邊區，花色艷麗，本名罌粟，結果取液，熬製成膏，氣味芬芳，有提神之效，但其質絕毒，常嗜成癮，一旦成癮，戒絕不易，終身受其毒

害。」

白衣女呆了一呆，嘆道：「貴賓淵博得很，此物初入中原，知曉的人不多。」

俞秀凡道：「這也算不了什麼，書上早有記述。」

白衣女道：「前面就是福壽院，貴賓是否願意去見識一下呢？」

俞秀凡道：「看看吧！在下雖知其名，但卻沒有見過。」

白衣女很溫婉，笑了一笑，道：「賤妾帶路。」

十九　黑籍幽魂

俞秀凡緊隨白衣女身後，行入了一座大院。

這地方本已不見日光，所有的房舍、牆壁又全都是黑的。所以，非到近前，簡直無法辨認。

白衣女行在一座黑色大門前面，輕輕地敲了三響，木門呀然大開。

在這裏，俞秀凡見到了一個全身黑衣的大漢，在一盞藍色光焰的燈光下，面目清晰可見。有些意外的感覺，俞秀凡緩緩說道：「姑娘，地獄門內，竟然也有不是鬼臉的人。」

白衣女道：「他們也是鬼，只不過名稱不同罷了。」

俞秀凡道：「他們是什麼鬼？」

白衣女道：「菸鬼！在福壽膏的誘惑下，他們雖然沒有鬼臉，但卻有了一個鬼心。什麼事，他們都做得出來，我們只是地獄門的鬼卒，他們才是真正地獄門辦事的人。」

俞秀凡道：「他們都辦些什麼事？」

白衣女道：「什麼事都可以辦，能進入福壽院的人，也不是平常的人物。」

俞秀凡道：「他們也是貴組合花費心血訓練出來的人了。」

白衣女道：「不是。他們都是武林一方的豪雄人物，有德高望重的大英雄，有縱橫江湖的劍手名家，也有心狠手辣的大盜，一時間，賤妾也說它不完。閣下，何不進去自己瞧瞧？」

俞秀凡點點頭，舉步向前行去。

這是一座高大圍牆環繞的院落，十分遼闊，黑暗中，分別挑起了十盞昏黃的燈火。燈光雖然昏黃，但比起那藍色光焰的鬼火，多少帶一點人的氣息。

十盞燈，分距的很遙遠，俞秀凡凝聚目力望去，只見那每一盞高挑的昏黃燈光下，都有著一片房屋。那十盞昏黃的燈光，代表著十個不同的院落。

行到了第一盞昏黃的燈光下，白衣女停下了腳步。俞秀凡抬頭看去，只見燈光下寫的是「少林別院」四個大字。這少林寺天下聞名，怎會在這地獄門，冒出了一個少林別院來。

怔一怔神，俞秀凡緩緩說道：「姑娘，這少林別院，是什麼意思？」

白衣女道：「這一座院落，以少林寺的僧人爲主，有很多不是少林寺出身的人，但他們也都是和尙。」

俞秀凡啊了一聲，道：「少林寺乃武林人人敬慕的大門派，怎會到了此地來？」

白衣女子道：「自然是有原因的。你何不進去瞧瞧？」

俞秀凡道：「應該進去見識一下！」

白衣女低聲說道：「貴賓，他們的脾氣都不太好，你最好不要招惹他們。」

俞秀凡道：「多謝姑娘指點。」

白衣女子推開木門，立時有一個身著深灰僧袍、頭有戒疤的和尙，攔住了去路。他手中執著一把戒刀，臉色卻是一片青灰，但雙目神光炯炯，單看眼神，一望即知是一位內外兼修的高手。

白衣女伸手從懷中摸出一方金牌，在手中揚了一揚，道：「我奉諭帶貴賓觀光十方別院，不得無禮冒犯。」

那灰衣老僧望了那金牌一眼，一語未發，退到一側。

白衣女輕輕咳了一聲，道：「燃起火炬。」

灰衣老僧轉身行去，晃燃手中火摺子，點起了一支巨大的火炬，火光熊熊，照亮了整個的院落。

俞秀凡道：「院中倒是很大，只是太空曠了。」

白衣女道：「這是他們練武的地方。」

俞秀凡道：「這裹有很多人？」

白衣女道：「一直保持著五十人左右。」

俞秀凡未再多問，心中已然明白，這裏的人有出有進，進的自然是新來的，出的應該是死去的別稱了。

只覺一陣陣濃重的菸香氣，由大廳傳了出來。

望望大廳，俞秀凡緩緩說道：「姑娘，可不可以到那大廳中瞧瞧？」

白衣女道：「既然帶貴賓來了，我們就不會再保留什麼，貴賓請吧！」

進得廳堂門，迎面撲過來一片如霧的菸氣，這座大廳，簡直是一座菸館。十張木榻，十盞菸燈，躺著十個和尚，十個秀麗的女子，在燃著菸泡，十個側臥在木榻上的和尚，都在吞雲吐霧。沖入鼻中的菸氣，香味濃烈，充滿著一股誘惑。

廳中的燈火，十分明亮，俞秀凡暗暗吁一口氣，仔細看去，只見那十個燃菸的女子，個個身材窈窕，姿容秀麗，臉上是一片艷紅。但那抽菸的和尚，卻是一個個面色青灰，不過每一個人的精神都很好，他們躺在床上，對一個進來的陌生人，竟然視若無睹。

白衣女舉步而行，到了大廳右側第五間門前，伸手一推，道：「瞧瞧這一間，你想知道些什麼，也許可以在這一間找到答案。」

俞秀凡凝目望去，只見房中一片黑暗，隱隱間似是有個人盤膝而坐。突然間，火光一閃，亮起一個火摺子，點起木榻頭上的燈火。

只見一個白髯垂胸的灰衣老僧，盤膝坐在木榻上，神情一片肅然。

白衣女揚了揚金牌，緩緩說道：「我奉命帶貴賓觀光十方別院，希望老禪師善於接待。」

俞秀凡抱拳一禮，道：「晚進末學俞秀凡，見過老前輩。」

灰衣老僧緩緩把手中的火摺子熄去，雙目轉注在俞秀凡臉上，道：「你找老衲，有何見教？」

俞秀凡道：「不敢，晚輩想請教老前輩幾件事情。」

灰衣老僧道：「好！你請說吧！」

俞秀凡回顧了白衣女一眼，道：「姑娘，可不可以給我們一個單獨談話的機會？」

白衣女道：「怕我聽到麼？」

俞秀凡道：「有很多事，有姑娘在場，談起來有些不便。」

白衣女道：「好吧！但時間不能太久。」

俞秀凡道：「不會太久，咱們談好了，就招呼姑娘一聲。」

白衣女未再多言，悄然退了出去。

俞秀凡掩了木門，回頭又對灰衣老僧欠身一禮，道：「老禪師，可否見示法號？」

灰衣老僧苦笑一下，道：「小施主，老衲居此甚久，法號早已忘記，不說也罷！」

俞秀凡肅然說道：「老禪師既然活在世上，就可能有一天重見天日，法號又爲何不能告人？」

灰衣老僧苦笑一下，道：「小施主，你這一點年紀，能被視爲貴賓，想來必然是江湖上很有身分的人了。」

俞秀凡心中暗道：我如不自吹自擂一番，這老和尚不把我看在眼裏，自然不會說實話了。心念一轉，口中說道：「區區能被他們視爲貴賓，自然是有著原因，在這段時日之中，區區和這一組合的高手，有過不少次的接觸，但晚輩卻僥倖一直未落下風。」

灰衣老僧雙目神光一閃，盯注在俞秀凡臉上瞧了一陣，道：「閣下這名字老衲從未聽過，但不知可否把令師的姓名見告？」

俞秀凡沉吟了一陣，道：「可是可以，不過，茲事體大，晚輩不能輕易說出。不過老禪師的處境，似是無對晚輩保密的必要了。」

灰衣老僧道：「老衲不是保密，而是覺著慚愧。」

俞秀凡道：「慚愧於事何補？」

灰衣老僧震動了一下，道：「小施主的意思是……」

俞秀凡接道：「老禪師也染上那福壽菸癮了麼？」

灰衣老僧道：「老衲十分慚愧，不過，三年靜坐，老衲也把它戒除了。」

俞秀凡道：「老禪師能在菸霧繚繞中戒絕此痛，足見高明了。」

語聲微微一頓，接道：「那些人都無法戒除麼？」

灰衣老僧搖搖頭，道：「沒有辦法，以老衲這份定力，戒除此痛，還自斷了三個指頭。」

長長吁一口氣，把自己進入地獄門的經過，簡略地說了一遍。自然中間刪除了很多不便出口的地方。

灰衣老僧長長嘆一口氣，道：「小施主還能記得來路麼？」

俞秀凡道：「在下乘船而來，已記不得如何離去了。」

灰衣老僧搖搖頭，道：「這就爲難了！」

俞秀凡微微一笑，道：「在下既然來了，希望能把事情查個水落石出。」

灰衣老僧嘆口氣，道：「小施主，別太自信了，他們這組合有多少高手，老衲不太明白；單是這十方別院的人，就足可和當今任何一個大門派抵抗。小施主不論有多強的武功，你一人就無法走出這十方別院。」

俞秀凡道：「老禪師，如若天下高手都被這個組合控制，咱們又有什麼辦法找到一批人和他們對抗？」

灰衣老僧嘆口氣，沉吟不語。

俞秀凡微微一笑，道：「老禪師，天行健，君子自強不息，老禪師雖被囚於此，那只囚住老禪師的人，並沒有征服老前輩的心，是麼？」

灰衣老僧苦笑一下，道：「小施主，老衲能擺脫了菸毒的控制，才敢有此想法；但身受菸毒控制的人，他們根本不敢心生叛離，每日所求的，只是有一口福壽膏來燻燻。」

俞秀凡嘆息一聲，道：「這些人，久受佛門薰陶，難道就沒有救世之心麼？」

灰衣老僧嘆口氣道：

「小施主，不能太責怪他們，小施主沒有受過這福壽膏的毒害，不知這福壽膏的厲害；老衲是過來人，深知這中間的痛苦。唉！那造化城主的厲害，就是用時間來磨去這些人的仁俠之心，所以，我們初到此地之時，那造化城主並沒有對我們有任何的要求，也沒有告訴我們什麼，只是供應福壽膏給我們吸食，但等我們一個個上了癮之後，他們就露出了猙獰的面目，性情特別剛烈的人，自己已然無法反抗，自絕而死；這些未死的人，經過了一段很長久的時間折磨，已然完全改變了性情。小施主，一個未中毒的人，根本就不可能想到一個身中劇毒之人的痛苦，那是一種無法忍受的痛苦。」

俞秀凡嘆口氣，道：

「古往今來，只怕從沒有一個組合，能夠有如此精密的安排。他們不但神秘莫測，而且使用著很新奇的藥物，把武林很多精英人物，收為己用。」

灰衣老僧嘆口氣，道：「他們的手段很陰險，方法很新奇，又不怕這些人心生背叛。」

俞秀凡道：「老前輩，晚輩想到一件事，請教老前輩。」

灰衣老僧道：「什麼事？」

俞秀凡道：「那些吸食福壽膏的人，一個個面色青灰，是不是仍能保住原有的武功？」

灰衣老僧道：「武功上自然會打些折扣，不過，那並不十分明顯，每天他們都還保有著一定的習武時間，沒有荒廢，只是在體能上有些消退，但就老衲觀察，他們有一些地方，卻彌補了他們逐漸消退的體能。」

俞秀凡哦了一聲，道：「哪些地方？」

灰衣老僧道：「和人動手搏殺的手段。似是那福壽膏，能夠逐漸的改變一個人的性情，原本是心地很慈和的人，忽然間變得毒辣起來！」

俞秀凡道：「老前輩可曾想過這中間的原因麼？」

灰衣老僧道：「老衲曾經苦苦思索此事，花了甚久時間，才想出兩個原因，但老衲對福壽膏了解的太少，不敢說一定正確。」

俞秀凡道：「請老前輩見教！」

灰衣老僧道：「他們吸食福壽膏，已上了癮，每日一定的時間發作，一旦發作，那就無能力再和人動手。所以，一和人動手，即求速戰速決，拚出個生死存亡；第二個原因，那是福壽膏的毒性，可能侵害到他的本性，使和善的人變得惡毒，陰險的人更爲陰險。」

俞秀凡沉吟了一陣，道：「晚輩想帶些福壽膏，若能把此物交給一個醫學精博的人，也許能夠找出配製解藥的辦法。」

灰衣老僧想了一陣，道：「這倒有可能。老衲知曉一人，其醫術的精博，前不見古人，就算華陀、扁鵲重生，也未必高明過他，只是不知他是否還活在世上。」

俞秀凡道：「老前輩說的什麼人？」

灰衣老僧道：「花無果。」

俞秀凡道，「可以奉告老前輩，那花無果還活在世上。」

灰衣老僧道：「你認識他？」

俞秀凡道：「晚輩見過。」

灰衣老僧道：「那真是武林之福。」

突然臉色一變，嘆道：「小施主，你能夠活著出去麼？」

俞秀凡道：「晚輩此番受騙，被送入地獄門，能否生離此地，不敢妄言。不過，這總是個機會。」

灰衣老僧沉吟了一陣，道：「找一點福壽膏，交你帶走，並非難事，老衲去想想辦法。」起身離去，片刻後，重回室中，把幾片福壽膏交給了俞凡秀，道：「我佛慈悲，保佑小施主平安離去。」

俞秀凡一抱拳，道：「老禪師多多珍重，晚輩就此別過。」轉身向外行去。

灰衣老僧長長吁了一口氣，道：「小施主！」

俞秀凡人行到了門口，聞聲停下腳步，道：「老前輩還有什麼吩咐？」

灰衣老僧道：「老衲法號閒雲，出身少林寺，但望小施主能代老衲守密。」

俞秀凡點點頭，道：「老禪師但請放心，如非必要，晚輩不會輕易告人。」

閒雲大師道：「老衲並非怕聲譽受損，方外人早已勘破了名關，老衲只是覺著慚愧，有負先師之恩。」

俞秀凡道：「我明白大師的心情。」

閒雲大師道：「你如有暇，老衲希望能多走幾處別院看看，就老衲所知，每一座別院，都有幾個人，憑仗本身的決心、毅力，擺脫了福壽膏的控制，只是這些人太少了。」

俞秀凡道：「這裏有十方別院，晚輩希望能都走一遍，也希望能見到那些擺脫毒癮，身具大智慧的高人。」

閒雲大師道：「自老衲被困於此，你是唯一到此的外人，雖然匆匆的一晤，但卻給老衲不少的希望，你去之後，老衲也要振作起來，有些作爲才是。」
俞秀凡道：「但願老禪師佛光普照，使他們能及時醒悟，擺脫毒癮。」
閒雲大師道：「小施主雄才大略，文武兼資，老衲又見到一代武林奇才。」
俞秀凡一欠身子，道：「老禪師過獎了。」轉身行出室外。
那白衣女早已在門外等候，淡淡一笑，道：「你們談完了。」
俞秀凡道：「多謝姑娘通融。」
白衣女道：「你已見識過了福壽膏，咱們到別的地方去瞧瞧吧！」
俞秀凡道：「不！在下希望能走完十方別院。」
白衣女沉吟了一陣，道：「貴賓既有此雅興，賤妾只好帶路了。」
俞秀凡喜道：「多謝姑娘！」
白衣女搖搖頭，嘆口氣，道：「貴賓別想得太過如意，你離開此地的機會不太大。」
俞秀凡道：「哦！」
白衣女道：「我雖然被改造成一張鬼臉，但我的神智還很清明，本組合肯這麼優容你貴賓，自然是極受重視的人了，不過，愈受重視的人，離開此地的機會也就愈少。」
俞秀凡道：「若是在下不能生離此地，死去之前，多些見識也好。」
談話之間，又到了一盞黃色的燈光下面。轉臉望去，只見大門橫匾寫著：「武當別院」。
俞秀凡道：「這地方的人，是以武當爲主了。」
白衣女道：「不錯，這裏的十方別院，是以江湖上大門派命名，整個的福壽院，也就是整個武林的縮影。」

俞秀凡道：「第十個別院呢？」

白衣女道：「那叫萬家別院，那是十方別院中最堂皇的一座院落，但人等也最複雜，貴賓看到武當別院之後，再看看萬家別院也就夠了。」

俞秀凡道：「在下爲人很好奇，地獄中不見日月輪轉，反正也沒有什麼事情好做，咱們就看個仔細。」

白衣女笑道：「能不能看完十方別院，賤妾實在也作不得主。」

俞秀凡道：「姑娘不是奉命侍候在下麼？」

白衣女道：「不錯。但賤妾隨時可能接到令諭，改變計劃。」

俞秀凡略一沉吟，笑道：「姑娘在未接到新的令諭之前，還是招待在下的人，請叫門戶吧！」

白衣女說得不錯，這座院落，和少林別院完全一樣，一樣的房舍院落，一樣的房間布置，唯一不同的是人，這裏的人，每個人都穿著道裝。

俞秀凡進入大廳中略一瞧看，道：「姑娘，這裏有沒有負責的人？」

白衣女道：「有，每一院，都有一位院主。」

俞秀凡道：「剛才在少林別院，在下見到的那位老禪師，是不是少林別院的院主？」

白衣女道：「是的，不過，每一座別院情況都不相同，你見過武當別院的院主時，也許會使你失望。」

俞秀凡心中一動，道：「姑娘似乎知道的事情不少。」

白衣女道：「如是賤妾沒有一些見識，怎會被派擔任侍候貴賓的職司。」

俞秀凡道：「每一院的院主，不盡相同，那才能叫人增長見識，請姑娘帶在下一晤院主如何？」

白衣女點點頭，道：「賤妾遵命。」

緩步行到一個佩劍道人的身側，低聲數語。那道人點點頭，指了指大廳。

不用白衣女子開口，俞秀凡已然知道，這武當別院的院主，正在吞雲吐霧，大過其癮。

當下一揮手，道：「走！咱們到大廳去見見他們。」

白衣女微微一笑，道：「貴賓，不要想得太好，都能像少林別院院主一樣，戒絕那些毒癮。」

俞秀凡道：「在下沒有這樣高的希望，姑娘請帶路吧！」

白衣女帶著俞秀凡行入大廳。大廳的布置，和少林別院一樣，十張木榻，每一張木榻上，都是有一個身著薄紗的美女，在一盞銀燈下，燒著福壽膏。十個身著道裝的道人，分躺在十張木榻上，正在大過其癮。廳中的菸氣很濃，一股濃重的香味，直透肺腑。

俞秀凡皺皺眉頭，道：「哪一位是院主，請姑娘替在下引見一下。」

白衣女點點頭，直行到中間一座菸榻上，望著一個六旬左右的青袍老道人，道：「這位就是武當別院的院主。」

俞秀凡一抱拳，道：「在下俞秀凡，見過院主。」

那青袍人口中正含著一個玉嘴菸槍，雖然瞧到了俞秀凡，但卻無法開口說話，回顧了俞秀凡一眼，示意他等候一下。

直等到他這口菸抽完，才長長吁一口氣，道：「什麼事？」

白衣女接道：「這一位俞少俠，是咱們的貴賓，希望院主能回答他的問話。」

青袍道人微微一笑，道：「俞少俠對貧道有何見教？」

俞秀凡看他臉色一片青灰，心中大爲感慨，輕輕嘆息一聲，道：「老前輩，這地方談起來只怕不太方便吧！」

青袍道人道：「俞少俠的意思是……」

俞秀凡道：「如是院主有暇，在下希望咱們能夠找一個清靜的地方談談。」

青袍道人回頭望望那白衣女，欲言又止。

白衣女道：「不妨事。你院主如若願意和俞少俠談談，儘管請便無妨。」

青袍道人點點頭，道：「既是如此，俞少俠請隨貧道來吧！」轉身直向外面行去。

俞秀凡緊隨在那道人身後，行入了一間小屋之中。青袍道人隨手晃燃火摺子，點起了一支火燭，燈火耀照下，景物清明可見。

俞秀凡隨手關起門戶，緩緩說道：「老前輩可是出身武當門下麼？」

青袍道人沉吟了一陣，道：「不錯，貧道出身武當。」

俞秀凡道：「道長可否把仙號見告？」

青袍道人道：「俞少俠是什麼身分？」

俞秀凡道：「那位姑娘已經告訴道長，在下只是這組合的貴賓。」

青袍道人道：「如果俞少俠不是這組合中的人，恕在下無法奉告道號了。」

俞秀凡道：「爲什麼？」

青袍道人道：「貧道很慚愧，我不願把名號張揚於江湖之上。」

俞秀凡道：「但道長還活在世上，總有一天，你要和故舊、尊長見面。」

青袍道人道：「貧道在此地已經有很多年了，他們不會想到我還活在世上。」

俞秀凡道：「道長，這是掩耳盜鈴的事，因爲，道長沒有死。」

青袍道人雙目一瞪，神芒如電，盯在俞秀凡的臉上，凝注了良久，道：「小施主，對貧道如此蠻橫的人，江湖上並不多見。」

他過足了大菸癮，精神飽滿，雙目神光炯炯逼人。

俞秀凡心中暗道：這老道士與閒雲大師，完全是兩種大不相同的人，不但陷溺已深，而且還有些冥頑不靈，應該給他點教訓才是。

心中念轉，冷笑一聲，道：「道長，現在遇到了。如是道長真是一位風骨嶙峋的人，似乎也不會屈就武當別院的院主了。」

青袍道人怒道：「你小小年紀，說話怎的如此無禮！」

俞秀凡道：「物必自腐，而後蟲生；如是道長要人敬重，那就得做出一些使人敬重的事。」

青袍道人臉色一變，道：「小施主太放肆了！」

俞秀凡道：「道長既是心中不服在下，何妨劃個道兒出來！」

青袍道人道：「這話當真嗎？」

俞秀凡道：「你不用顧慮什麼，在下只是一個賓客的身分。」

青袍道人就在等這一句話，哈哈一笑，接道：「對！咱們是私人之間的比試，用不著讓別

人知道，貧道下手，自有分寸，不會把你傷得很重就是。」

俞秀凡道：「道長只管出手，傷了在下，只怪我學藝不精。」

青袍道人道：「貧道是主人，小施主請先出手吧！」

俞秀凡搖搖頭，道：「在下不能喧賓奪主，道長請先。」

青袍道人道：「好！恭敬不如從命，閣下小心了。」右手一探，抓向俞秀凡的左肩。

俞秀凡左手一抬，突然間，扣住了青袍道人的右腕。這一招快如電光石火，而且奇幻莫測，青袍道人竟然閃避不及。

這一下，青袍道人整個的愣住了，呆呆地望著俞秀凡，半晌說不出一句話來。

俞秀凡淡淡一笑，放開了右手，道：「老前輩，一個人若想受到別人的尊重，不能只憑武功高強。」

青袍道人的蠻橫神情，一掃而空，神情慚愧，黯然說道：「貧道久年未在江湖上走動了，想不到後起之秀，竟有俞少俠這樣的人才。」

俞秀凡只覺著青袍道人比起少林的閒雲大師，不可相提並論，心中對他有了幾分討厭，冷冷說道：「今日道長見識了？」

青袍道人突然嘆一口氣，垂下頭去，道：「地獄不見天日，貧道也無法清楚的記得，到這裏有多少時間了。隱隱約約的計算了一下，貧道到此已經有十年左右了。十年時間，就算是一塊鋼也被溶化了，何況是人。」

俞秀凡道：「蘇武牧羊北海，十年志節不虧，文天祥在囚牢之中，手書《正氣歌》傳誦千古。閣下不過在此十年，已經是志窮節虧了！」

青袍道人一抬頭，雙目暴射出兩道神光，直逼在俞秀凡的臉上，道：「那不同，他們沒有受福壽膏的折磨，如若他們受了福壽膏的折磨，只怕還沒有貧道這一份生存的勇氣了。」

俞秀凡道：「如是一個人活在世界上有害無益，那樣活著倒不如死了的好。」

青袍道人臉上泛出怒容，但卻忍不未言。

俞秀凡冷笑一聲，道：「在下想告辭了。」

青袍道人道：「恕貧道不送。」

俞秀凡道：「不過，還要道長告訴在下一件事。」

青袍道人道：「請說！」

俞秀凡道：「我要知道你的名號，不過我可以替你保守秘密。」

青袍道人略一沉吟，道：「貧道武當松花子。」

俞秀凡一抱拳，道：「多有打擾了。」拉開木門，轉身而去。

青袍道人望著俞秀凡遠去的背影，輕輕嘆息一聲，欲言又止。

俞秀凡行出數步，那白衣女快步迎了上來，道：「貴賓談得不太愉快，是麼？」

俞秀凡淡淡一笑，道：「姑娘怎生知曉？」

白衣女道：「你離開得太快了，如是你們談得投機，只怕賤妾也得好等一陣。」

俞秀凡道：「姑娘，你對這十方別院，是不是都很清楚呢？」

白衣女道：「不敢說都很清楚，但大部分都知道一點。」

俞秀凡道：「那很好，在下想請教一事。」

白衣女道：「什麼事？」

俞秀凡道：「這十方別院的院主，有幾人斷了福壽膏的毒癮？」

白衣女沉吟了一陣，道：「就賤妾所知，少林別院、崑崙別院和萬家別院，三處院主，都已斷去了毒癮。」

俞秀凡道：「那就有勞姑娘，帶在下先到崑崙別院去看看如何？」

白衣女道：「當然可以。」

第五座別院是崑崙別院，布置與前面相同。俞秀凡暗中數計，每一座別院，均相距約兩里左右，中間是空曠之地。

白衣女停下腳步，道：「　定要進去瞧瞧麼？」

俞秀凡道：「不錯，請姑娘叫門吧！」

白衣女叩開院門，說明來意。這一次，兩人未再進入大廳，直行到院主的宿室之中。

室中，早已燃起燈火，一個身著淡藍道袍的長髯中年，早已在室中恭候。

俞秀凡目光一掠藍袍道人，立刻生出一種敬重之意，只見他方面大耳、長眉入鬢，盤膝坐在木榻之上，陋室昏燈，掩不住他的神武氣勢。

俞秀凡回顧了白衣女一眼道：「咱們還是仍如舊規，請姑娘迴避一下。」

白衣女點點頭，道：「可以。不過，賤妾建議貴賓，你如是要再看看萬家別院，別把時間拖得太久。」言罷，欠身退到門外，隨手帶上了木門。

俞秀凡加上木栓，抱拳一禮，道：「後進末學俞秀凡，見過道長。」

藍袍道人長眉微一聳動，道：「不敢當。小施主有何見教？」

俞秀凡道：「道長可是出身崑崙門下麼？」

藍袍道人道：「除了貧道之外，這院弟子，半數都是崑崙門下，所以這座別院叫做崑崙別院。」

俞秀凡道：「道長可否見告法號？」

藍袍道人沉吟了一陣，道：「小施主，你的身分是……」

俞秀凡接道：「造化城主的貴賓。」

藍袍道人道：「貧道天星。」

俞秀凡道：「領教了。」

語聲一頓，接道：「道長到此有多少時間，是否染上了毒癮？」

天星道人沉吟了一陣，笑道：「閣下詢問得這樣清楚，不知用心何在？」

俞秀凡道：「如是道長沒有見不得人的事情，爲什麼不肯回答在下的問話呢？」

天星道人皺皺眉頭，道：「小施主這般氣勢凌人，似乎是貧道非要回答你的問話不可了？」

俞秀凡突然一抱拳，道：「在下言語間多有得罪，道長不要見怪才好！」

天星道人神情嚴肅，冷冷望了俞秀凡一眼，道：

「閣下內蘊神華，外罩靈秀，應該是一位很受敬重的人，貧道身陷地獄，慚愧萬分；不過，貧道自信還沒有什麼不能告人的事……」

語聲頓了一頓，接道：

「貧道到此，已有七年八個月了，如非染上毒癮，自然不會到此；但我到此後，就發覺了那菸毒之害，所以很快戒絕，幸好我中毒不深，戒絕並非很難。」

俞秀凡道：「此後數年，道長處在這些菸香誘惑之下，一直未重新開戒過麼？」

天星道人道：「這實在是一件很難忍耐的事，貧道有幾次痛苦掙扎，托天之助，貧道總算熬了下來。」

俞秀凡道：「佩服，佩服！」

天星道人合掌當胸道：「客氣，客氣！」

俞秀凡道：「晚輩不宜多留，就此別過。」

天星道人道：「恕我不送了。」

俞秀凡啓門而出，大步向外行去。

白衣女不知隱在何處，快步追了上來，道：「這一次很快啊！」

俞秀凡淡淡一笑，道：「怕姑娘等得不耐煩啊！」

白衣女嘆口氣，道：「貴賓，事實上，我無法控制自己。同時，我覺著貴賓要看，也應該多看看萬家別院。萬一你在未看到萬家別院之前，賤妾奉到令諭，那豈不使貴賓大失所望了。」

俞秀凡心中一動，暗道：她再三強調那萬家別院，倒應該仔細看看了。

當下說道：「現在，咱們就到萬家別院去。」

白衣女放快了腳步，道：「賤妾帶路。」

俞秀凡緊追身後，道：「姑娘！受人點滴之恩，應該湧泉以報，姑娘請隨便說一句暗語，記在心中，日後，也許有用得著的地方。」

白衣女極是聰慧，思索了片刻，道：「地獄門戶爲君開。」

俞秀凡道：「『引動一片佛光來』，姑娘，牢牢記著這兩句話。」

白衣女嘆息一聲，道：「但願賤妾得有再聞此句之日。」

俞秀凡道：「你已經度過了無限的艱苦歲月，爲什麼不再忍耐一些時間？」

白衣女道：「賤妾如大江中一滴秋雨，活著不多，死去不少，我擔心的是你。」

俞秀凡道：「我？」

白衣女道：「是的，少俠是位有心人，也是地獄門內唯一受此厚禮的貴賓，你雖是有爲而來，但別忘了，這也是城主有意的安排。」

談話之間，已到了萬家別院之前。萬家別院的氣勢，果然是與其他有些不同，燈光也似是更明亮一點。

白衣女擊動門環，木門呀然大開。四個勁裝大漢，各抱鬼頭刀，一排橫裏攔住了去路。

白衣女冷冷說道：「我奉命帶貴賓觀遊各方別院，請四位上告院主，善爲接待。」

左首一人，打量了俞秀凡一陣，道：「朋友，報個姓名上來！」

俞秀凡道：「區區俞秀凡。」

左首大漢道：「先請入院，容在下稟過院主。」當先帶路而入。

俞秀凡緩步行入院中，借機打量一陣，只覺這地方的院落房舍，比起別處大了一倍還多，想來這別院的人數，定比別處多上許多了。

行到一座房舍前面，帶路人停下腳步，道：「貴賓請稍候片刻，容我通報一聲。」

室門大開，兩個人相隨行了出來，當先一人，正是那手執鬼頭刀的大漢，一指俞秀凡道：「就是這一位了。」快步奔返原位。

緊隨那鬼頭刀大漢的身後，是一位年紀很輕的人，不過二十左右，穿著一件海青長衫，面目很英俊，只是面色有些蒼白。

年輕人一抱拳，道：「俞少俠，家父在廳中恭候大駕。」

俞秀凡一拱手，道：「請教兄台高姓大名。」

年輕人笑了一笑，道：「不敢當，兄弟海蛟。」

俞秀凡道：「領教了。」舉步行入了室中。

這雖然只是一座廂房，但比起那少林、武當掌門人住的地方，卻是大得很多了。一座不大不小的客廳，高燃著四支火燭，照得大廳一片明亮，如同白晝。正中間並排放著兩張太師椅，一個白髯垂胸、身著青袍的老者，端坐在左面木椅上，一個白髮老嫗，端坐在右面木椅之上。

俞秀凡一抱拳，道：「晚輩俞秀凡，見過兩位老前輩。」

青袍老者道：「俞少俠不用多禮，請坐！」

俞秀凡道：「晚輩謝坐。」退一步，在旁側木椅坐下。

青袍老者拂髯一笑，道：「老朽海長城，一側老伴唐梅。」

俞秀凡陡然間腦際靈光一閃，想起了大哥艾九靈縱論江湖時，提過了海長城夫婦兩人。當下一欠身，道：「久仰兩位老前輩的大名，今日有緣拜識。」

海長城道：「不敢，不敢！俞少俠是……」

那跟進來的白衣女，接道：「俞少俠是我們城主的貴賓。」

海長城道：「原來如此，老朽失敬了。」

俞秀凡道：「晚輩初出茅廬，識見不多，對地獄門中事務，更是感到新奇得很。」

海長城哈哈一笑，道：「難免，難免。就是老朽進入地獄門之前，也不知武林有這麼一個地方。」

俞秀凡道：「老前輩到此很久了麼？」

海長城道：「時間不短了，八年多了。」

俞秀凡道：「老前輩是這萬家別院的院主？」

海長城道：「不錯。他們推舉老朽出來，此時此情之下，老朽也是義不容辭。」

俞秀凡道：「老前輩是否也曾染上過毒癮？」

海長城道：「是的。那是很難忍的一種痛苦，但也並非絕無克服的辦法，我們夫婦同時戒去了毒癮。」

俞秀凡一抱拳，道：「佩服，佩服！」

海長城微微一笑，道：「好說，好說！貴賓還想知道些什麼？」

聽口氣，顯然是海長城已把俞秀凡當做了造化城主派來的人。

長長吁一口氣，俞秀凡回顧了白衣女一眼，道：「姑娘，可否請暫時迴避一下？」

白衣女望了海城長和俞秀凡一眼，回身舉步而去。

俞秀凡回頭見白衣女已走出大廳，乃正容道：「老前輩願否和在下深入些談談？」

海長城道：「在這幢房裏的人，都是老朽的心腹，你有什麼話，儘管請說。」

俞秀凡道：「晚輩想說明一件事，我不是造化城主派來的人。」

海長城笑了一笑，道：「閣下是……」

俞秀凡接道：「我也應該是被害人之一。」

海長城呆了一呆，道：「你不是造化城主的貴賓麼？」

俞秀凡道：「我是被他們誘騙至此的貴賓。」

海長城道：「既是被誘騙到此，怎又能被抬舉爲貴賓身分？」

俞秀凡點點頭，道：「問得好！」於是簡明地把經過說了一遍。

海長城似是聽得很用心，聽完話點點頭，卻不發一言。

俞秀凡等了良久，不見對方說話，忍不住說道：「老前輩，可是不相信晚輩的話？」

海長城道：「相信。俞少俠說得很仔細，老朽豈有不信之理。」

俞秀凡心中暗道：此老城府很深，只怕是很難在他口中套出什麼內情來。心中念轉，口中說道：「在下想聽聽老前輩的指示。」

海長城哈哈一笑，輕拂長髯道：「老朽在此，一住數年之久，如是有什麼好辦法，老朽豈不早用過了。」

俞秀凡道：「這麼說來，老前輩對在下的話，是絕難相信了。」

海長城道：「俞少俠，你可能說的字字真實，但老朽無法相信。就算是相信了，老朽也想不出對你有什麼幫助。」

俞秀凡淡淡一笑，道：「在下並非求助而來，但老前輩是否願常駐於此呢？」

海長城道：「咱們夫婦如是真的放手向外衝出，能夠攔阻老朽的，只怕也沒有幾人。」

俞秀凡道：「那老前輩何以不走呢？」

海長城嘆息一聲，道：「老朽兩子兩媳，和一位愛女，被他們留做人質。」

語氣一變，道：「俞少俠，老朽奉告的已經很多了，咱們從此刻起別再談論老朽的事。」

俞秀凡道：「可惜的是，在下除此之外，又想不出有什麼好談的了。」

海長城道：「天下萬物，無不可談，爲什麼一定要談老朽一家人呢？」

俞秀凡心中暗忖道：這老兒夫婦毒癮，都已戒除，卻又甘願留此，如若只爲他媳、女和兩子被扣做人質，那也該想法子解救才是。

心中念轉，口中說道：「但不知令郎、令嬡和兩位媳婦何在？」

海長城怒道：「老夫說過了，不再談這件事。」

俞秀凡道：「在下覺著，老前輩留此的原因，非得弄個明白不可。」

海長城咬牙說道：「閣下雖是貴賓身分，但也不能在萬家別院太過放肆。」

俞秀凡微微一笑，道：「如若你海老前輩很滿意目下這份院主之位，對在下這個貴賓，就該小心侍候才對。」

海長城霍然起身，咬牙切齒地說道：「你太狂了！」右手緩緩揚起，準備拍下。

那白髮老嫗突出掌封住了海長城的攻勢，道：「老頭兒，暫請忍耐一下，老身還要問他幾句。」

海長城冷哼一聲，坐了下去。

白髮老嫗目光轉注到俞秀凡身上，道：「到萬家別院之前，閣下已到過什麼別院？」

俞秀凡道：「不多，少林、武當、崑崙之外，就到了貴院。」

白髮老嫗道：「你都平安無事的走了出來？」

俞秀凡道：「談不上平安，但在下好好的到了萬家別院，總是不錯。」

海夫人頭上的白髮，突然無風自動，片刻之後，一頭白髮忽然開始自行捲起。似乎是每一根頭髮，都像活的一樣。

俞秀凡心中暗暗震動，忖道：力貫髮梢，可以傷人，已非容易，像這樣的舒捲自如，實是從未聽聞過的事情。

海夫人道：「希望你能露一手，讓我們夫婦見識一下。」

俞秀凡目睹那海夫人白髮自行舒捲時，已心知難善了，但自己知道的太少了，艾九靈傳給他的武功，雖然是天下武術的精華，但那都是實用的武功，無法在不動手的情形下表露出來。但他很快地想到了「驚天三劍」，當下淡淡一笑，道：「海夫人好高明的內功！末學後進，既承推愛，也只好從命了。」

海長城冷笑一聲，道：「夫人，瞧到沒有，這小子狂到什麼程度，真要和你比比苗頭了。」

海夫人淡淡一笑，道：「江山代有才人出，也許這年輕人確有過人的能耐。」

俞秀凡道：「區區自然難和海夫人的深厚內功相比。容在下擺出一劍式，請兩位指點指點！」

海長城冷冷一笑，道：「像閣下這樣子擺個劍式……」話說了一半，突然住口不言。

原來，俞秀凡已然擺出了劍式。

海夫人的臉色，突然間變得十分凝重，雙目盯住在俞秀凡擺出的劍式之上。

俞秀凡手中並沒有劍，只是用手擺出一個拿劍的姿式，左腿微屈，左手五指半握，手心

上，有一種躍躍欲飛的氣勢。

海長城兩道銳利目光，也立刻被那擺出的劍式所吸引。但見他口中念念有詞，右手不停地搖動，左擺右揮。

俞秀凡一直是擺著那一個劍式，沒有改變，但那海長城卻連連改變手勢。片刻工夫，累得一頭大汗。

忽然間，海長城兩隻手一齊動作，忽前忽後，推拒迎送，似是在和人搏殺一般。海夫人雖然沒有舉動，但臉色卻十分難看。

過了約半盞茶的工夫，海夫人突然吼叫一聲！「住手！」

俞秀凡收起手勢，緩緩說道：「獻醜！獻醜！」

海長城驟然失去了目標，不停地揮舞著雙手，吃力地停了下來。

舉手拭去臉上的汗水，緩緩說道：「這是什麼劍式？」

俞秀凡不理海長城，目光轉注到海夫人的臉上，道：「夫人，在下這劍式，還過得去吧？」

海夫人道：「貴賓很高明，咱們夫婦失敬了。」

俞秀凡一拱手，道：「海老前輩，在下想再談談老前輩和萬家別院的事，不知老前輩願否回答？」

海長城嘆口氣，道：「海蛟，看守在門外，任何人不許接近一丈之內。」

海蛟一欠身，退出室外。

海長城道：「少俠，萬家別院情形不像其他別院那麼單純，老朽不得不小心一些。」

俞秀凡道：「現在，晚輩是否可以隨便問了？」
海長城道：「就憑少俠一身能耐，自然可以問了。」
俞秀凡道：「那位海蛟兄弟，是老前輩的什麼人？」
海長城道：「是犬子。也是一直追隨老朽身側的人。」
俞秀凡道：「老前輩是否試過救助子、媳和千金？」
海長城搖搖頭，道：「沒有。因爲我們根本沒有試救他們的機會。」
俞秀凡道：「他們不在這人間地獄麼？」
海長城道：「至少不在這座『福壽大院』之內。」
俞秀凡道：「他們是否也染上了吸福壽膏的毒癮？」
海長城沉吟了一陣，道：「他們離此之時，毒癮還未完全戒除。此刻，他們是否還在吸食，老朽不敢妄言。」
俞秀凡道：「幾時你才能和他們見面？」
海長城道：「每年兩次。」
俞秀凡道：「沒有一定的時間麼？」
海長城道：「沒有。他們突然把老朽的子、媳、小女，送回到萬家別院來，父子母女們會面不久，就匆匆分離。」
俞秀凡道：「老前輩沒有試過留下他們麼？」
海長城道：「自然是有，但他們告訴老朽，無法留下。」
俞秀凡嘆口氣，道：「在下想勸說兩位背離你們的組合，兩位願否答應？」

海長城道：「這題目太大了，老朽實有無法回答之感。」

俞秀凡道：「兩位在武林時，必然是盛名顯赫的人物，如是兩位甘心留此，爲人所用，江湖上，還有些什麼人敢挺身而出呢？」

海夫人搖搖手，阻止了海長城答話，道：「少俠，你究意是什麼身分，怎會勸我們背離城主？」

俞秀凡道：「在下名不見經傳，說出來，兩位也不認識。但兩位如不願長年做階下之囚，在下願試助兩位一臂之力。」

海夫人道：「你怎麼幫助我們？」

二十　白衣羅刹

俞秀凡道：「兩位所以甘願留此，無非是爲了子、媳、愛女被留做人質，如若他們獲得解救，兩位心中就沒有顧慮了。」

海夫人回顧了海長城一眼，道：「老頭，我瞧咱們用不著對人家裝作什麼了。」

海長城一揮手，道：「俞少俠，茲事體大，也不完全爲了老朽等與子、媳、愛女。」

俞秀凡一皺眉頭，道：「這中間還有別的原因？」

海長城道：

「不錯，俞老弟，別說得這樣輕鬆。如若事情真如你俞少俠說得這麼簡單，別說這座福壽院，一共有十方別院，單是這座萬家別院，就具有了莫可輕侮的力量，能控制這一股力量的人，又豈是等閒之輩。」

俞秀凡道：「老前輩乃是這萬家別院的院主身分，難道也不能控制這萬家別院麼？」

海長城苦笑一下，道：「單是萬家別院，就夠複雜了。至少有三個人，不會聽老夫的話。」

俞秀凡道：「什麼人？可是造化城主派來的麼？」

海長城道：「不是。只是幾個桀驁不馴的江湖人物。」

海夫人接道：「其中白衣羅剎最爲狂傲。」

俞秀凡道：「白衣羅剎，那是個女的了？」

海夫人道：「是的。一個修爲極深的女人，她不但武功精深，且通達媚術，是一個不折不扣的女魔頭。」

俞秀凡道：「可是這些人不聽兩位的指揮麼？」

海長城道：「他們我行我素，全然不把我們放在眼中；就是造化城主派出的巡使，他們也一樣不放眼中！」

俞秀凡道：「看在武林同道的份上，老前輩夫婦可以忍受，但造化城主怎會忍受這些狂傲行爲？」

海長城道：「造化城主如不願忍受他們的狂傲，勢必要大費一番手腳，那可能造成重大的衝突。」

俞秀凡道：「老前輩是否可以說得詳盡一些？」

海長城道：

「萬家別院，是福壽院最大、也最複雜的一個別院，這裏有一百數十位武林高手，大都是江湖上一方的豪雄人物；當得武林第一流高手之稱的，至少有十個以上，或者更多一些。因爲這裏面太龎雜了，其中有很多人，我不但沒有見過，而且根本就沒有聽說過！」

俞秀凡道：「除了你們剛才說的白衣羅剎等人之外，還有些什麼特殊的人物。」

海長城沉吟了一陣，道：

「有兩個表面上看去，全不引人注目的人，但如經過長期的觀察後，就發覺了他們的特

異，與眾不同；到目前爲止，對這兩個人，我仍是有些莫測高深。」
俞秀凡道：「老前輩可否告訴在下，那是兩個怎樣的人？」
海長城道：「其中一人，自進入萬家別院，五年來，從沒有說過一句話！」
俞秀凡噢了一聲，道：「他會不會是個啞巴？」
海長城道：「老夫相信，他絕不會是啞巴。」
俞秀凡道：「會不會是被人點了啞穴呢？」
海長城道：「不會！他舉動靈活，一點不像被人點了穴道的樣子。」
俞秀凡皺了皺眉頭，道：「還有一位呢？」
海長城道：
「那個人更奇怪了，就一般來說，十二個時辰之內，毒癮發作一次，吸食後精神飽滿，但到毒癮發作的時候，那萎靡失神的樣子，完全不像一個人，但那個人很奇怪……」
俞秀凡接道：「他可以不按時間吸食？」
海長城笑了一笑，道：「他可以連續的吸毒兩個時辰，但也可以連續兩、三天一口不吸。」
俞秀凡道：「除此之外，還有什麼異於常人之處？」
海長城道：「他常常打坐，有時能把自己關入房中，一連數日不吃不喝，而且還能睡覺，睡它個三日三夜不起來，更是平常事。」
俞秀凡道：「他的武功呢？」
海長城道：「從未見他露過武功，他也從不和人衝突；有時碰到別人的情緒不好，給予他很大的羞辱，他也能視若無事，忍了下去。」

突然間，俞秀凡對這麼一位怪人，發生極大的興趣，急急說道：「他有多大年紀？」

海長城道：「很難說，三十左右，四十上下，都說得過去。」

俞秀凡道：「海前輩沒有找他談過麼？」

海長城道：「談過！他為人和藹，十分健談，但卻從來不談正經事，問起他的來歷，更是顧左右而言他，叫人難測高深。」

俞秀凡道：「他的姓名呢？」

海長城道：「他自稱無名氏，不肯見告。」

俞秀凡道：「天下有這等人，在下應該去見識一下。」

海長城道：「俞少俠，是要他來此會面呢？還是咱們去找他？」

俞秀凡略一沉吟，道：「咱們應去拜訪他。」

海長城點點頭，道：「俞少俠這點年紀，身懷絕技，又全無狂傲之性，確是難得的很。」

俞秀凡道：「老前輩誇獎了。」

一抱拳，道：「那就煩請老前輩帶我一行了。」

海夫人突然開口說道：「慢著，俞少俠，老身有一事請教，不知當是不當？」

俞秀凡道：「什麼事？」

海夫人道：「俞少俠，你剛才擺出的劍式，是什麼劍法？」

俞秀凡道：「驚天三劍。」

海長城、海夫人同時臉色一變，道：「那就難怪了。」長長吁一口氣，海長城道：「驚天

三劍，已經失傳於江湖，老弟在哪裹學得此技？」

俞秀凡道：「晚輩是無意得到了一本劍譜，上面記述的驚天三劍。」

海夫人道：「看情形，俞少俠已把這驚天三劍參悟透徹了。」

俞秀凡道：「晚輩照著劍譜練習，但已參悟了多少，晚輩也不太清楚。」

海夫人道：「俞少俠，那劍譜還在你老弟身上麼？」

俞秀凡沉吟了一陣，道：「老前輩的意思……」

海夫人道：「俞少俠不要誤會，那驚天三劍的劍譜，如若還在你的身上，那就設法把它毀去。此一劍譜，一旦落在別人的手中，那就大大的麻煩了。」

俞秀凡道：「老前輩不用擔心，在下身陷危境前，已把驚天劍譜毀去。」

海長城道：「那就是說，今日天下唯一會這驚天三劍的人，就是你老弟一人了！」

俞秀凡道：「老前輩，那驚天三劍，在武林中，可是很有名麼？」

海長城道：「那是震動江湖的一套劍法，江湖上只傳出驚天三劍，也有很多武林高手，死於驚天三劍之下，但卻沒有人見到過驚天三劍。」

俞秀凡道：「為什麼？」

海長城道：「因為，見過驚天三劍的人，沒有一個活的。所以，江湖上只是盛傳，但卻沒有人見過。」

俞秀凡道：「原來如此。」

語聲一頓，接道：「老前輩，咱們去見見那位無名氏吧！」

海長城目注夫人道：「此間事請夫人照顧一下。」

海夫人道：「你請去吧！家事，有我負責。」

海長城帶著俞秀凡出室而去。

白衣女當門而立，攔住了去路，道：「貴賓還要停留很久麼？」

俞秀凡道：「是的，在下還要見幾個人。」

白衣女道：「還要多少時間？」

俞秀凡道：「這就很難說，反正姑娘正在奉命陪我，你留這裏等候就是。」

海夫人微微一笑，道：「姑娘，請進來，咱們談談。」伸手一把抓住了白衣女，拖入室中。

緊隨在海長城的身後，俞秀凡行入了一座小室之中。不知道是爲了省油，或是地獄中人適應了黑暗，每一座小室，都沒有點燈。

兩人行入了室門，室內才亮起了一盞燈火。一個面目清瘦的人，臥在一張木榻之上，手中還拿著一把火摺子，點燃案頭上燈火。

海長城一拱手，道：「無名氏，在下帶一位朋友來看你了。」

無名氏一躍下榻，肅容一抱拳，道：「原來是院主大駕，在下怎麼敢當。」

海長城微微一笑，道：「無名氏，這一位是俞秀凡俞少俠，城主的貴賓。」

無名氏回頭望了俞秀凡一眼，微微一笑，道：「失敬！失敬！」

俞秀凡道：「不敢！不敢。無名氏今天還未過毒癮吧？」

無名氏笑道：「今日不用了。兄弟昨天一連吸食十餘筒，連今天的一起食用過了。」

俞秀凡道：「無名兄，台端是如何被請入這地獄門中的？」

無名氏道：「也沒有什麼特殊之處，和他們差不多，造化城主看著在下順眼，就把我給請進來了。」

俞秀凡道：「真的是要言不多，簡明得很啊！」

無名氏道：「事實上確也如此。」

語聲一頓，道：「一般被造化城主看上的人，都被送入地獄，閣下怎會做了造化城主的貴賓？」

俞秀凡心中一動，暗道：此人臉上不見灰氣，分明未受菸毒侵害，但他大智若愚，不說正事，我何不用話點他一點。

心中念轉，冷冷說道：「無名兄，有一句俗話說，虎行千里吃肉。」

無名氏笑了一笑，道：「狗走千里吃屎。」

俞秀凡道：「這就是在下被造化城主視爲貴賓的原因。」

無名氏道：「對！所以，閣下是貴賓，咱們入地獄門了。」

他的修養好極，俞秀凡雖然出語尖銳，辱及到他，這無名氏竟也能輕描淡寫地應付過去，全然不見一點火氣。

俞秀凡微微一笑，道：「閣下好耐心。」

無名氏道：「誇獎，誇獎。」

俞秀凡道：「無名兄，在下想帶閣下同入造化城去，不知你意下如何？」

無名氏微微一笑，道：「我這樣一個人，也能進入造化城麼？」

俞秀凡道：「爲什麼不能呢？閣下深藏不露，留在地獄中豈不可惜得很！」

無名氏笑了一笑，道：「在下已經習慣了地獄的生活，驟然被帶往造化城去，在下只怕不能適應。」

俞秀凡淡淡一笑，道：「閣下似乎是對這份生活十分留戀。」

無名氏道：「談不上什麼留戀。不過，這裏臥虎藏龍，而且管吃管住，又沒有什麼工作，很對在下這份好吃懶做的性格。」

俞秀凡回顧了海長城一眼，道：「海院主，這位仁兄深藏不露，留在貴院，有害無益。」

海長城一時間也未想通俞秀凡的用心何在，呆了一呆，道：「俞老弟的意思是……」

俞秀凡道：「在下之意，希望帶這位無名兄同往造化城一行，不知院主的意下如何？」

海長城道：「這個，老朽倒沒有什麼意見，要看這位無名兄的意思了。」

無名氏長長嘆息一聲，道：「兄弟走過很多的地方，但卻一直沒有地方像這裏舒服。」

海長城道：「在此終年不見天日，有什麼地方舒服呢？」

無名氏道：「這是見仁見智的看法了。像你海城主，在江湖上地位顯赫，手下的僕從如雲，過的是豪富生活。至於區區在下，只是一個流浪江湖的人，從來沒有過像這麼不愁吃、不愁穿的舒服日子。」

俞秀凡心中暗道：不論你裝得如何像，我也要揭穿你的僞裝。

心中念轉，口中冷冷說道：「無名兄，造化城的生活，大概要比這地方舒適一些。」

無名氏道：「工作是不是很忙呢？」

俞秀凡道：「閣下如是不喜歡做事，咱們可以替閣下找一個只吃飯不做事的工作。」

無名氏笑了一笑，道：「院主，在下這些時日，無功可也無過，在下不願離去，還望院主作主了。」

海長城道：「這個，這個……」

俞秀凡冷笑一聲，接道：「無名兄，你知道，海院主也聽命於造化城主。」

無名氏突然哈哈一笑，道：「如是海院主答應了，在下也只好跟閣下同往造化城一行了。」

俞秀凡淡淡一笑，道：「好，識時務者爲俊傑，由現在起，你就跟著在下。」

無名氏回目望著海長城，道：「海院主的意思呢？」

海長城道：「無名兄如是聽老朽的意思，那就最好聽從貴賓的吩咐。」

無名氏道：「院主如此吩咐，在下也只好從命了。」

俞秀凡一揮手，道：「有勞海院主，咱們去見見那位三年不講話的人。」

海長城應了一聲，轉身向前行去。俞秀凡、無名氏魚貫相隨。

這是一座邊間房舍，雙門緊閉。

海長城輕輕叩動門環，道：「老朽海長城，有人在麼？」

未聞回答聲，木門卻呀然而開。無名氏晃燃手中的火摺子，點起了案頭火燭。明亮的燈光下，只見一個黑袍人冷冷地站在門後。

無名氏一拱手，道：「得罪，得罪！」

黑衣人冷冷地站著，似乎是根本未聽到無名氏說的話，連頭也未轉一下。

海長城一指俞秀凡，道：「這位是造化城主的貴賓，特來探望。」

黑衣人目光轉到俞秀凡的臉上，瞧了一陣，搖搖頭，擺出一個送客的手勢。

海長城低聲道：「貴賓來自造化城，不可輕易得罪。」

黑衣人一皺眉頭，突然轉身行回木榻，盤膝而坐，閉上雙目。

俞秀凡心中一動，回顧了無名氏一眼，道：「勞請無名兄，把這位不說話的朋友給拖出去。」

無名氏搖搖頭，笑道：「這個恕難從命。」

俞秀凡道：「無名兄不肯出手，俞某人只好自己來了。」

大步行進木榻，突然一伸右手，抓向黑袍人的肩頭。

黑袍人雙目未睜，身軀未動，被俞秀凡一把抓住。

俞秀凡只覺五指如同抓在一塊堅硬的石頭上一般，心中暗暗一震，暗忖道：這是什麼武功？

心中念轉，右手向上一提，竟把那黑袍人給生生提了起來。但那黑袍人仍然保持著原來的姿勢，雙腿盤收，雙手合十，有如一座鐵鑄木雕的神像一般。

俞秀凡心中暗作盤算，忖道：這人一語不發，看來只有逼他出手一途了。

內勁暗發，右手一揮，硬把那黑袍人拋向院外。但聞蓬然一聲，摔落在實地上。無名氏手執火燭，當先奔出室外。只見那黑袍人仍是雙掌合十，盤膝坐在實地上。他臉色平靜，盤坐的姿勢，也和室中木榻上一樣。這一摔不但不見他有什麼痛苦，而且，連他的姿勢也保持原來的樣子，沒有改變。

無名氏輕輕咳了一聲，笑道：「好定力！」

俞秀凡快步行了過來，看那黑袍人仍然閉著眼，心中暗暗敬佩，忖道：這人的定力，果然叫人敬佩。

心中念轉，口中卻冷笑道：「閣下有這樣一份好定力，才能一直閉口數年，不說一句話了。」

無名氏微微一笑，道：「一個人，到了這等境界，不論他說不說話，實也無關緊要了。」

俞秀凡冷冷說道：「我不信，他真的能忍下去。」右手緩緩伸出，扣向那黑袍人的脈穴。

黑袍人靜坐下動，竟讓俞秀凡抓住了右腕脈穴。手指觸及那黑袍人的右腕，俞秀凡立刻感覺一股強大的力量，向外面膨脹，而且手指握住的右腕，突然開始發熱，俞秀凡一皺眉頭，提聚真氣，五指緊收。

黑袍人臉上突然變了顏色，雙目也緩緩睜開。俞秀凡承受少林群僧合力打通奇經八脈，又得花無果用藥物和本身絕世功力，助他突破了十二重樓。他已具備了當世第一流高手的功力，只是他自己還不知道而已。這一運功抗拒，那黑袍人手腕上的熱力，頓然開始減低，逐漸消失。

黑袍人臉上，開始滾落下汗水，片刻工夫之後，汗水濕透了黑袍。但是，黑袍人確有一股狠勁，雖然人已大感不支，但仍然咬著牙，一語不發。

冷眼旁觀的海長城和無名氏，卻看得心中震駭不已。海長城心中有些底，還可以保持著鎮靜之色，但無名氏卻看得臉色大變。

俞秀凡心中大感不忍，但形諸於外的神色，仍然十分凌厲。

無名氏冷然一笑，道：「一個人如是死了，那就永遠不能說話了。」

黑袍人望著無名氏一眼，仍然未發一言。

俞秀凡不停地增加內力，那黑衣人的臉上已然開始扭曲、變形。那是因爲全力抗拒俞秀凡內力壓迫的緣故。

海長城輕輕咳了一聲，道：「貴賓，請手下留情。」

俞秀凡已看出對方無能支持下去，借階下台，立刻鬆了五指。

無名氏笑了一笑，道：「他也許是被人下了毒手，變成了啞子，一個人不論如何裝作，也不會連命也不要。」

這時，俞秀凡也無法確定這人是不是啞子了。

他已存心征服此人，心中雖然有些抱疚，神情卻仍然十分冷漠，緩緩說道：「閣下口不能言，想來定然是可以寫字？」

黑衣人吃足了苦頭，銳氣盡失，已不敢再和俞秀凡抗拒了。點點頭，表示可以寫字。

俞秀凡道：「請閣下跟區區離開萬家別院，不知你意下如何？」

黑袍人又點點頭。

俞秀凡目光一掠梅長城，道：「請海院主替在下做個見證。」

海長城微微一怔，道：「什麼見證？」

俞秀凡道：「在下看上了無名兄和這位啞兄，請他們做兄弟的隨從侍衛士。」

海長城道：「就算是你俞少俠帶他們兩位離開，也用不著老朽做見證。」

俞秀凡道：「他們心中定然有些不服，所以，兄弟想叫他們心服口服，日後也好不生背叛

之心。」

海長城道：「俞少俠的意思……」

俞秀凡接道：「請他們兩位聯手而出，和兄弟動手一博，如是他們兩位勝了，在下願聽他們兩位的發落。」

海長城接道：「你是城主貴賓。」

俞秀凡道：「這就是在下要請你海院主作證了，在下自願和他們兩位比武，就是死於他們兩位手中，由你海院主作證，造化城主也不會追究他們了。」

海長城道：「這個……這個……老朽只怕擔當不起。」

俞秀凡道：「海院主不用擔心，我相信他們，決不會傷害到在下。」

海長城目光一掠無名氏和黑袍人，道：「兩位意下如何？」

無名氏沉吟了一陣，道：「這個，要看看那位啞兄的意思了。」

黑袍啞子忽然站了起來，點點頭。顯然，他已同意了比武的事。

無名氏哈哈一笑，道：「好！那就請海院主替咱們做個見證了。」

俞秀凡道：「兩位同意了比武，但不知是否同意在下的條件？」

無名氏道：「什麼條件？」

俞秀凡道：「兩位如是敗在區區手中，願否做在下的從衛？」

無名氏道：「有沒有一個時限？」

俞秀凡道：「有！至少三月，至多半年，由在下決定。半年之後，悉憑兩位決定。」

無名氏笑了一笑，道：「值得一賭，啞巴兄，高見如何？」

黑袍人點點頭，表示贊同。

俞秀凡將身形移開了三步，道：「兩位請出手吧！」

海長城似乎是有意地把這件事烘托得熱鬧一些，吩咐點燃了兩支高大的火炬。高達兩尺的火苗，照亮了方圓七、八丈的地方。

黑袍大漢恢復的很快，就是這一陣工夫，人已經完全恢復了常態。

無名氏笑了一笑，道：「咱們二打一，那就請俞少俠先出手了。」

俞秀凡道：「還是兩位先請。」

無名氏一抱拳，笑道：「恭敬不如從命，多有得罪了。」

突然欺身而上，左拳擊向胸前，右手卻五指半屈，橫胸而立。他口中雖是說得客氣，但卻掌出如風，直擊要害。

俞秀凡道：「好拳法！」倏然之間，挪開半步。一股拳風，掠著俞秀凡的前胸險過。

無名氏左拳落空，身子衝過俞秀凡身側時，那平胸的右掌，卻呼的一聲，推了出去，五指分取俞秀凡五處大穴。

俞秀凡微微一凜，吸了一口氣，又向後退開了兩步。

只見拳風破空，那黑袍人卻在俞秀凡腳步停下時，急襲而至。

雙方立刻展開了一場激烈的惡鬥。

無名氏和黑袍人聯手施力，攻勢凌厲得很，一招一拳，無不恰到好處。俞秀凡憑仗一套閃轉的身法，躲避了兩人攻擊，但卻一直沒有還手。

黑衣啞子雙拳同施，一招連環撞掌，拍了過來。

無名氏卻一掌掃過俞秀凡的背後，嗤的一聲，衣衫破裂。

俞秀凡冷哼一聲，雙手突然一齊拍出。右手掌力，排山倒海般拍向黑袍人，左手卻施展擒拿手法，抓住無名氏的右腕穴道。

急漩湧浪的惡鬥，忽然間靜止下來。

無名氏臉色微微一變，道：「俞兄，高明啊！咱們不用再打了。」

黑袍人被俞秀凡一記強猛絕倫的掌勢，給迫退五步遠。

俞秀凡望望黑衣啞子，道：「閣下怎麼樣，還要打下去麼？」

黑袍人搖搖頭，垂下了雙手。顯然，兩人都已被俞秀凡所折服。

輕輕嘆息一聲，無名氏緩緩說道：「俞兄，咱們認輸了。不過，在下覺著應該先把事情談清楚。」

俞秀凡道：「什麼事？」

無名氏道：「閣下不會留在這萬家大院吧？」

俞秀凡道：「不會。我要帶兩位進入造化城去。」

無名氏道：「造化城，是不是有福壽膏食用呢？」

俞秀凡沉吟了一陣，搖搖頭，道：「造化城沒有福壽膏。」

無名氏道：「因為，兄弟的毒癮很大，如若沒有福壽膏，就不能隨你俞兄進造化城。」

俞秀凡道：「閣下的毒癮，真的很深麼？」

無名氏道：「不錯。兄弟的癮很大，如是沒有福壽膏，那就完全斷去了生機。」

俞秀凡皺皺眉頭，道：「海院主，這是否能夠想辦法呢？」

海長城道：「老朽可以想法子取一些福壽膏，給你帶去。」
無名氏道：「帶多少？」
海長城沉吟了一陣，道：「看在俞少俠的份上，老朽給兩位湊合三個月的用量如何？」
無名氏淡淡一笑，道：「好吧！既是如此，咱們帶三個月存量就是。」
目光一掠黑袍人，道：「啞巴兄，你的意思如何？」
黑袍人點點頭。
俞秀凡目光一掠無名氏和黑袍人，道：「兩位的事情已都辦完了，現在，該聽聽兄弟的意見了。」
無名氏道：「好！你說吧！」
俞秀凡道：「兩位可知道做一個從衛的責任麼？」
無名氏道：「兄弟什麼事情都幹過，就是沒有幹過從衛這一行，你說說看吧！」
俞秀凡道：「一個從衛的責任是：第一、要保護主人的安全；第二、要有爲主人生、爲主人死的決心。」
無名氏道：「一副活奴隸的嘴臉！」
俞秀凡道：「人生如做戲，咱們要唱這齣戲，大家只好湊合湊合了。」
無名氏道：「好！在下同意，但要問問啞兄的意見。」
黑袍人點點頭，表示同意。
俞秀凡道：「那就勞請海院主替我們準備一下。」
海長城一欠身，道：「老朽這就去叫他們準備。」舉步而去。

俞秀凡神情冷肅，緩緩說道：「兩位聽著，由現在開始，兩位就算是在下的從衛了。」
無名氏道：「不錯，這個咱們早就答應了。」
俞秀凡道：「既然答應了，兩位就要合乎從衛的身分。」
無名氏道：「如是咱們不記得，而有所違犯之處呢？」
俞秀凡道：「那就別怪在下施下毒手了。」
無名氏微微一怔，道：「俞兄的意思是說，咱們如有疏忽之處，那就要受懲罰了。」
俞秀凡道：「不錯！追魂取命，決不寬容。」
無名氏臉色一變，未再多言。
這時，海長城已然手提著一個大包行了過來。
無名氏伸手接過，道：「海院主，這是三個月份的福壽膏？」
海長城道：「不錯，兩位一旦離開了俞少俠，希望兩位還能回到萬家大院來。」
無名氏道：「海院主但請放心。除了萬家別院之外，天下還有什麼地方能供應福壽膏呢？」
海長城道：「這包袱之內，分爲兩個包袱，每人三個月份，最好兩位請分別帶上。」
無名氏打開包裏，分了一個給黑袍人，兩人分別揹好。
俞秀凡冷眼旁觀，看兩人分好之後，才緩緩說道：「現在，咱們再去看幾個人。」
海長城道：「看什麼人？」
俞秀凡道：「去看看那位白衣羅剎。」
海長城一皺眉頭，道：「俞兄，那位白衣羅剎正在戒除毒癮期間，只怕是不太方便吧！」

俞秀凡道：「我知道，只要她肯合作，咱們不會耽誤她太多時間。」

海長城道：「這個……這個……」

俞秀凡笑了一笑，接道：「海院主，不論發生了什麼事，都由在下承擔，不讓你擔當一點風險。」

海長城道：「好吧！既然是貴賓堅持要去，老朽只好帶路了。不過，老朽希望能先去通知一聲。」

俞秀凡道：「老前輩只管請便，」

海長城道：「老朽先走一步。」舉步向東北方位行去。

這時，大院高燃著數支火炬，照得一片通明，俞秀凡目睹那海長城行入了一座跨院去，心中大感奇怪，暗道：這座別院之中，怎的會有一座跨院。

但聞無名氏低聲說道：「俞兄，咱們此後應該如何稱呼你？」

俞秀凡沉吟了一陣，道：「這個，在下倒不在乎，兩位看著辦吧！」

無名氏道：「咱們可以去了。」

俞秀凡擺出了主人的架子，大步向前行去。黑袍啞子、無名氏魚貫隨在俞秀凡身後，向前行去。

俞秀凡沒有看錯，那確是一座跨院，木門虛掩。

無名氏似是對做爲從衛一事，極爲內行，俞秀凡一步踏入門內，無名氏已快步越過了俞秀凡，搶在前面。但無名氏立刻停了下來。他走在最前面，他一停下，俞秀凡和黑袍人全都停了下來。

俞秀凡抬頭看去，只見一個全身雪白的白衣女，站在院中。

這是一座不大不小的跨院，院中也燃起了一支火炬，照得一片明亮。火炬映照下，清晰地看到那白衣女的每一部分。

只見她啓唇一笑，露出來，口細小如玉的白牙，緩緩說道：「無名氏，你來此作甚？」

無名氏笑了一笑道：「找人。」

白衣女道：「什麼人？」

無名氏道：「海院主。」

白衣女道：「他來過，現在廳中，不過，海院主沒有交代過，說你要來。」

無名氏道：「姑娘的意思是？」

白衣女道：「一個字，滾！」

無名氏哈哈一笑，道：「羅刹姑娘，如是咱們這樣快地滾出去，那就不如不來了。」

白衣女道：「你自己不願走，我只好動手攆你了。」

俞秀凡冷冷說道：「你就是白衣羅刹？」

白衣羅刹道：「不錯，我就是。你大概是造化城的貴賓了。」

俞秀凡道：「在下俞秀凡。這位無名兄是受區區之請而來。」

白衣羅刹道：「聽說無名氏和那位不說一句話的啞巴，都已經被你收在身側了。」

俞秀凡道：「承他們兩位幫忙，願意跟著區區在下去那造化城走走。」

白衣羅刹道：「造化城的名字，在這裏確有點震駭人心，不過，小女沒有把造化城三個字放在心上。」

俞秀凡嗯了一聲，道：「果然是很狂妄。」

白衣羅剎冷笑一聲，道：「年輕人，你今年幾歲了？」

俞秀凡道：「在下覺得年齡的大小，和咱們之間的事，似乎是沒有多大關係。」

白衣羅剎道：「我是說，你少不更事，說話太狂妄。」

俞秀凡冷笑一聲，道：「不是猛龍不過江，如是在下真如你羅剎女說的那樣脆弱，在下也不會來了。」

白衣羅剎道：「自從進入這鬼地方之後，我已經很多年沒有殺過人了。」

忽然一長柳腰，白衣飄動，人已到了俞秀凡的身前。衣袖飛揚，纖纖玉指，已經指向了俞秀凡的前胸大穴。

俞秀凡一吸氣，倏忽間飄退五尺，閃到了無名氏的身後。

無名氏心已明白，這是要他出手，當下右手一抬，拍出一掌。

白衣羅剎一揚柳眉兒，右手突然劃出，尖厲的指甲，劃向了無名氏的右腕脈穴。

無名氏一吸氣，疾退三尺，左手又疾快拍出。

兩個人展開了一場凌厲搏殺。俞秀凡凝目望去，只見兩人拳來、腳去，指點、掌劈，見招破招，極盡變化之能事。轉眼之間，兩人已拚鬥了四、五十招。

俞秀凡暗暗忖道：這無名氏的武功，如此高明，怎的剛才和我動手時，不過數招，即已落敗。」

這無名氏的武功高強，不但俞秀凡大感意外，就是白衣羅剎也有著意外的感覺。不禁激起

殺機，柳眉聳動，掌法一變。但見掌影幻起，立時把無名氏迫得向後退去。

俞秀凡回顧了黑袍啞子一眼，道：「閣下可以出手了！」

黑袍人一點頭，側身而上，人未到，掌勢已到，呼的一聲，劈向了白衣羅剎的後背。

白衣羅剎反身一指，點向啞子的穴脈，迫啞子急得向後退，避開了指風。但這一來，無名氏承受的壓力大減，立時放手反擊。

三人這一番惡鬥，只打得奇招百出，極其凌厲。白衣羅剎力敵兩人，雖無敗象，但卻也無法取勝。

俞秀凡看別人搏殺，只覺拳風呼嘯，指點影影，激烈絕倫，但自己和人動手時，卻從未有過如此情勢，最多兩、三招，就分出勝負了。

所以，他看得十分用心。這一來，立刻從三人的搏鬥中，看出了很多的破綻。

原來，金筆大俠艾九靈傳給他的武功，都是化繁爲簡的招數，一招擒拿，一指變化，無不花費了艾九靈極大的心血。所以常能在三、二招之內，克敵制勝。

雙方鬥了百招左右，仍然是一個不勝不敗之局。白衣羅剎的攻勢，也愈來愈見奇幻，但黑袍啞子和無名氏也漸鬥漸見功夫。

俞秀凡突然大聲喝道：「住手！」

黑袍啞巴和無名氏，應聲向後退開。

白衣羅剎目光轉注俞秀凡的臉上，道：「怎麼不打了？」

俞秀凡道：「像你們這樣子打下去，幾時才能分出勝負？」

白衣羅剎道：「你的意思呢？」

俞秀凡道：「你應該明白了，你連我兩個從人，都打不勝，還有什麼法子能夠勝我，你已無能阻止我們了。」

白衣羅剎道：「我這個人很奇怪，一向是不見棺材不掉淚，就算我勝不了你，也得試試才行。」

俞秀凡大行兩步，冷冷說道：「你既然不服氣，那就請出手吧！」

白衣羅剎格格一笑，緩步向前行去，距離俞秀凡兩尺左右時，才停了下來。

俞秀凡肅然而立，雙目凝注在白衣羅剎的臉上。

白衣羅剎格格一笑，道：「你怎麼不出手啊？」

俞秀凡道：「在下例不先行出手。」

白衣羅剎道：「這麼說來，你很謙虛了。」

突然右手一招，五指尖尖，逼向了俞秀凡的前胸。這一招變化萬端。五道指尖，內勁外透，手指未到，暗勁已然逼上前胸。

俞秀凡斜斜側身，右手一揚，五指反向白衣羅剎的手腕搭去。

白衣羅剎右腕一沉，向後縮去。哪知俞秀凡右腕忽長，斜裏一抄，竟然抓住白衣羅剎的右腕。他指上早已滿蓄真力，五指一收，內勁驟發，白衣羅剎立刻感覺到半身麻木。

俞秀凡右手一抬，掌勢已然逼在了白衣羅剎的頂門上，緩緩說道：「姑娘認輸麼？」

白衣羅剎道：「看來，我不認輸也不行了。」

俞秀凡放開了白衣羅剎，緩緩說道：「姑娘可以閃開了。」

白衣羅剎嘆一口氣，道：「自我出道以來，還沒有遇到一招就拿住腕脈的人。」

俞秀凡話題一轉，道：

「在下聽海院主說，姑娘是這萬家別院最傑出的幾位高人之一，否則，也不會離群獨居，住在這樣一處幽靜的跨院了。」

白衣羅剎道：「那是海院主抬愛小妹。其實，這座跨院，住的也不是我一個。」

俞秀凡道：「除了姑娘之外，不知還有些什麼人？」

白衣羅剎道：「除了小妹之外，還有五台天雷老人，嶺南千臂魔兩位。」

俞秀凡道：「天雷老人在江湖上的聲譽如何，啊，在下要問他是正是邪？」

白衣羅剎道：

「如若一定要分個正邪出來，天雷老人該是白道上聲譽卓著的人。嶺南千臂魔和小妹這個白衣羅剎的名號，一聽就是綠林道上的匪號了。」

俞秀凡道：「這麼說來，那天雷老人，是一位正正當當的人了。」

白衣羅剎笑了一笑，道：

「江湖上正邪之分，嚴格說起來，那是見仁見智的看法。所謂正大門戶中人，也有很多做了不少見不得天日的事；綠林道上，也有很多講義氣、明是非的人，他們在武林的名聲雖然不好，但卻受著很多百姓的敬愛，他們在默默積修善功，而又不願爲人知道，所以，只以在江湖的聲譽量人，那就有遺珠之憾。」

俞秀凡聽得一怔，雙目凝注在白衣羅剎臉上，瞧了良久，突然嘆一口氣，道：「姑娘說得有理。這世間有很多欺世盜名的人，他們被人尊爲君子、大俠，但暗中的作爲，卻都是些見不得人的事。」

白衣羅剎格格一笑，道：

「這座福壽院，雖然是深處在密谷山腹之內，終年不見天日，但十方別院，卻無疑是整個江湖的縮影。在福壽膏毒癮的熬煎之下，大門派人，表現出的剛毅不屈之氣，也未必強過我們這些江湖草莽。」

俞秀凡點點頭，道：「多謝姑娘的指教。」

俞秀凡心中，原對白衣羅剎有著很深的厭惡，一個人取了個羅剎的名號，其惡毒可想而知。但白衣羅剎一番話，使得俞秀凡的印象大變。

只聽白衣羅剎輕輕吁一口氣，道：「很難得啊！你這點年紀，又有著那樣一身驚人的成就，卻沒有年輕人那股自負不凡的傲氣。」

俞秀凡道：「在下行走江湖，只服義、理兩字，義理所在，雖死不屈。姑娘言之有物，句句合理，在下自是佩服。」

白衣羅剎雙目閃動著明亮的光輝，道：「你讀過不少的書吧？」

俞秀凡道：「學無止境，在下讀書實也有限得很。」

白衣羅剎道：「咱們到廳中談吧！」轉身向前行去。

無名氏、黑袍啞巴對望了一眼，緊隨在俞秀凡的身後，行入廳中。

也許是限於形勢，這裏所有的房屋，都很小巧，所謂廳，也不過比一間房子稍微大些。

廳中早已坐著三個人，海長城和兩個長髯青袍的老者。加上了白衣羅剎和俞秀凡等三人，立刻擠滿了整個廳房。

白衣羅刹苦笑一下，道：「當年我所住房子的浴室，也比這座客廳大上三倍，俞少俠只好委屈一下了，請坐吧！」

俞秀凡緩緩坐了下去，道：「在這樣的環境，有這樣一幢獨立的跨院，已經是難能可貴了。」

白衣羅刹親手倒了一杯茶，送了過來，道：「俞少俠，請喝杯茶！」

俞秀凡接過茶杯，但卻茶未沾唇，就放在了木案上。白衣羅刹目光一掠兩個長髯青袍老者，道：「你們兩個老怪物，過來見見這位俞少俠。」

兩個青袍老人一皺眉，目光一掠俞秀凡，冷哼一聲，誰也沒有說話。

白衣羅刹淡淡一笑，道：「看你們的神態，似是心中有些不服。」

左首白髯老者冷笑一聲，道：「老夫在江湖上行走，很少稱人一個俠字。」

俞秀凡微微一笑，道：「敢問老前輩怎麼稱呼？」

左首白髯老者道：「老夫嶺南千臂魔項侗。」

俞秀凡道：「原來是項老前輩，久仰！久仰！」

千臂魔冷冷說道：「不用客氣。」

白衣羅刹微微一笑，道：「項老魔，有志不在年高，無志空活百歲，能讓我白衣羅刹尊他一聲少俠的，江湖上爲數不多。」

千臂魔項侗冷笑一聲，道：「這麼說來，老夫倒要試試他了。」

白衣羅刹道：「你也是不見棺材不掉淚，不到黃河不死心了。」

項侗道：「老夫一向不太相信傳說。」

白衣羅剎道：「你最好自己試試了，不過，小妹希望你小心一些。」
項侗哦了一聲，突然回手一指，點向了俞秀凡的前胸。俞秀凡一抬手，扣住了項侗的腕脈。
項侗微微一怔，道：「這是什麼手法？」
俞秀凡鬆開了五指，道：「晚輩僥倖，老前輩承讓了。」
項侗道：「閣下很謙虛啊！」
俞秀凡道：「晚輩只是取巧罷了，如若是真正相博，晚輩只怕不是敵手。」
項侗長長吁一口氣，道：
「俞少俠，你有什麼話，可以說了，萬家別院，在十方別院是較受優待的一座別院，這地方更是很隱祕，俞少俠有什麼心腹之言，可以說給咱們聽聽了。」
俞秀凡目光一掠右首青袍老人，道：「這一位想是五台山的天雷手老前輩了？」
白髯老人道：「老朽正是天雷手紀飛，俞少俠身手絕倫，使老朽又目睹一代武林奇才。」
俞秀凡道：「老前輩誇獎了。」
紀飛道：「萬家別院，能在十方別院較受優待，並非是造化城主對咱們有所偏愛，而是經過幾番搏殺之後，爭來這一點點放寬的尺度。」
俞秀凡點點頭，沒有說話。
項侗輕咳一聲，道：「俞少俠，可知道咱們為什麼要同住這一座跨院麼？」
俞秀凡道：「晚輩不知。」
項侗道：「造化城的殺手中，一個個武功高強，我們三人同住於一處，就是防備他們暗中下手算計我們。」

俞秀凡沉吟了一陣，道：「這萬家別院有這麼多人手，難道還有別的人會來行刺麼？」

項侗道：「是的。福壽膏並非是不可戒絕之物，只要一個人能下定決心，忍受一些痛苦，就可以擺脫福壽膏的控制。」

俞秀凡道：「這樣說來，造化城對十方別院的控制，並沒有絕對的把握了。」

項侗道：「那要看能不能擺脫福壽膏的控制，擺脫不了的人，只有聽命行事了。」

俞秀凡道：「萬家別院，有多少人可以擺脫福壽膏的控制呢？」

項侗道：「海院主一家人和我們三個，另外，還有兩位可能也擺脫了毒癮的控制，但他們一直不表明出來，叫人心中存疑。」

俞秀凡道：「那兩位是什麼人？」

項侗道：「就是這位啞巴兄弟和這位無名兄了。」

俞秀凡回顧兩人一眼，道：「兩位究竟是有沒有毒癮？」

無名氏道：「有！而且毒癮還不小。」

俞秀凡聳聳肩，未再多言。

白衣羅剎道：「俞少俠，我們很希望你能說出來此的真正用心。」

俞秀凡道：「在下奉告諸位來此的經過，至於我有什麼用心，現在還無法深談。」

述說了被誘騙來此的經過後，嘆口氣道：「未進入這人間地獄之前，在下實未想到這造化城，竟有如此強大的實力。」

天雷手紀飛道：「恕老朽托大，叫你一聲老弟，這也為了表示親切一些。」

接著又道：「老弟，你準備怎麼進入造化城去？」

俞秀凡道：「是的。晚輩既然來了，希望進入造化城看看。」

紀飛道：「老弟，你必有著曠世奇遇，才能突破常規，有此超越年齡的成就。」

俞秀凡點點頭，說道：

「晚輩確有一點不尋常的奇遇，也在江湖上走動了一段時間，使晚輩奇怪的是，江湖上似乎是十分平靜，對這麼多武林高手，被誘入地獄門一事，似乎是全無所覺。」

紀飛道：

「可怕的也就在此了。所以，老朽覺著，老弟應該先把這消息傳入武林，最好能找到金筆大俠艾九靈，以他的聲望，登高一呼，才能使整個江湖覺醒。」

廿一　地獄判官

海長城道：「紀飛兄，艾大俠已經失蹤了近二十年，只怕早已被造化城主謀害了。」

項侗道：「如若艾九靈還在人間，豈容得他們如此的胡作非爲。」

紀飛搖搖頭，道：「老朽不作此想，艾大俠的絕世功力，怎會被他們謀害。」

項侗道：「紀兄，明槍易躲，暗箭難防啊！」

俞秀凡心中暗道：原來艾大哥在江湖的聲望，是如此之高，不論黑白兩道，都對他如此敬重。

但聞白衣羅刹說道：「這位俞少俠武功的精絕，實已到不見招式的境界，一揮手、一投足，都可克敵制勝。不過，小妹發覺，他除了武功之外，還有滿腔的學問，和驚人的說服力，也許，他是有意進入造化城來。」

俞秀凡緩緩說道：「談不上有意進來，不過，現在在下倒希望進入造化城去看看了。」

白衣羅刹道：「你準備一個人去麼？」

俞秀凡道：「在下準備帶貴院兩個人去。」

白衣羅刹目光一掠無名氏和黑衣啞子，道：「帶這位無名兄和啞兄同去？」

俞秀凡道：「不錯。正是帶這兩位兄弟同去。」

白衣羅剎道：「他們兩位同意了麼？」

俞秀凡笑道：「我們之間有一個約定，他們兩位已經同意了。」

白衣羅剎笑了一笑，道：「小妹不才，已把福壽膏的毒癮戒掉，項兄和紀兄，也已開始戒，只要能再熬過三、五天，大概也可以戒除了。只要能擺脫福壽膏的控制，咱們就不必再畏懼造化城主了。」

海長城道：「造化城中，武功高強之士很多，不可輕敵。」

白衣羅剎道：「只要一刀一槍的打，不幸戰死，也死得瞑目了。」

俞秀凡霍然站起身子，道：「姑娘說得是，如若人人都有姑娘這份豪氣，武林才有再生的機會。」

白衣羅剎嘆口氣，道：「我沒有看到其他的大別院是什麼人，單是看我們萬家大院中的人，黑白兩道中的人，雖然未被他們一網打盡，但已被他們收服了十之六、七，這些人大都是各霸一方的豪雄人物，如今都已被送入了地獄之中。」

俞秀凡道：「不錯，看起來，江湖上能夠反擊造化城的力量，都在造化城的內部。」

這當兒，跨院外傳來一個尖厲的聲音，道：「我要見俞少俠，你們不能阻攔。」

海長城高聲說道：「放她進來！」

一個面色慘白的女子，快步衝了進來，道：「貴賓，我已接到令諭，立時得離開此地，」

俞秀凡站起身子，道：「好！咱們走！」

抱拳一個長揖，接道：「諸位老前輩，在下就此別過了。」

白衣羅剎道：「小兄弟，你要不要三個從人？」

俞秀凡道：「不用了，有無名兄和這位啞兄相從，兄弟已經很滿意了。」

白衣羅剎道：「好，需要我們幫助的時候，想法子給我們送個信來。」

無名氏默然不語，信步向外行去。

俞秀凡大步出廳，緊隨在無名氏的身後。

白衣羅剎嬌軀一橫，攔住了黑衣啞巴道：「啞兄，我現在還不相信，你真的不會說話。」

黑衣啞巴笑了一笑，突然一閃身，越過了白衣羅剎，追上了俞秀凡。

俞秀凡平和地說道：「姑娘，現在要帶我們到哪裏去，說說何妨？」

白衣女苦笑一下，道：「我真的不知道，到地方自會有人接待你們。」突然放快了腳步，向前奔去。

俞秀凡目光一瞥間，發覺她雙目滿含著淚水。暗自嘆一口氣，緊隨身後而行。離開了福壽院，又恢復了一片幽暗。

白衣女帶幾人行到了一座黑色的房子前面，突然停了下來。

俞秀凡抬頭看了一眼，道：「這是什麼地方？」

白衣女搖搖頭，垂手行到門前，高聲說道：「貴賓到！」

但聞木門呀然而開，兩個鬼卒形的大漢，並肩行了出來。一個手執著一張大鐵牌，一個手執著一條長長的鐵鍊子。藍色的臉，一套緊貼身上的肉色衣朋，遠遠看去，似乎赤身露體一般，像煞陰曹地府的拘魂、索命鬼。

俞秀凡望望兩個鬼卒一眼，道：「你們這是幹什麼？」

那手執鐵索的鬼卒道：「你到處惹事生非，已撤去了貴賓身分，咱們奉閻王之命，鎖你去見。」

俞秀凡微微一笑，道：「想不到這人間地獄，還有閻王，你兩位就是閻王帳前的鬼卒了。」

手執鐵牌的鬼卒哼了聲，道：「不錯，閣下是束手就縛呢，還是要抗拒鎖拿？」

俞秀凡一閃身，退開了五尺，道：「把這兩個鬼卒給廢了。」

無名氏和啞巴同時出手，突向兩個鬼卒撲去。

那手執鐵牌的鬼卒，鐵牌一揮，迎面拍來，隨著那拍來的鐵牌，數十枚銀針，一齊射了過來。

無名氏吃了一驚，一吸氣，仰身倒臥，身體幾乎貼在了地上。

數十枚銀針，掠面而過，無名氏一挺而起，右手疾快地拍出一掌。

那執牌鬼卒一牌落空，立時身隨牌轉，手中鐵牌施出一招橫掃，斜裏劃來。這一招十分玄妙，不但避開了無名氏的一掌，而且第二牌連續攻到。

無名氏一閃避開，冷冷說道：「閣下是真人不露相啊！」雙掌連環拍出。

那手執鐵牌的鬼卒，一語不發，鐵牌縱橫，展開了一輪猛攻。這人不但鐵牌招數凌厲，而且鐵牌內還藏有暗器，若非無名氏這等武功的高手，勢必要傷在那鐵牌飛針之下。

黑衣啞巴和那手中執鐵索的鬼卒，也展開了一場凶厲的搏殺。

只見他手中鐵索伸縮，忽長忽短，變化萬端，莫可捉摸。

俞秀凡一側觀戰，只看得心中震駭不已。暗道：小小的鬼卒，竟有如此武功，閻王可想而

知，何況造化城中人了。

四人拚搏五十六招，無名氏才找到了一個空隙，欺身而上，一掌拍在執牌鬼卒的後背之上。那執牌鬼卒冷哼一聲，倒摔在地上。

原來，無名氏掌內暗蓄真力，一掌震斷了那鬼卒心脈。

黑衣啞巴眼看無名氏已然得手，心中大急，顧不得暴露身分，突然一個旋身步，直欺入那鬼卒懷中，左手一招「捕風捉影」，抓住了鐵索，右手一掌，劈向了頂門。

那鬼卒一縮頭，斜斜避開了半尺，讓過一掌。但他未料到黑衣啞巴雙手並用的同時，又飛起了一隻右腳。但聞蓬然一聲，右腳正踢在那鬼卒的小腹之上，身軀飛起了七、八尺高，又重重地摔在地上，連哼也未哼一聲，人已氣絕而亡。

無名氏微微一笑，道：「一式三招，心分手足，啞兄原來是一位深藏不露的人。」

黑衣啞巴苦笑一下，抱拳一禮。

俞秀凡雖然看得明白，但卻不知兩人之間打的什麼啞謎，雖然他文武兼資，聰慧過人，但究竟是江湖上閱歷太少，未曾想到黑衣啞巴行禮的用心，是怕那無名氏說出他的來歷。

無名氏一回頭，道：「小主人，這兩個鬼卒，武功不弱，不知是什麼出身。可惜，他們形貌全變，未留下一點可以追尋的線索。」

俞秀凡道：「如是武林分有等級，他們應該名列幾等？」

無名氏道：「那要看怎麼一個分法了。用在下作準呢，還是以你小主人作準？」

俞秀凡道：「你算幾等身手？」

無名氏道：「未遇你小主人之前，在下該是第一級的人物，遇你之後，我似是應該降一級了。」

俞秀凡道：「這兩位鬼卒呢？」

無名氏道：「三級身手。不過，他們只是鬼卒身分，如是牛頭、馬面、判官、閻王之流，咱們就算不落敗，只怕也難以取勝，那就要看你小主人了。」

俞秀凡笑了一笑，道：「這麼說來，閣下對我很有信心了。」

無名氏笑道：「如是沒有一點信心，我等也不會來了。」

俞秀凡道：「好！咱們合作鬥鬥閻王爺，闖闖造化城，就算咱們戰死此地，也是一樁揚名千古的事。」

無名氏笑了一笑，道：「能不死咱們最好不要死，俗話說得好，好死不如賴活著。」

俞秀凡道：「你在地獄之中時日很久了，對這地方，是否熟悉？」

無名氏道：「這地方一片混沌，再住二十年，也是瞧不出一點名堂來。」

俞秀凡道：「那只有亂闖它一陣了。」

無名氏道：「怎麼一個闖法呢？」

俞秀凡道：「那白面女子進入這室中，咱們也進去看看。」

俞秀凡突然舉步而入，搶先行入室內。

室中一片黑暗，目難見物，無名氏冷笑一聲，道：「小主人、啞兄，兩位請閃開，兄弟先砸爛這室中之物，然後，再放把火，把它燒了。」

俞秀凡心中忖道：這地方到處不見天日，除了見房就燒，鬧它一個天翻地覆，等他們找來之外，確也沒有別的辦法。因這地方不但沒有光亮，而且，所有的建築，也都是一片黑色。

心中念轉，口中說道：「多多小心。」快步返了出去。黑衣啞巴也跟著退到室外。

無名氏大聲喝道：「屋裏如若有人，那就請回答在下一句話，如是朋友不肯回答，那就別怪在下打它個一塌糊塗，燒你個片瓦不存。」但聞四下回聲盈耳，並無回答之人。

無名氏右手揮轉，鐵索飛出。只聽一陣乒乓之聲，似是有不少木器碎飛之聲。

這室中，大約只有一張木桌，鐵索揮動之下，木桌很快被擊成碎屑，鐵索擊在了牆壁之上，火星飛濺，響起了金石相撞的聲音。顯然，這座黑室，是黑色的岩石做成。

無名氏打了一陣，突然收回鐵索，伸手從懷中摸出了一個火摺子，一晃而燃。火光映照之下，只見那室中一張木桌，已被打碎，除了木桌和一對撞破的木門之外，室中都是黑色的岩石堆成。

無名氏苦笑一下，緩步行了出來，道：「房子蓋得很絕，簡直是無物可燒。」

俞秀凡道：「咱們該如何？」

無名氏道：「這要看你主人了。」

俞秀凡道：「那白面女子進入這石室之中，此刻既然不在石室，那證明了這石室之中，定然有著秘道。」

無名氏道：「不錯，他們一直在地道往來，所以，才能神出鬼沒的叫人防不勝防，」

俞秀凡腦際靈光連閃，道：「是了，那造化城主通建築之學，所謂地獄，必然是另有天地。這地方，只不過是用來囚禁十方別院的高人。」

再仔細想一想，進入地獄的經過，心中突然悟出了很多的道理，輕輕咳了一聲，道：「無名兄，把你手中的火摺子給我。」

無名氏遞過火摺子，俞秀凡大步行入室中。

俞秀凡迅快又仔細地查看過四面的牆壁，又緩緩退了回來。

這時，火摺子已經燃盡，火光一閃而熄。

無名氏道：「小主人，瞧出了什麼？」

俞秀凡道：「明明知道那石室中有個地道，可惜咱們找不到地道入口，唉！如是她在此地，這些機關布置決然瞞不過她。」

無名氏道：「什麼人？」

俞秀凡沉吟了一陣，道：「璇璣宮中人。」

無名氏微微一怔，道：「你認識璇璣宮中人？」

俞秀凡道：「不錯，在下到過璇璣宮，認識璇璣宮主。」

無名氏道：「小主人認識璇璣宮主？」

俞秀凡笑了一笑，道：「其實，在下認識的人不多，不過，在下確然認識璇璣宮主。」

無名氏道：「咱們並非懷疑小主人說的是謊言，只是希望小主人能告訴咱們，你的真實來歷。」

俞秀凡道：「在下沒有來歷，所以，也無法奉告什麼。」

無名氏突然覺著這位年輕人十分精明，立刻生出了一種敬畏之心。緩緩說道：「如若有璇璣宮之人在此，定然能很快找出這室中機關所在。」

俞秀凡道：「沒有璇璣宮人，咱們也該想法找出這室中的機關。」

俞秀凡突然向後退了兩丈，盤膝而坐，道：「在下相信，咱們一直在他們的嚴密監視之

下，如是咱們能夠靜止下來不動，他們忽然失去了咱們的行蹤，他們急於找到咱們的焦慮，決不在咱們之下了。」

無名氏道：「高明啊，小主人！看來，不止是在武功方面，兄弟和啞兄只能做一個從人的身分，就是在機智、才能方面，我們也只能追隨學習了。」

俞秀凡道：「無名兄言重了。」

三人放輕了腳步，行出約三、四丈遠，悄然停了下來，分成了三個方位，用背相對，盤膝而坐。三個人靜下心來，冷眼向四面觀察。

事情果然不出俞秀凡的預料，三個人坐下不過頓飯工夫之久，黑室中突然亮起了一盞藍色的燈火。藍火出現在黑室門外，隱隱間可見四、五條人影，站在那藍色的火焰之後。

俞秀凡低聲道：「他們來了，這次，咱們要想法子生擒他們幾個才行。」

無名氏道：「他們似乎是有四個人。」

俞秀凡道：「不錯，是四個人。」

無名氏道：「在下和啞兄突然施襲，只能各生擒一個人，餘下兩個人，看來要主人親自出手了。」

俞秀凡心中實在沒有把握能夠一舉生擒兩人，但他心中明白，無名氏這番話半是敬仰，半是刁難，只好硬著頭皮答應下來。

只見那藍色的燈火，緩緩向前移動，四個人影，也分開向四周散開，布成了一個扇面的陣勢。俞秀凡等也緩緩移動，分別選了幾個有利的形勢。

那藍色燈火後四條人影，突然間四下分開，向前行來。中間兩個，一個舉著燈火，一個手執三股叉。另外兩個人分在左右，相距了大約一丈餘，手中也各執一柄三股叉。

俞秀凡、無名氏、黑衣啞巴，也各自選擇好對象。突然間，三條人影，疾如流星一般，直向四個鬼卒，撲了過去。俞秀凡左右雙手齊出，快速絕倫地抓住了居中兩個鬼卒。

無名氏和黑衣啞巴，也快速絕倫地欺身而上。但左、右兩個鬼卒，已然心生警覺，鋼叉抖動，直向兩人刺了過去。無名氏右臂一抬，蓬然一聲，震開鋼叉，右手一把抓向了執叉人之手腕。他蓄勢出手，力道強猛無比，那鋼叉被震飛起五、六尺高，但右手卻未扣上對方的腕穴，只是掃中了那鬼卒的脈門。

但這一擊，也使那執叉鬼卒，戰力大傷，身軀一晃。無名氏費了十招變化，才制服了左首鬼卒。

黑衣啞巴也未能一擊得手，也費了一番手腳，重創那鬼卒之後，才把對方制服。

這時，兩人對俞秀凡的敬佩不得不更進一層，只覺俞秀凡一舉擒住了兩名鬼卒，那麼輕輕鬆鬆，全無半點吃力的感覺，自己兩人只各擒一個，卻費了不少的工夫。

無名氏苦笑一下，道：「小主人，咱們心服口服了。」緩步行了過去，點了兩個鬼卒的穴道。

就是這一陣工夫，四周突然亮起了十幾盞藍色的燈火，鬼影幢幢，把三人給圍了起來。

俞秀凡哈哈一笑，放了兩個鬼卒，道：「你們哪一位可以講話的，請出來一個。」

只聽一聲冷厲的長笑，傳了過來，道：「什麼人說話如此可惡？」

藍色燈芒閃動，人影分裂，閃出了一個身穿紅袍的怪人。這人的一身衣著十分奇怪，頭戴烏紗帽，身著大紅袍，手中拿著一枝有如兒臂的判官筆，挺著一個大肚子。

俞秀凡冷冷說道：「你是人是鬼？」

紅袍人道：「本座陰府判官龐龍。」

俞秀凡道：「陰府判官不是人了？」

龐龍道：「判官掌人間生死大事。」

俞秀凡道：「有道是閻王好見，小鬼難纏，你帶我會見你們的閻王去。」

龐龍道：「先過了老夫這一關，再見閻王不遲。」

俞秀凡突然飛身而起，直向龐龍衝了過去，但見人影閃動，龐龍身側突然飛起了數道寒芒，直向俞秀凡迎了過去。

俞秀凡大喝一聲，雙掌一分，強猛的掌力，震偏了四把近身鋼叉，人卻在寒芒交錯中直竄進去，欺到了龐龍的身側。

龐龍吃了一驚，想不到護駕四鬼，竟然擋不住俞秀凡這一衝之勢。就在他念頭轉動之間，龐龍突然感覺著右手腕上一緊，竟然被人扣住。龐龍這一驚非同小可，立時呆在了當地。

俞秀凡冷冷說道：「在下常聽人言，鬼是一口氣，視之有形，觸之無物。但閣下不但脈穴跳動得厲害，而且還有血有肉，完全不像是鬼，是活生生的人。」

龐龍長長吁一口氣，道：「你就是我們城主的貴賓麼？」

俞秀凡道：「不錯，在下正是俞秀凡。」

龐龍道：「老夫奉命特來請閣下往閻王殿晉見閻王。」

俞秀凡冷冷一笑，道：「在下想請教一事。」

龐龍道：「老夫洗耳恭聽。」

俞秀凡道：「貴組合中，是城主大呢，還是閻王大？」

龐龍道：「自然是城主大了。」

俞秀凡道：「在下是城主的貴賓，用不著去見閻王了。」

龐龍道：「目下在這地獄轄區之內，最大的就是閻王，閣下既在人間地獄，自然是應該先見閻王了。」

俞秀凡道：「就算是一定要見閻王，那也用不到晉見二字。」

右手突然加力，一抬一扭，但聞格登一聲，龐龍右臂，由肘間被生生扭做兩斷。

龐龍強行咬著牙，未哼出聲，但卻疼出了一頭大汗。

龐龍右臂骨折，苦疼難忍，哪裏還敢發作，輕輕咳了一聲，道：「好！在下替貴賓帶路。」轉身向前行去。

俞秀凡緊追在龐龍身後，冷冷說道：「判官，你如想要出一點花樣，當心那條左臂。」

龐龍道：「在下既是奉命來接待貴賓，自然是應遵守禮數了，閣下但請放心。」

在判官龐龍的引導之下，三個人行入了一座巨大的黑屋前面。

十數盞藍色燈火，緊隨在俞秀凡等三人之後，行近黑屋。

龐龍舉手在那巨大黑屋的木門上，擊了三下。但聞木門呀然而開，一陣強烈的碧光，直射出來。

俞秀凡定定神，向裏面望去，只見一座敞大的廣廳中，高燃著十幾把火炬。每一把火炬上，升起了一尺多高的火焰，散發出強烈的碧光。十二把碧火，照得敞廳一片慘綠顏色。

判官龐龍一欠身，道：「貴賓請。」

俞秀凡吸一口氣踏入大廳，但他立刻又停了下來，道：「閣下領頭。」

龐龍輕輕咳了一聲，進入廳中。無名氏和黑衣啞巴，緊追在龐龍的身後，行了進來。眾鬼卒，都留在大廳門下。無名氏和黑衣啞巴最後一步跨入大廳中時，那兩扇大開的黑門，突然間閉了起來。

俞秀凡已回手一把，又抓住了判官龐龍的傷臂。

龐龍冷笑一聲，道：「俞秀凡，你是貴賓的身分，也是很有名望的大俠，這樣的作法，豈不有失身分麼？」

俞秀凡哈哈一笑，道：「龐龍，你錯了。俞秀凡在江湖上，只是一個無名小卒，談不上什麼大俠，貴組合把我俞秀凡當做貴賓接待，實是不值得很。」

龐龍道：「你如是默默無聞之人，城主怎麼對你如此的恭敬。」

俞秀凡道：「很不幸的，那是貴城主的錯誤，貴城主不是神，不是永沒有犯錯誤的機會。」

龐龍道：「我們這地獄之中，囚禁了不少的高人，但像閣下這等的高手，在下還是初遇。」

俞秀凡道：「那算你倒霉，我既是默默無聞的小卒，也用不著講什麼江湖規矩，只要你能忍受肉體上折磨的痛苦，你就不要回答我的問話。」

龐龍道：「你知道，你們現在進入了什麼地方麼？」

俞秀凡道：「人間地獄之中，還會有什麼動人的地方麼？」

龐龍道：「這地方叫做斷魂壘，這裏的人，都是瘋人。」

俞秀凡道：「是瘋人？」

話未說完，突聞幾聲尖厲的怪嘯，傳入耳際。那是一種入耳刺心的聲音，是人性另一反面的獸性。

俞秀凡吃了一驚，轉頭看去，只見數十個長髮披垂，衣服襤褸的怪人，尖叫著撲了過來。

俞秀凡伸手抓起了判官龐龍，竟把龐龍高高舉起，當做兵刃。

龐龍心頭顫動，忘記了臂上的疼苦，恐怖地叫道：「他們會把我撕成碎片，快快放過我。」

在碧綠火光下，撲過來的數十個長髮怪人，面形怪異，形如厲鬼一般，看得俞秀凡也不禁心頭顫動。無名氏、黑衣啞巴，也被這等恐怖的氣氛、形勢所震駭，揮動了手中的鐵牌、索鍊。

俞秀凡長長吁一口氣，道：「龐龍，可怕的不是鬼，而是人。」

無名氏突然發出龍吟般的長嘯，鐵索掄動，疾向當先撲來的兩人掃去。黑衣啞巴也揮動鐵牌，迎了上去，那樣重的一塊大鐵牌，被他舞得呼呼生風。

那些人雖然衣衫襤褸，發出獸性般的呼喝，但武功卻高強得很，無名氏和黑衣啞巴手中的鐵牌、鐵索，揮動得風聲呼呼，疾如閃電，但那些瘋人，竟然能輕輕鬆鬆地閃避開去。

這些人似是餓了很多時的老虎，又像是地獄中放出來的一群厲鬼、惡魔，形狀醜怪，卻偏又身負絕技。只見他們忽進忽退，手指揮舞，長長的指甲，在碧綠的火光下，閃動魔爪似的光芒。

這些人，雖然是瘋瘋癲癲，但對傷亡的感受，還極敏銳。在鐵牌和鐵索的交織揮舞之下，構成了一片寒芒光幕。那些一擁而上的狂人，突然分開了一部分，向俞秀凡攻了過去。

俞秀凡雙手掄動，竟把判官龐龍當做了兵刃，橫裏擊去。

那群狂癲之人，對俞秀凡手中的人肉兵刃，竟然視若無睹，掌指分至，抓了過去。只聽一陣嗤嗤之聲，傳入耳際，中間又夾雜著龐龍的淒厲慘叫。不過四、五十招，判官龐龍已然不成人形，這個抓下一塊肉，那個抓下一片衣服，整個人變成了一個血肉模糊、完全不像人形，已被完全撕成了片片碎肉。

俞秀凡內力強猛，雖然只餘下龐龍的半個身子，但仍然把圍攻的狂人，逼在四、五尺外。

無名氏和黑衣啞巴，手中的鐵索、鐵牌，雖然舞得凌厲、嚴密，但那圍在四周的狂人，仍然抵隙、蹈虛，揮掌攻擊。

兩個人合力對付十個狂人，並不得輕鬆。這些癲狂之人，除了高明的武功之外，還有一種泯不畏死，勇往直前的氣勢，十分懾人。

俞秀凡突然感覺到手中缺少了一支長劍，對這些聲勢嚇人的威脅，也不禁暗自震駭。忖思之間，突然手中一緊，手中已死的判官龐龍，突然又被人撕去了一半。

碧綠的燈光下，只見兩隻帶著一寸多長指甲的怪手，突然向臉上抓了過來。

俞秀凡大喝一聲，把手中一截屍體，投了出去，因用力甚猛，這一截屍體蓬然一聲，擊在近身怪人的前胸之上。那怪人被這一擊，震得向後退了三步。但兩側又伸過四隻怪手，分別攻向俞秀凡的雙肩和前胸之上。

不論俞秀凡何等膽氣，但此情此景之下，心中也生了很大的驚恐。震駭之下，疾快地向後

退了三步。

那些形如瘋狂的怪人，一見俞秀凡向後退避，突然怪嘯一聲，潮水一般，向俞秀凡攻了過去。

這些瘋人，有如洩在地上的水銀一般，無孔不入，俞秀凡這一向後退避，正是對付瘋人的大忌。

無名氏突然一伸手中的鐵索，唰的一聲捲了過去。鐵索舒展，擊中了幾個伸向俞秀凡的怪人手臂，清晰地可以聽到骨折之聲。

就這一擋之勢，使得俞秀凡避過了幾隻抓向胸前的怪手。這一擋之勢，也使得俞秀凡神智一清，大喝一聲，劈出兩掌。

在這等驚恐之下，這兩掌迸發出俞秀凡全部的潛力。強勁的內力，有如排山倒海一般，湧了過去。只聽得一陣波波大震，近身的七個瘋人，被震得直向後面飛去。

這些狂人，雖然在動手時還保有著適當的清明神志，但他們究竟不如常人那樣反應靈敏，俞秀凡強大掌力震退的七個，當然是身難由己，但後面的狂人，卻又不知讓避，於是一上一退之間，撞在了一起。耳際響起了連聲怪吼，四個被震退的狂人，被身後衝上的怪人的手貫穿背心，濺血而死。三個被身後拍來的掌力，前後夾擊，立時氣絕。

廿二 天龍禪唱

俞秀凡避過一次大難，但無名氏的鐵索卻被一個狂人抓住。

無名氏全力一帶鐵索，未能收回那抓住鐵索的怪人，卻借機一轉身軀，直欺入無名氏的懷中，像一股洪流般；另兩個狂人，緊隨著欺入了無名氏的身側。無名氏不得不棄去了手中的鐵索，疾快地拍出了一掌。

俞秀凡兩手並出，抓住了兩個怪人的衣領，突然一帶，施出卸字訣，把兩個怪人摔了出去。

無名氏和當先一個怪人，對了一掌。波然輕震之中，那怪人被無名氏震退了三步，但無名氏本人卻也被震得退了一步。

俞秀凡身子一轉，和無名氏並肩而立，道：「無名兄，快些撿起鐵索。」口中說話，雙掌連連劈出，避開向前湧來的狂人。

碧光映照在斷魂壘，確有著一幅見者斷魂的悲慘畫面。可惜的是，這些慘景，阻不住這些狂人，在搏鬥的過程中，他們似乎已經忘了生死，失去了恐懼，足踏著同伴的屍體、血跡，向上攻來。這等狂勇的豪壯之氣，確是叫人有些心寒。

無名氏在俞秀凡掌力護衛之下，撿起了地上的鐵索，也使他在這等瞬息死亡的空間，獲得

了一些餘暇，從容地看了四周的形勢一眼。碧綠燈火，悲慘景像，瘋狂的怪人，看一眼就叫人頭皮發炸。

忽然間，無名氏覺著雙手有些發軟，似乎握不住手中的鐵索。回頭看黑衣啞巴手中的鐵牌，有如輪轉一般的快速，帶起了疾勁的風聲，渾如一體，逼住了周圍的狂人攻勢。

無名氏長長嘆一口氣，道：「在下闖蕩江湖，身經百戰，從沒有見過今日這等場面，真是觸目驚心，終生難忘。」他自言自語，也沒有人理會於他。

他猛的一提丹田真氣，運勁行入雙臂，抬起手中的鐵索。目光一瞥間，發覺文雅、瀟灑的俞秀凡，此刻似乎也變了樣子，雙目圓睜，臉上是一股無法描述的神情，半是悲忿，半是驚恐。

忽然間，響起了悠揚的聲音，清亮、明脆，傳入耳中。像歌聲那樣的好聽，但卻有符咒一般的力量，狂如湧潮，不畏死亡的瘋人，突然間停下了手，臉上一股暴戾之氣，也逐漸地消去，緩緩地向後退去。

那是一種平和的歌聲，入耳之後，有著春風過體一般的溫柔。

俞秀凡、無名氏，都停下了手，但那黑衣啞巴，還在狂舞著手中的鐵牌。

無名氏嘆口氣，手中鐵索一抖，直向鐵牌迎去。一聲金鐵大鳴，黑衣人狂舞的鐵牌，力道強大，幾乎碰飛了無名氏手中的鐵索。

但這一擋之勢，也封住黑衣啞巴手中的輪轉鐵牌。

俞秀凡借勢欺人，一把扣住了黑衣啞巴的右腕脈穴，奪下了他手中的鐵牌。凝目望去，只

見黑衣啞巴，臉上肌肉僵硬，雙目發直。

似是已陷入了神志迷亂之境。

俞秀凡輕輕一掌，拍在黑衣啞巴背心上，內力透入，道：「啞兄，醒一醒！」

在極度緊張後，突然間恢復了過來，黑衣人忘我的衝口說道：「我不啞了！」

這時，那平和的歌聲，已然消失，碧火綠光的大廳中，卻坐著一個長髮披面的怪人。

俞秀凡緩步行了過去，三尺外停下腳步，一抱拳，道：「多謝援手之情。」

長髮人突然一甩頭，覆面長髮，拋到腦後，露出了一張清麗的面孔。敢情，竟然是一位女的，長長的柳眉，端正的五宮，嘴角還帶著微微的笑意。

俞秀凡、無名氏、黑衣人，臉上都泛出了驚異之色，雖然都沒有說話，但三人的神色，可以看出三人心中的激動之大。那長髮女子只是望著三人笑笑，似是極不願意先行開口。

俞秀凡輕輕咳了一聲，抱拳一禮，道：「姑娘的歌聲，充滿著祥和之氣，竟能使那些癲狂的人完全聽命行事。」

那長髮女子笑了一笑，道：「誇獎了。」她穿的衣服，到處破損，但臉上卻綻開著百合花般的笑容。

這女人除了一副美麗的笑容之外，還具有著一種特殊的氣質，那氣質給人一種春風化雨的感覺，好像不論多麼暴虐、狂癲的人，一旦和她目光接觸，立刻就平靜下來。

俞秀凡突然間有一種慚愧的感覺，回顧了那些屍體一眼，緩緩說道：「在下很慚愧，失手殺了這許多人。」

長髮女子輕輕嘆息一聲，道：「說起來，也不能全怪你們，他們這些人都已失去了理性，

成了無法控制自己的狂人，你們就算願意忍讓，他們也無法感受得到。」

無名氏道：「姑娘，在下敢說一句，世上如若有鬼，也沒有他們可怕。任何正常人，到這裏，都無法忍受、相處下去。」

長髮女子道：「我呢？」

無名氏呆了一呆，接道：「你！你……」

長髮女子道：「我是否也是瘋癲的狂人？」

無名氏道：「你不像。」

長髮女子道：「我不是不像，而是根本沒有瘋。但我和他們相處得很好。」

無名氏道：「這倒是一樁很奇怪的事了，好生叫人難解。」

俞秀凡道：「唉！無名氏，這位姑娘是具有大智慧的人，心悟妙諦，行如慈航，普渡眾生，歌如梵唱，能叫頑石點頭。」

長髮女子道：「這太玄妙了。我哪能有如此的大智慧，不過我了解他們，才能以聲音引渡他們回復到自我之境。」

俞秀凡嘆道：「姑娘不要客氣了，在那等生死一髮、全力搏命的時刻，姑娘幾句清音妙歌，使他們忽然間收住了狂性，這一份神奇德能，就算我佛說法，也不過如此了。」

長髮女子兩道清澈的目光，投注在俞秀凡的臉上，微微含笑。

她笑得是那麼純潔，那麼仁慈，如朝陽旭日，像和風拂面。

她緩緩站起身，道：「閣下讀了很多書？」

俞秀凡一欠身，道：「小生出身一寒儒，因一點機緣引渡，棄書學劍。」

長髮女子穿了一件黑色的羅裙，但已多處破裂，隱隱間露出渾圓的小腿和雪白的肌膚，赤著一雙天足。

只見她舉手理一下披肩的長髮，道：「三位請坐息一會兒，我去去就來。」舉步向前行去。

破裂的長裙，在她舉步行動之間，忽張忽合，一雙玉腿，更爲清晰可見。

她是個很美的女人，行動之間，可見一副好身材。在那個時代，像這樣暴露肌膚的女人，可算是絕無僅有的事。但俞秀凡等三人，不但心中無雜念，反有著一種崇敬無比的心情。

只有領悟到佛門上乘大法的人，才能有這樣的仁慈，和這些瘋人們相處一起而不生厭惡。只有具有著大勇的人，才有這樣無畏的勇氣，面對著這些失去理性的狂人，不生畏懼。

忽然間，俞秀凡內心中生出了無比的敬慕，對著那長髮少女的背影，恭恭敬敬地行了一禮。無名氏、黑衣人學著俞秀凡，也各自抱拳一個長揖。

俞秀凡道：

「咱們的鎮靜功夫太差，適才咱們和一群狂人動手時，似乎已經到了神智迷亂的境界。只要再打下去，就算咱們不死於那些狂人之手，自己只怕也要變成了瘋狂之人了。」

無名氏微微一笑，道：

「不錯。和那些狂人動手，如是不變得瘋狂，那就會丟了性命，單是他們那股擁上來的氣勢，就足以震嚇人心了。」

黑衣人望了無名氏一眼，欲言又止。

無名氏道：「閣下，現在兄弟不能再叫你啞兄了，對麼？」

黑衣人嘆口氣，道：「想不到哪！我數年之功，廢於一旦。」
無名氏道：「咱們也想不到這人間地獄中，會有這麼一座斷魂壘。」
黑衣人道：「無名兄，你貴姓啊？」
無名氏怔了一怔，道：「無名氏三個字叫起來滿順耳的，閣下如是覺著不對，叫我無名兄也行。」
黑衣人笑了一笑，道：「兄弟是恭敬不如從命，你以後也還叫我啞兄就是。」
無名氏聳聳肩，道：「你可是覺著咱們還能回到萬家別院？」
黑衣人道：「爲什麼不能？」
無名氏道：「咱們如不死在這斷魂壘，造化城主如何還會放過咱們。」
黑衣人道：「如若這斷魂壘這些瘋狂殺手，無法殺死咱們，這人間地獄之中，只怕再沒有什麼能對付咱們的力量了。」
無名氏道：「咱們逃過了這次劫難，一是那位女菩薩的無敵禪唱，消去了那些狂人的悍戾之氣；二是小主人強勁的掌力，拒擋住他們的攻勢，你如認爲是你那面鐵牌之能，那就謬誤千里了。」
黑衣人道：「在下適才全力拒敵，已經記不起搏殺的經過了。」
無名氏道：「多虧小主人的強猛掌力，才算把咱們從死亡中解救出來。」
語聲微微一頓，接道：「你閣下裝啞巴跑到人間地獄來，大概不是自己的原意吧？」
黑衣人道：「你閣下呢？」
無名氏笑了一笑，道：「在下是受人之托而來。」

黑衣人道：「兄弟命苦，我是奉命而來。」

無名氏微微一笑，道：「閣下有沒有受毒癮控制？」

黑衣人道：「兄弟是有備而來，自然不會受福壽膏的控制了。」

語聲微微一頓，接道：「閣下呢？」

無名氏道：「在下既是受人之托，自然要忠人之事，所以，兄弟也不敢染毒。」

黑衣人目光轉注到俞秀凡的臉上，只見他微閉雙目，盤膝而坐，神色肅穆。

心中一動，笑道：「無名兄，咱們可是真要跟著這位俞少俠，做三個月或半年的從僕麼？」

口中說話，右手一探，突然按在了俞秀凡的背心之上。

無名氏呆了一呆，道：「閣下，你要幹什麼？」

黑衣人道：「在下不想跟人做爲從僕，所以，希望和這位俞少俠再談談了。」

無名氏冷冷說道：「假啞巴，你如殺了俞少俠，咱們兩個人，立刻都將被這些狂人撕成片片碎肉。」

黑衣人笑道：「那些狂人，不是爲那位女菩薩的禪唱之聲，完全控制住了嗎？」

無名氏道：「所以，你就想殺了俞少俠？」

黑衣人道：「如若咱們真的跟著他做了三個月或是半年的從僕，那可是終身大憾大恨的事。」

無名氏道：「就算是一大恨事，但咱們也不能冒著生命之險，賭這一記。」

黑衣人道：「人死留名，雁過留聲，在下覺著，就算咱們要死在此地，也不能留做別人的話柄啊！」

無名氏雙眉聳動，冷冷說道：「閣下多想想，你如真的傷害了俞少俠，第一個咱們就沒有朋友做了。」

黑衣人道：「這麼嚴重麼？」

無名氏冷冷說道：

「何止如此，在下在江湖上走動的時間不短，見識也不能謂不多，但在下從沒有見過像他那樣武功的人，舉手投足之間，就能制服住像你閣下這樣的高手。」

黑衣人道：「不錯。他武功誠然很高，但在下覺著，他這點年齡，如何配做咱們的主人呢？」

無名氏暗自提一口氣，道：

「閣下，你未必能殺害得了俞少俠。只要你一擊不能置他於死地，俞少俠的反擊，可能一掌取你之命，何況，還有在下。」

黑衣人道：「你要幫他？」

就在黑衣人心神一分之際，俞秀凡突然斜裏滑開了五尺，脫出了黑衣人的掌勢控制。

無名氏微微一笑，道：「朋友，你夠險但卻不夠穩。」

俞秀凡已緩緩站起了身子，笑道：「閣下，可是還想和兄弟動手一搏麼？」

黑衣人突然轉身一躍，隱入了暗影之中。原來，這座大廳中的碧綠火炬，光焰都對著裏面和門口照射。但那火炬後面，卻是一片陰影。黑衣人就竄入那陰影之後不見。

無名氏低聲說道：「小主人，可要把他搜出來？」

俞秀凡插搖頭，道：

「這斷魂壘，充滿著殺機，他這一闖，必將引起一陣騷動，如若咱們再跟著亂闖，只怕立刻要章法大亂。」

無名氏道：「他如闖入了囚禁狂人之處，必將引起那些狂人的攻擊，以那些人的武功，他闖出的機會不大。」

話未說完，突聞一聲大喝，人影閃動，那隱入火炬後面的黑衣人，突然飛奔而出。

無名氏沉聲喝道：「過來！」

那黑衣人大約已經吃了苦頭，竟然不再堅持己見，身形轉動，人已閃在俞秀凡和無名氏的身後。

俞秀凡雙掌揮出，拍出兩股強力，一先一後，攔住那些狂人。

當先奔行的狂人，被俞秀凡遙發的掌力擊中，向前奔行的身軀，突然一頓。那長髮狂人身受掌擊，突然轉身向俞秀凡撲了過來。

但俞秀凡第二波掌力，卻又及時而至，蓬然一聲，擊中那狂人前胸。這一擊的力量很大，那向前奔行的狂人，突然張口噴出一股鮮血，身子忽然停住。但後面的狂人，卻未停往，雙手一推，當先一個狂人的身軀，忽然飛了起來，直向俞秀凡等撞了過來。

無名氏雙手伸出，抓住那飛來的屍體，俞秀凡卻連續拍出了兩掌。強猛的掌力，攔住了三個狂人的撲攻之勢。他發出掌力，只用出六成內勁，生恐再傷到了人。

三個狂人，卻不知俞秀凡手下留情，身形一頓之後，忽然散開，分由三個方位，向俞秀凡等撲了過來。無名氏和那黑衣人分別拒擋兩側撲來的狂人，俞秀凡只好迎上居中攻來的敵勢。

這一次，幾人手中都無兵刃，而且是一對一的局勢。俞秀凡一招擒拿，抓住敵手的左肩，順手點了他的穴道。

回頭看時，只見無名氏、黑衣人和另外兩個狂人，卻展開了一場十分激烈的搏殺。但見拳腳紛陳，指影點點，打得難解難分。

俞秀凡不敢出手助拳，目睹四人搏殺的激烈，心中感慨萬端，忖道：這些狂人，一個個武功如此高強，不知是原來具此等身手，或是變成了瘋癲人之後，才在武功上有此進境。

無名氏和這位黑衣人，既然受托、奉派來到這人間地獄，自然都是武林一流人物了，但這兩人，竟然也不過和這些瘋癲之人打上一個平分秋色，這斷魂壘，人人都可以列爲武林一流高手了。

心中念轉，突聞歌聲傳來，兩個狂人手腳同時緩了下來。那祥和的歌聲，有如春風過體一般，使得各人頓生出一股心平氣和的感覺，不自覺間，齊齊停下了手。兩個狂人緩緩轉過身子，行入那火炬光亮之外的暗影不見。

俞秀凡迅快地拍活了另一個狂人的穴道。在催眠般的歌聲下，那人也緩緩行入了火炬之後。

歌聲頓住，耳際間，傳來了清亮的女子聲音，道：「三位，請坐息片刻。這些人雖然受我的天龍禪唱感染，暫時失去了野性，但他們受不得一點撩撥，任何人只要受到一點撩撥，立刻就激發出他們的狂性，這一點，希望記著。」

俞秀凡道：「姑娘是菩薩化身，深入瘋人群中，救苦救難，德行崇高，令人欽敬。但望能指明我等一條出路。」

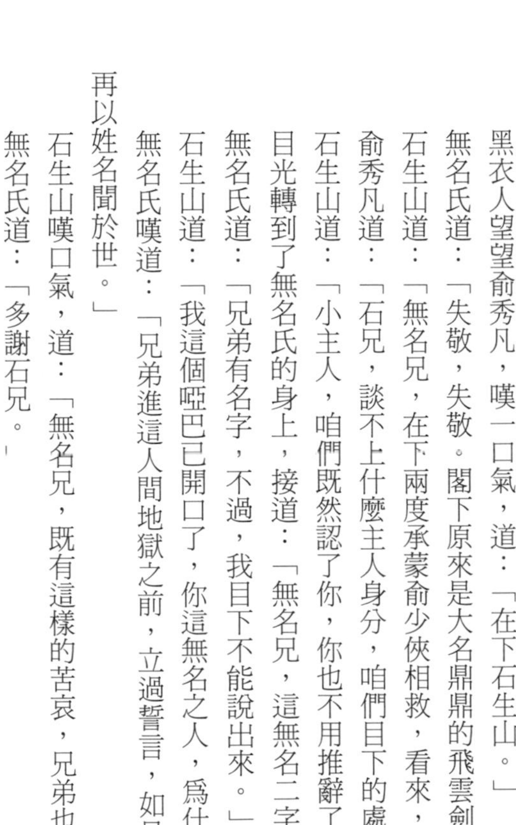

那女子聲音又傳了過來，道：「諸位請稍候片刻，容我把他們安撫好後，再和諸位做長時之談。」

俞秀凡一抱拳，道：「姑娘如此吩咐，咱們只好恭候待命了。」

無名氏望了那黑衣人一眼，道：「閣下，現在可以奉告咱們姓名了吧！」

黑衣人望望俞秀凡，嘆一口氣，道：「在下石生山。」

無名氏道：「失敬，失敬。閣下原來是大名鼎鼎的飛雲劍。」

石生山道：「無名兄，在下兩度承蒙俞少俠相救，看來，也只好承認他主人的身分了。」

俞秀凡道：「石兄，談不上什麼主人身分，咱們目下的處境，是一個同生共死的局面。」

石生山道：「小主人，咱們既然認了你，你也不用推辭了。」

目光轉到了無名氏的身上，接道：「無名兄，這無名二字，大概也不是你的本名吧？」

無名氏道：「兄弟有名字，不過，我目下不能說出來。」

石生山道：「我這個啞巴已開口了，你這無名之人，爲什麼不能說名字？」

無名氏嘆道：「兄弟進這人間地獄之前，立過誓言，如是不能打開這人間地獄，在下就不再以姓名聞於世。」

石生山嘆口氣，道：「無名兄，既有這樣的苦衷，兄弟也不便再問了。」

無名氏道：「多謝石兄。」

石生山目光轉注到俞秀凡的身上，道：「小主人，這座人間地獄，有這樣一座斷魂壘，在下等竟然全無所知。唉！看來，只怕還有很多的隱祕，沒有被咱們發現，這幾年我們真是白白度過了。」

無名氏輕輕嘆道：

「石兄，這人間地獄，只不過是造化城的一個環節，這裏面圈囚的高手之多，放眼江湖，就沒有能夠抗拒的實力。不過，好的是，這些人大部分都還心存著武林正義，未完全屈服在造化城主的威武之下。」

俞秀凡道：「兩位以我佛捨身餵虎的大仁大勇，混入這人間地獄之中，單是這一份豪氣，就足以叫武林人敬重無比。」

無名氏道：

「在下混入此地，已經三年多了。十方別院的情形，倒是了解了十之八、九，但對十方別院以外的情勢，那就完全隔閡了。不過，萬萬沒有料到，這斷魂壘中的瘋人，竟都具有武林第一流的身手。」

俞秀凡道：「問題在造化城主，用什麼手段把他們磨練成這樣的狂人，在神智迷亂之下，而能夠武功不失。」

無名氏道：「對！只有先找出他們被折磨的辦法，才能想出對付之法。」

俞秀凡突然微微一笑，道：

「無名兄、石兄，古往今來，不知有多少的凶殘惡毒之人，企圖謀霸江湖，但卻就是那一些心懷正義的仁俠之士，不畏強暴，不顧生死，揭發、誅絕了這些好惡之徒。看到了那位絕世才女，在下這份信心，就更爲堅定了。」

無名氏道：「說起來，當真是一件不可思議的事，那位姑娘，怎的能混入這群瘋人之中不被發覺？」

只聽一個清脆柔和的聲音接道：

「方法很簡單，我也變成了瘋人，他們就疏忽過去了。」

俞秀凡轉目望去，只見那女子已然換了一身可蔽肌膚的灰色衣裙，長髮也被一條灰色的布帶束起，露出了清晰的面目。那是一張很美的臉，姍姍地行了過來。

俞秀凡三人，內心對這位灰衣女子，生出了敬意，齊齊起身，抱拳一禮。

灰衣女子欠身還了一禮，道：「三位請坐，這地方沒有錦墩木椅，咱們就席地而坐吧！」盤起雙膝，當先坐下。

俞秀凡等依樣坐好，道：「這斷魂壘中，沒有管理之人麼？」

灰衣女子搖搖頭，道：「沒有。等閒之人，誰也不敢進入一步。」

俞秀凡道：「這些人的吃喝之物呢？」

灰衣女子道：

「那碧火之後，有數十間小室，整個斷魂壘用黑色的巨石砌成，堅牢異常，另外還設有機關埋伏。吃喝之物，都用機關控制，送入那小室之中。供應的食物，倒是十分豐富，便溺也可排洩出去，這是一座設計很精密的機關堡壘。」

俞秀凡道：「這些人又怎麼變成瘋狂的呢？」

灰衣女子道：

「就賤妾研究所得，他們用一種藥物，和一種奇怪聲音，使他們逐漸的消失了意志、記憶，腦際間變成了一片空白，這時，他們唯一能記憶的，就是一種聲音，他們的一舉一動，也就被控制在聲音之中。」

無名氏道：「真是曠古絕今，聞所未聞的惡毒法子。」

灰衣女子道：「他們對聲音有一種特殊的感應，任何一個輕微的聲音，都可能引起他們的反應，而且一出手，就很難自禁。」

俞秀凡點點頭，道：「精神、藥物並施，改造了人性，當真是可怕得很啊！」

灰衣女子道：「他們並未完全失去理性，每一日，總有一個半時辰，變得十分正常。」

俞秀凡接道：「在精神和藥物雙重摧殘之下，怎能還保有人性？」

灰衣女子點頭一笑，道：「俞少俠這份過人的才智，好生叫人佩服，破鏡、覆水，很難再收回重圓。後來，我仔細的查尋之下，才發覺，每一天有一種極低微的樂聲，傳送進來，那是常人很難聽到的聲音，但這些狂人的聽覺，勝過常人十倍，在那樂聲下，他們恢復了某種清醒。」

俞秀凡道：「樂道本是娛人性情，卻不料竟能變爲毀人的利器。」

石生山道：「可怕呀，可怕！姑娘所言之事，都是江湖上罕聞罕見的奇事。」

灰衣女子道：「這大約是音律學上最高的成就了。真可惜，那具有此才智的人，未把它用於正道。」

無名氏道：「在下和他們兩番動手，覺著這些狂人武功之強，可列江湖上頂尖高手，如若他們無法恢復正常的神智，那真是可怕的殺手。」

灰衣女子沉吟了一陣，道：「這就是我留此不去的用心了。」

俞秀凡緩緩說道：「姑娘可是準備以無邊的仁慈、愛心，渡化他們麼？」

灰衣女子道：「我是這樣想。但能不能做到，連我也沒有把握。」

俞秀凡道：「姑娘，如若很不幸，無法渡化這些狂癲之人，那將如何呢？」
灰衣女子道：「這個，我還沒有想到。」
俞秀凡道：「唉！姑娘，在下覺著，如若上乘大法無法渡化這些狂人，那只有一個辦法了。」
灰衣女子道：「什麼辦法？」
俞秀凡道：「與其日後讓他們造成江湖大劫，倒不如現在把他們毀去。」
灰衣女子道：「你是說殺了他們？」
俞秀凡道：「如是有別的更好辦法，自然是用別的辦法了。」
灰衣女子道：
「這一群狂人，有很多固然是未瘋狂之前，就作惡多端，死有餘辜。但也有很多，未入人間地獄之前，是江湖上的有名大俠，如若把他們全數毀去，心中是有不忍。」
俞秀凡道：「兩害相權取其輕，如若無法兩全其美時，只有擇一而行了。」
灰衣女子道：
「我倒想過一個辦法，不過一直找不到適當的人，助他們一臂之力，今見俞兄武功高絕，又具文才，對音律一道，似也有極深的修養，真是最爲恰當的人了。」
俞秀凡道：「姑娘的意思，可是要在下爲那些狂人效力？」
灰衣女子道：「正是此意。不過，賤妾卻不敢勉強俞兄，願否爲之，還是由俞兄自做決定。」
俞秀凡道：「這個，在下希望能先請說明內情，俞某人能夠做到，自然會助他們一臂之

力。」

灰衣女子道：「那樂聲能使他們暫時恢復神智，如是樂聲不停下來，他們就可以永遠清醒了。」

俞秀凡道：「就道理上說，應當如此。」

灰衣女子道：「那樂聲能傳入此地，想來，離此地不會太遠。」

俞秀凡道：「在下奇怪的是，他們如何能把聲音控制得那樣細小，而又能清晰可聞？」

灰衣女子道：「這不是太難的事，在這座斷魂壘的牆壁上，有著傳音的鐵管，就是為了訓練這一批人，才建了這座斷魂壘。」

俞秀凡沉吟了良久，道：「姑娘，那散播樂聲的人，不會在這斷魂壘中吧？」

灰衣女子道：「自然不會。」

俞秀凡道：「姑娘聽過那樂聲，是弦管，還是鼓鈸？」

灰衣女子搖搖頭，道：「都不是，聽起來，好像是一種由人口內發出的聲音。」

俞秀凡怔了一怔，道：「也是一種禪唱？」

灰衣女子道：「那應該是一種魔音。聽起來，比我的天龍禪唱，更為柔媚、動人。」

俞秀凡道：「以姑娘的才智去分析，這些狂人是藥物所致呢？還是魔音所迷？」

灰衣女子道：「藥物為本，魔音為輔。」

俞秀凡道：「如是未服藥物的人，會不會受到魔音的影響？」

灰衣女子道：

「自然會受到影響，不過，個人的修為、定力，也有很大的關係，善於控制自己的人，那

就不至於受害太重。」

俞秀凡經過了連番的搏殺之後，突然對自己的武功有了信心。最明顯的一件事，就是適才和幾個狂人動手的情形，無名氏和石生山只和兩個狂人，打得秋色平分，而自己只一招，就擒拿住了那狂人的穴道。

心中風車般打了兩個轉，緩緩說道：「姑娘，如若對方只憑武功和在下動手，在下倒不會害怕。不過，如若對方唱出魔音，在下就無法應付了。」

灰衣女子道：「你有足夠的聰明才智，我可以把天龍禪唱傳給你，學會此技，你就不用再怕魔音。」

俞秀凡微微一怔，道：「傳給我？這要多少時間？」

灰衣女子道：「那要看你的聰明才智了。」

俞秀凡道：「姑娘估估在下呢？」

灰衣女子道：「大約要三天時間，你才能學到要訣，至於要多少時間始能夠用於克敵，那就很難說了。」

俞秀凡道：「既非短期內能夠用於克敵，在下學來，也是無法濟急了。」

灰衣女子笑了一笑，道：「用於克敵，自然是需要一段時間，但你如用來自保，只要學會就行了。」

俞秀凡道：「原來如此。」

無名氏道：「照姑娘的說法，咱們必須留在這裏很久了。」

灰衣女子道：「這座斷魂壘修築得很奇怪，整座的堡壘，都是用生鐵和堅石合鑄而成，堅牢無比，決無法破壁而出。」

無名氏道：「照姑娘的說法，對方一日不打開門戶，我們就一日無法出去了。」

灰衣女子道：「是！」

廿三　力搏四煞

忽聞俞秀凡接道：「姑娘，咱們願意盡量忍耐，留在此地。」

灰衣女子道：「那好！不過，三位請做一件事情如何？」

無名氏道：「但請姑娘吩咐！」

灰衣女子道：「三位急於想離開這斷魂壘，那就想法子多找點機會了。」

無名氏道：「自然如此。」

灰衣女子道：「三位請把身上的衣服脫下一件，分穿在三具屍體身上。」

無名氏道：「多承指教。」

灰衣女子道：「我去給你們安排一個住宿之處，你們運氣好，也許很快就會打開堡門。」站起身子，緩步而去。

俞秀凡等脫下衣服，選了三具屍體穿好。

灰衣女子去而復返，帶三人行到了一支火炬後面。推開一扇木門，是一座形如山洞的小室。

灰衣女子道：「這是最靠在外面的一座小室，你們在這裏，正對堡門，堡門一開，你們就可以看到了。」

俞秀凡道：「由現在開始，我們開始打坐，盡量減少體能的消耗。」

灰衣女子笑了一笑，道：「你要跟我來。」

俞秀凡怔了一怔，道：「學天龍禪唱？」

灰衣女子道：「不錯。你雖然才慧過人，滿腹經綸，但至少也得三天時間。」

俞秀凡道：「如是這三天之內，開了堡門，在下也是無法出去了。」

無名氏一皺眉頭，道：「小主人，如是這三天之內，堡門開了，我們又該如何？」

俞秀凡怔了一怔，道：「這個……這個……在下也無法確定了。」

灰衣女子道：「你們三位一體，如是不願分開，兩位只好等他了。」

目光轉注那灰衣女子的身上，道：「姑娘，這件事，應該如何？」

無名氏道：「石兄有何高見？」

石生山略一沉吟，道：「兄弟覺著，我們應該等候小主人。」

無名氏道：「好！我們等候三天，不過，在下希望姑娘能答應我們一件事。」

灰衣女子道：「你可以說出來，但我希望不是和我談條件。」

無名氏道：「這個我們怎敢，只是請求姑娘。」

灰衣女子道：「好！你請說吧！」

無名氏道：「可不可以把敝主人留在此室中學習天龍禪唱，一則，我們可以爲他護法，二則，我們也可以學習一下天龍禪唱的心法。」

灰衣女子道：「你們的才慧，只怕很難學習此門武功。」

無名氏道：「就算我們才慧不足，但至少也可以懂點皮毛，對我們堅志清心，抗拒魔功

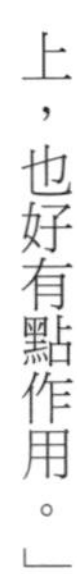

上，也好有點作用。」

灰衣女子沉吟了一陣，道：「好吧，你們既有此想，那就不妨試試。不過，我希望你們不要有失望的感受才好。」

無名氏道：「咱們此刻尊俞少俠爲小主人，已是由內心中生出了敬服。他的武功，不但是高過我們，而且和我們已在一種完全不同的境界。我們不會失望，而是覺著應該。」

灰衣女子道：「人貴自知，你們有這種想法，已然摒棄了嗔、忌之念，勘破人生兩關了。」

石生山突然問道：「姑娘，人生有幾關？」

灰衣女子道：「酒、色、財、氣、貪、嗔、忌，著相即關，你這樣問我，就著了相。」沉吟了一陣，接道：「佛門本無渡，慈航在自心，但這等大乘之法，世間能有幾人參透。所以，兩位還是先學學做人的道理。」

無名氏一袍拳，說道：「多謝姑娘指點。」

灰衣女子微微一笑，道：「三位請在此室等候片刻，賤妾去安排一下就來。」

俞秀凡道：「姑娘，有一件事，在下想請姑娘指點一、二！」

灰衣女子道：「你請說。」

俞秀凡道：「這些狂人受不得一點刺激，一旦受到了刺激，立刻就激發狂性，如若他們發了狂性，又開始向我們攻襲，我們又該如何應付呢？」

灰衣女子道：「當然你們可以保命，要你們存在著捨身餵虎的心，那未免太不公平了。」

俞秀凡道：「但殺害他們太多，我們又心有不忍。」

灰衣女子道：「那也是沒有法子的事了。」

俞秀凡道：「姑娘如此指示，在下等就有所遵循了。」

灰衣女子道：「俞兄，別把我看成神，我也是一個人。」

俞秀凡道：「人有很多種，像姑娘這種人，雖然也和我們這凡俗之人一般，但你的精神，已經接近了神的境界了。」

灰衣女子嘆口氣，道：「你們把我看得太高了。」轉身緩步而去。

俞秀凡望著那灰衣女子的背影，輕輕嘆息一聲，道：「無名兄，對這位姑娘，你們的看法如何？」

無名氏道：「絕世才智，慈悲心腸，確已接近了神的境界。」

俞秀凡道：「說得也是。」

無名氏道：「不過，小主人，在下心中還有一種想法，但不敢說出來。」

俞秀凡道：「為什麼？」

無名氏道：「說出來，在下怕褻瀆了那位姑娘。」

俞秀凡道：「你只管請說。」

無名氏道：「我覺著她像霧中之花，帶著一股神秘的味道。」

俞秀凡道：「哦！」

石生山道：「不錯，在下也有此感。這位姑娘才華博大，實在叫人敬佩，但她好像和咱們之間，有著很遙遠的距離。」

無名氏微微一笑，道：「石兄高見啊！」

石生山道：「以她的武功成就，豈是咱們能望項背，但咱們在江湖上走動之間，卻是從未聽過她的姓名。」

無名氏點點頭，道：「石兄，你看咱們小主人多大年歲了？」

石生山道：「兄弟的看法，他應該有四十上下。」

俞秀凡聽得一呆，道：「我這樣老麼？」

石生山道：「一個人的內功修行到了某一種境界，不但可以延年益壽，而且青春長駐。如若單從外形上看，你小主人不過二十左右，但以你武功而論，如無四十年的火候，決難達到這等境界，單以外貌取人，那就失之千里了。」

俞秀凡啞然一笑，未置可否。

無名氏輕輕咳了一聲，道：「小主人，可否把你的出身、來歷，見告一、二，也不枉我們追隨你一場。」

俞秀凡微微一笑，道：「人之相交，貴在知心。經過了這一番生死與共，兩位都已經證明了乃心懷大願的義人，從此之後，咱們以兄弟相稱就是。」

語聲微微一頓，接道：「至於在下的來歷，就算據實說了，兩位也很難相信，不說也罷。」

這時，那灰衣女子已去而復返。

對這位獨處於瘋人群中的美麗姑娘，三人內心都有著無比的崇敬，齊齊起身行禮。

灰衣女子一擺手，道：「不用多禮，請坐下，我傳你們天龍禪唱。」

三人聚精會神，集中心意，聽那灰衣女子講解禪唱心法。三人的才慧、稟賦各不相同，那灰衣女子雖是一樣地傳授，但三人成就，卻是大不相同。

俞秀凡對音律之學，素有研究，學起來自然是事半功倍，而且很快有成。但無名氏和石生山，卻只能一知半解。

壘中無日月，三人覺著腹中饑餓，十分難忍，卻不知過了多少時間。這時，壘中高燃的火炬，早已熄去，整個的壘中，黑暗如漆。好的是三人都已經適應了這種特別的黑暗，隱隱可見近身景物。

無名氏嘆口氣，道：「俞公子，不行了，咱們不能這樣餓下去，我已經全身無力，這時，只要一頭野狼，就不是我能對付了。」

石生山道：「人是鐵，飯是鋼，一頓不吃心直慌，與其餓死，還不如毒死了算啦！」

只聽步履聲響，那離開許久的灰衣女子，突然行了回來，道：「三位，是否覺著很餓？」

俞秀凡道：「是的，我們都很餓。」

灰衣女子道：「我帶了一些飯菜來，你們是否吃一點？」

俞秀凡道：「在下試試看吧！」

灰衣女子拿過飯菜，俞秀凡開始進用。

無名氏、石生山，輕輕咳了一聲，道：「公子，飯菜多麼？」

俞秀凡道：「三人分食，雖不全飽，但也差不多了。」

三個人大約是餓壞了，一陣狼吞虎嚥，吃個點滴不剩。

灰衣女子微微一笑，道：「三位吃飽了麼？」

俞秀凡道：「八成多了。」

灰衣女子道：「好！三位養養精神，可能他們有人要來。」

俞秀凡道：「什麼人？」

灰衣女子道：「我不知道來的什麼人，但他們一定會來。」

俞秀凡道：「我們應該如何？」

灰衣女子道：「我想，你們應該出去了。」

俞秀凡道：「姑娘呢？是不是要跟我們一起離去？」

灰衣女子道：「多謝好意，你們三位走吧！不用管我。」

俞秀凡道：「姑娘還要留在這裏？」

灰衣女子道：「是的。我的心願還未完，我要留在這裏照顧他們。」

俞秀凡道：「唉！姑娘這份博大的精神，實在可欽可敬！」

灰衣女子道：「三位，咱們就此別過了，日後有緣，也許咱們還能再見。」

俞秀凡道：「在下也希望，日後有機緣，能夠重見姑娘一面，俾能多得一些教益。」

灰衣女子未謙辭也未再多言，轉身快步而去。

俞秀凡長長吁一口氣，道：「無名兄、石兄，兩位是否好一些？」

無名氏道：「飽餐一頓，精神恢復了不少。」

石生山道：「大概可以和人動手了。」

俞秀凡道：「那位姑娘，似乎已到了通靈境界，對她的話，咱們不能不信。」

無名氏道：「不錯。咱們應該好好的坐息一下，一旦有何變局，咱們也可以應付。」

俞秀凡道：「這幾日，咱們集中全神學習天龍禪唱，又餓得筋疲力盡，初次飽餐一頓，最好能活動一下身體四肢。」

三人活動了一下手腳，感覺到氣力已復，然後才盤坐調息。三人都對那灰衣女子有著極深的崇敬之心中，也對她有著無比的相信。

等約一頓飯工夫左右，突然有一陣燈光透入。不知何時，壘門已經大開，一個手執綠燈的人，當先行了進來。身後面一排跟著八個手執三股叉，赤著上身，生有一寸多長黑毛的大漢。燈光耀照下，看得甚是清楚。這八人全是本來面目，一點也未改變。

無名氏一皺眉頭，道：「想不到，這八人也在這人間地獄之中。」

愈秀凡道：「怎麼，你認識他們？」

無名氏道：「是的，這八人號稱南荒八怪，本是生長南荒的蠻人，已進入中原十餘年了，一度在江湖道上，稱雄為霸。後來敗在海院主長城的手中，銷聲匿跡，想不到在此碰上了。」

俞秀凡道：「這八人在江湖的名聲如何？」

無名氏道：「殺人如麻，聲名狼藉。」

俞秀凡道：「在下想通了一件事，殺一個壞人，可以救千個好人。」

無名氏道：「不錯。所以，咱們不用手下留情了。」

俞秀凡緩緩站起身，道：「咱們以最快的速度，衝近壘門，退出壘外。」

這時，八個手執三股叉的大漢，已然行到了大廳中間。俞秀凡一揮手，三個人同時飛步搶出，直向壘門衝去。三個人舉步快速，八個執叉人發覺時，人已衝到了八人身後。

只聽一聲大喝，八雙手，齊齊一揚右腕，八個飛叉，帶著一股疾風，分向三人襲去。

八個人除了手中的三股叉外，每人腰繫著一根寬皮帶，上面插著十二把小型飛叉。

三人掌勢齊出，拍落近身暗器，直向壘門外面衝去，也許那一聲大喝，驚動了狂人，十幾個狂人，呼喝著奔了出來，直對八個人衝了過去。俞秀凡等三人以急速無比的奔行，衝出了壘門。

南荒八怪，大約也知道這些狂人的厲害，並不還戰，返身向外奔去。

俞秀凡三人衝出壘門，有四個執叉人已經如影隨形般衝了出來。大約是看守壘門的人，未料到有此變化，一時關閉不及，直等俞秀凡等三人衝出了壘門之後，四個執叉人追了出來，壘門才突然關上。

俞秀凡等奔出了兩丈多遠，回頭見只有四個執叉人追了出來，也就不再逃避，突然停了下來。

四個執叉人奔行極快，幾乎撞上了俞秀凡等。

未待對方的三股叉刺出，俞秀凡已搶先出手，左右手一探，抓住了兩把鋼叉。他的動作，是那麼快速、自然，有如隨手取物一般，輕鬆地抓住了兩個人的鋼叉。

無名氏、石生山同時出手，向兩把鋼叉上抓去。兩人雖然是蓄勢而發，但卻沒有俞秀凡那份快速、自然，一把竟未抓住對方的兵刃。

兩個被俞秀凡抓住鋼叉的人漢，猛力向後一拉，竟未能掙脫，心中大駭，齊齊吐氣開聲，全力向後奪去。卻不料俞秀凡突然一鬆雙手，兩個人用力過猛，無法控制，直向後面退去。

俞秀凡一上步，飛起雙足，踢向兩人前胸，兩人正在無法控制自己的時刻，自然無法閃避那攻來之勢，雙腳落處，踢個正著。但聞蓬蓬兩聲，兩個身體直飛起來，跌摔在一丈開外。

俞秀凡一照面間，收拾了兩人，目光轉動，只見無名氏和石生山，正和兩個執叉人打得難解難分。

兩人已然欺近兩個執叉大漢的身側，三股叉是長兵刃，一近身即無法施展，無名氏和石生山雖然赤手空拳，反而佔盡了優勢。

俞秀凡沒有出手助拳，站在一側，靜靜地觀戰，他發覺無名氏和石生山，武功都很高明，兩人忽掌忽指，變化不已，實有著神鬼莫測之妙。但有一點，卻叫俞秀凡想不明白，爲什麼兩人如此高明的武功，在對敵之時，竟然不能像自己一樣，克敵致勝。

俞秀凡微微一笑，道：「二兄武功很高明。」

足足打了二十回合，無名氏才一掌擊倒強敵。石生山也在二十一回合，點了敵手的死穴。

無名氏道：「慚愧！慚愧！」

石生山道：「公子一招克敵，而且是以一對二，我們兩人，卻費了二十回合的手腳，全力施爲之下，才算擊斃了敵人，你誇獎我們，豈不是叫我們難過麼！」

俞秀凡心中暗道：幸好我是一招克敵，如是遇上了三、五招我不能收拾的敵人，真還不知道該如何打法呢。

一念及此，突然想到了自己的長劍，不該那麼相信水燕兒，把兵刃也交了出去，自己既是貴賓身分，如若堅持帶劍，或可通融一下。他覺著自己的劍招，比掌法、擒拿要高明很多，而且招式也多了很多，尤其是參悟了驚天三劍之後，更覺著自己的劍法變化極多，勝過拳掌。

無名氏輕輕嘆息一聲，道：「小主人，咱們現在應該如何？」

俞秀凡道：「咱們既然沒有辦法找他們，只好讓他們來找咱們了。」

無名氏道：「對！咱們照著一個方向走，遇上阻力，就全力破除，照一個方位走，至少可以找到盡處，一處不通，咱們再找一處走，總可找到出路。」

石生山肅然而立，側耳聽了一陣，道：「走！咱們向左面繞過去。」

石生山道：「左面有風來，而且風力不小，所以，咱們先到東面看看。」

無名氏道：「爲什麼？」

俞秀凡道：「好，請石兄帶路。」

石生山道：「這地方想來不會太大，咱們保持一個適當的距離。」轉身向前行去。

俞秀凡、無名氏並肩而行，隨在石生山的身後，雙方保持著四、五尺的距離。

行約十幾丈外，突聞一聲厲喝，道：「站住！什麼人鬼鬼祟祟的亂闖！」

石生山停下腳步，俞秀凡和無名氏卻加快了腳步，分守在石生山的兩側。

無名氏冷笑一聲，道：「你是人是鬼，站出來，給我們瞧瞧！」

兩丈外突然閃起了一道綠光，站起了四個黑衣人。碧綠的燈光下，只見兩個黑衣人，每人手中執著兩個飛輪一般的怪兵刃。

俞秀凡從沒有見過這樣的兵刃，看得十分奇怪，一皺眉頭，道：「這是什麼兵刃？」

無名氏道：「名動江北的飛輪四煞，竟然也投入了人間地獄。」

靠左首的一個黑衣人，冷笑一聲，道：「閣下認出我們四兄弟，想來也是江湖上有名人物了，何不報個姓名上來。」

無名氏哈哈一笑，道：「在下無名氏，四位聽人說過麼？」

左首黑衣人低聲誦道：「無名氏，無名氏，簡直胡說八道。」

無名氏冷冷說道：「看你形貌如常，還具有人的味道，顯然是自願投入在人間鬼獄中了？」

左首黑衣人道：

「不錯。咱們兄弟身受造化之恩，自願投入造化門，擔任巡守地獄之職。三年以來，妄想逃出地獄的人，何止你們三位，但卻從無一人能夠如願。這幾年，咱們兄弟年事增長，不願再多殺人，給你們一條生路，快快退回去吧！」

無名氏冷冷說道：「你們除了那套飛輪手法之外，還有什麼驚人之技，竟敢出此狂言。」

石生山一語不發，身子一側，向前衝去。

俞秀凡一把抓住了石生山，道：「等一下。」

目光一掠飛輪四煞，道：「四位認識在下麼？」

只見綠光閃動，又燃起兩盞綠色的燈光，光焰更加明亮，景物也更爲清晰。

左首黑衣人仔細打量了俞秀凡一眼，搖搖頭道：「不認識。但看閣下這身衣著，卻又不像是地獄囚居之人。」

俞秀凡淡然一笑，道：「我本來不是地獄中人，四位可曾聽說過，水燕兒請來了一位貴賓的事麼？」

左首黑衣人道：「你就是那位貴賓麼？」

俞秀凡道：「正是區區在下。」

左首黑衣人道：「閣下雖然是貴賓身分，但既身陷地獄，一樣的不能隨意亂闖。」

俞秀凡道：

「我走過十方別院，也闖過斷魂壘，這人間地獄，也許還有更高的所在，但我去過的地方，都平平安安的出來了。四位如想攔住在下，那要看四位的能耐了。」

飛輪四煞，臉上閃掠過一抹驚異之色，緩緩說道：「閣下能生離斷魂壘，倒是叫人難信。」

俞秀凡道：「信不信是四位的事，很快就可以證明區區是否誇口，不過，咱們在動手之前，我想請教四位一件事。」

爲首黑衣人道：「閣下請說。」

俞秀凡道：「四位在江湖上，也許是惡名昭著的人，但卻有一點可取之處，那就是知恩必報，四位肯在這不見天日的所在，擔任巡守之職，而且一巡數年，不生怨忿，這一點，頗爲可取。」

爲首黑衣人道：「咱們兄弟在江湖上雖然名聲不好，但一向是恩怨分明，言而有信。」

俞秀凡哈哈一笑，道：「有此一德，就可教化。四位身受造化之恩，但不知能否告訴在下詳情？」

爲首黑衣人道：「這也不是什麼不可告人的事，有什麼不能說的。」

俞秀凡道：「在下洗耳恭聽。」

爲首黑衣人道：「咱們四兄弟，身受少林、武當兩派人物聯手追殺，負傷十餘處，倒臥荒野，自忖必死，遇上造化公主……」

俞秀凡接道：「且慢。那造化公主，可是水燕兒麼？」

四個黑衣人齊聲說道：「造化公主只有一個，自然是她了。」

俞秀凡嗯了一聲，道：「說下去。」

他自具有一股震懾人心的氣度，爲首黑衣人竟未覺著他的話有什麼不對，緩緩接了下去，道：「她以造化手法，治好了我們沉重的外傷，又傳了我們吐納之術，療好內傷，豈不是恩同再造麼？」

俞秀凡道：「療傷需要藥物，爲什麼稱它爲造化手法？」

爲首黑衣人道：「但公主不用藥物，只用她一雙玉手，療好了我們的外傷，無以名之，只好稱它爲造化手法了。」

俞秀凡點點頭，道：「此中定有原因，只可惜四位沒有留心罷了。」

爲首黑衣人冷冷說道：「你問完了麼？」

俞秀凡道：「沒有。還要勞請四位，代我通報水燕兒一聲，就說我已遊過地獄，想進入造化城觀賞一番。」

爲首黑衣人怔了一怔，道：「你想見我們公主？」

俞秀凡道：「不是想見她，而是非要見她不可！」

爲首黑衣人哈哈一笑，道：「閣下，這件事，只怕你作不得主了。」

俞秀凡道：「爲什麼？」

爲首黑衣人道：「我錢大德在江湖上闖蕩了不少年，見識過不知多少不更事的狂人，但狂到你閣下這等境界的人，卻不多見。」

俞秀凡冷冷說道：「很不幸的是，這一次讓你遇到了。」

錢大德道：「遇上了又怎麼樣？你要見公主，那是你的想法，但公主願否見你，卻要她來裁決了。」

俞秀凡道：「這不是你們飛輪四煞能夠作主的事，對吧？」

錢大德聽得一愣，道：「不錯，咱們作不了主。」

俞秀凡道：「你既然作不了主，爲什麼不替我通報上去，別忘了我是貴賓身分，就算是水燕兒，對我的事，也未必能作得了主。」

錢大德道：「公主居處，離此甚遠，在下就算肯替你通報，也不是一時半刻，能得回音。」

俞秀凡道：「要好多時間，才有回音？」

錢大德道：「最快也要一個時辰。」

俞秀凡道：「慢呢？」

錢大德道：「那就很難說了，也許要一天半日時光。」

俞秀凡道：「這麼久時間，那就不用閣下通報了。」

錢大德道：「獄中無日月，等上十天半月，也是一樣。」

俞秀凡冷冷說道：「你錯了，在下不願等下去。」

錢大德道：「哼！不等下去，你準備怎麼辦？」

俞秀凡道：「咱們只好自己去找了。」

錢大德道：「原來如此。」

俞秀凡道：「四位可是有些不信麼？」

錢大德道：「信不信那是咱們自己的事，能不能過咱們四兄弟這一關，那是你們的事了。」

俞秀凡道：「那你小心了！」突然舉步行出，直對四人行去。

錢大德冷哼一聲，道：「好狂的口氣！」右手飛輪一揮，橫裏直擊過去。

俞秀凡左掌拍出，迅如電火，擊向了錢大德的左肘，右手五指一伸，施出了擒拿手法，巧妙的手法，準確的計算，錢大德握輪的右腕，就像是故意的送入了俞秀凡的五指之中。

俞秀凡發出的左掌，同時擊中了錢大德握輪的左肘，錢大德雙手一抬，還未發出，人已完全受制，左手中的飛輪，在掌力撞擊下，脫手向後飛出。

這一擊，快如閃電，只看得另外三個黑衣人呆在當地。

無名氏、石生山，也看得敬服不已。

俞秀凡右手五指加力一帶，錢大德全身的勁力頓失，身不由己地轉了一個方位，變成了背對三位盟弟。

無名氏、石生山分開行動，一左一右，護住了俞秀凡的兩側。

俞秀凡輕聲一笑，道：「錢大德，在下這雙手，比起水燕兒的一雙造化手如何？」

錢大德點點頭，道：「高明得很，在下遇上過不少武林高手，但像閣下這樣一招將在下制服的，確還未曾遇到過。」

俞秀凡淡淡一笑，道：「在下這點武功，是否可以當得貴賓身分？」

錢大德道：「閣下武功之高，錢某生平僅見，被本門公主邀爲貴賓，理所當然。」

俞秀凡笑了一笑，鬆開了錢大德的手腕，道：「去吧！代我通報水燕兒，就說我要見她。」

錢大德活動了一下雙腕，道：「咱們可以把貴賓的話，一字不改的稟報公主，但公主願否接見，在下等實在不能作主。」

俞秀凡略一沉吟，道：「好吧！你們前往通知水燕兒時，再帶上一句話。」

錢大德道：「貴賓吩咐！」

俞秀凡道：「告訴她，就說兩個時辰之內，還無法得她回音，在下就不再手下留情了，如是激起了我的怒火，我要毀去這座人間地獄。」

如是他未出手對付錢大德時，說出這幾句話，定會招來飛輪四煞一陣狂笑。但此刻，飛輪四煞卻是一語不發，四人闖蕩江湖，身經百戰，從未遇到過一招被擒的事。照此推理，這人的武功，舉世少見，有著世間少見的武功，自然也可能有毀去這人間地獄的手段，這就使人不能不信他的話了。

錢大德心中念頭轉了幾轉，道：「好！咱們原話轉告。」

俞秀凡道：「兩個時辰夠不夠？」

錢大德道：「應該夠了。但在下唯一擔心，是公主不在居處，再用飛鴿傳書，遍尋她的行蹤，那就不知道要多少時間了。」

俞秀凡道：「看來，咱們只好賭賭運氣了。」

錢大德道：「諸位請在此地等候片刻，咱們這就替閣下轉告。」

俞秀凡道：「慢著！」

錢大德道：「閣下還有什麼吩咐？」

俞秀凡道：「傳訊的事，用不著四位都去吧？」

錢大德道：「一個人就可以了。」

俞秀凡道：「好！那就勞動錢老大，派遣一人。」

錢大德道：「老四去！箭號、信鴿，一齊施放，把這位貴賓的話，全部轉告，不得遺漏一句。」

站在最右的一個黑衣人，欠身一禮，疾奔而去。

俞秀凡道：「這幾天來，咱們陷身斷魂壘，一直未能好好的吃頓酒飯。」

錢大德接道：「這事容易，老三去叫人整治一桌酒席送來。」

俞秀凡道：「聽錢兄的口氣，這地方已是地獄邊緣了？」

錢大德沉吟一陣，頷首道：「不錯。這是地獄邊緣，這地方叫陰陽嶺。」

俞秀凡道：「看起來，造化門建築這一座人間地獄，規模也不算太龐大。」

錢大德道：「方圓數十里，鬼卒三千名，囚犯八百個，這規模也算是前所未有，江湖之最了。」

俞秀凡微微一笑，道：「看來，錢兄是一位很合作的人。」

錢大德笑了一笑，道：「誇獎！誇獎！」

無名氏突然接口說道：「錢兄，『福壽膏』味道不錯，錢兄可曾試過？」

錢大德道：「這一點，兄弟慚愧，除了地獄一部分鬼卒和囚犯之外，造化門中人，都未吸食。」

無名氏道：「錢兄，你看看兄弟是什麼身分？」

錢大德道：「在下聽得公主身側女婢說道，貴賓有兩位從僕，武功了得，想來就是兩位了。」

無名氏笑道：「從僕倒是不錯。不過，咱們已不是原來那兩位了，咱們是俞公子在地獄中收服的。」

錢大德道：「兩位不是原來跟著俞少俠的人？」

無名氏道：「不錯，咱們是十方別院中人，恐怕也就是錢兄口中的囚犯了。」

錢大德道：「兩位是哪一院的人？」

無名氏道：「萬家別院。」

錢大德道：「哦！兩位是萬家別院中人。」

無名氏道：「咱們在萬家別院，吸食了很久的福壽膏。」

錢大德道：「說起那福壽膏，真是一件奇妙的東西，這東西吃上癮的人，一天就不能離開，所以，任何人不管你是鐵打的金剛、銅澆的羅漢，只要你吃了福壽膏，那就永遠被福壽膏所控制。」

無名氏道：「咱們兩個在萬家別院，吸食了數年的福壽膏。」

錢大德道：「那兩位的毒癮很大了。」

無名氏道：「咱們吸食了很久，可惜的是，這些福壽膏的力量不夠大，沒有法子使咱們上癮。」

錢大德吃了一驚，道：「什麼?兩位吃了福壽膏數年之久，竟然沒有上癮!」

無名氏笑了一笑，道：「不錯，這福壽膏麼，實也算不得什麼厲害的毒物。」

錢大德道：「閣下這話當真麼？」

無名氏道：「千真萬確。如是錢兄有朋友中了福壽膏的毒，可以和兄弟研究、研究。」

錢大德道：「你是說，你有解除福壽膏毒癮的藥物？」

無名氏道：「單是藥物也不行，還要配合在下的一種方法。」

錢大德道：「咱們飛輪四煞，倒是沒有毒癮。不過，咱們有一位很好的朋友，染上了毒癮，如果閣下有法子解救，咱們四兄弟感同身受。」

無名氏道：「錢兄，你有幾位朋友染上了毒癮？」

錢大德道：「六、七位吧！他們身受毒害，痛苦萬狀，但又無法解脫。」

無名氏道：

「好吧！在下可以把方法傳授錢兄，再送你錢兄十粒藥物，可以解救十個人，脫出福壽膏奇毒的控制。不過，除去這毒癮時十分辛苦，但如是毅力不夠的人，戒除之後，再行染上，那就白費錢兄一番心意了。」

俞秀凡靜靜地聽著，未多加一句話，但他心中明白，這無名氏甘願沉淪在人間地獄之中，似乎不止在試探這地獄中的消息了，而是研究解除這福壽膏的毒性。

這時，無名氏已開始傳授錢大德一種打坐之法。那是和一般坐息完全不同的打坐，雙足架在兩臂之上，看上去那姿勢，就叫人感覺到十分難過。錢大德學習得十分認真，問得也十分詳盡。足足耗去了將近一頓飯的工夫之久，兩人才站起身子。

這時，酒飯已經送到，俞秀凡暗中試過，確然無毒，才開始食用。

一餐飯匆匆用過，俞秀凡趁空低聲對無名氏道：「無名兄，那等奇異的打坐之法，真能解除毒癮麼？」

無名氏微微一笑，道：「那是一種來自天竺的奇術，又叫瑜珈術，坐姿怪異，再加上內腑激烈的運動，確能使一個人忘去痛苦。藥物助威，確可解除毒癮，但必須持之以恆，如是戒除之後，再行染上，那就很難再行戒除了。」

俞秀凡笑了一笑，道：「閣下對醫道方面，很有成就吧！」

無名氏道：「略知一、二。」

俞秀凡道：「萬家別院，是否已留下了無名兄的解毒之法？」

無名氏嘆口氣，道：「不容易。那地方，那環境，除非具有大智慧、大定力的人，很難戒除毒癮。」

俞秀凡點點頭，道：「所以，你在這萬家別院潛伏了很多年，一直沒有作爲。」

無名氏道：「因此，在下才答允追隨你公子離此。」

俞秀凡道：「還有一件事，我想不明白，你既沒有毒癮，爲什麼帶了很多的福壽膏來。」

無名氏笑了一笑，道：「我沒有能力改造這個環境。只好想法子抽出一部份福壽膏來，使他們減少些存量，希望激起一些變化。」

俞秀凡微微一笑，道：「原來如此。」

目光轉到了石生山的身上，接道：「石兄有癮麼？」

石生山搖搖頭，道：「沒有，在下也沒有上癮。不過，我這辦法只能自保，沒有助人的能力。」

俞秀凡道：「那就行了。你們在福壽膏的菸霧中，而沒有被福壽膏所困，那就證明福壽膏

並非有著絕對的力量。」

石生山道：「在下的辦法很笨，我把吸入口中的菸毒，全部逼在了口中，沒有吞入腹內，所以，我食了數年的福壽膏，而沒上癮。」

無名氏嘆口氣，道：「石兄，天下大約不可能再有第二人，有你這種毅力了。」目光突然轉到了錢大德的身上，接道：「錢兄，你聽到咱們的談話了。」

錢大德搖搖頭，道：「沒有。我什麼也沒有聽到。」

無名氏道：「對！咱們也沒有說什麼，所以，錢兄什麼也沒有聽到。」

錢大德道：「閣下只傳授了兄弟一個奇怪的打坐之法，兄弟記熟了。除此之外，兄弟什麼都不知道。」

無名氏微微一笑，道：「錢兄，這地方太黑了，咱們真不知是人是鬼啊？」

錢大德低聲道：「這地方有人有鬼，人鬼混雜。」

無名氏、石生山相互望了一眼，突然飛身而起，直向兩個手執碧色燈籠的黑衣人撲了過去。兩個人動作奇快，左拳右掌，全力擊出。但聞兩聲慘叫，兩個黑衣人在驟不及防之下，雙雙死在無名氏和石生山的手中。

無名氏撿起了碧色的燈籠望去，只見一支綠色的火炬，熊熊燃燒。那綠色的火炬，不知是何物做成，燃起之後，發出碧色的光焰。

錢大德微微一笑，把兩具屍體移開，道：「現在，你們什麼事情都沒有說。」

無名氏一抱拳，道：「錢兄，造化門中的人，是否都和錢兄一般的心意？」

錢大德道：「這個麼，在下就不大清楚了。不過，在下覺著，咱們飛輪四煞有此想法，凡

是在地獄中的人，只怕都和咱們的想法差不多了。」

無名氏道：「多謝錢兄指點咱們不少。」

錢大德道：「不用客氣。」

無名氏輕輕咳了一聲，道：「錢兄，這地方離開造化城還有多遠？」

錢大德道：「這就難說了。造化城遠在天邊，近在眼前。」

無名氏道：「這話怎講？」

錢大德道：「如若他們想要你們前去，諸位行不過百丈，就可能進了造化城。如若他們不願你們進去，你們再走三百里，也一樣找不到造化城。」

無名氏道：「錢兄的意思，可是說那造化城是一個很神秘的所在？」

錢大德道：「是的。嚴格的說起來，這人間地獄也在造化城的涵蓋之下。」

無名氏道：「錢兄，這人間地獄，是什麼所在？」

錢大德笑了一笑，道：「以諸位的才智，用不著兄弟說，大約諸位也明白，這是一處山腹。不過，這山腹邊緣有一片死亡地帶，就算沒有人防守，也沒有人能夠通過。」

無名氏道：「錢兄，咱們如死在此地，欠你錢兄這點情意，那是永遠無法回報了。如若咱們能夠生離此地，對錢兄必有一報。」

錢大德輕輕嘆息一聲，道：「咱們飛輪四煞，在江湖上行事爲人，算不得什麼好人，但看到人間地獄中這等悲慘景象，也不禁爲之心生寒意。咱們兄弟雖有拯救武林同道之心，但卻沒有這份力量。」

俞秀凡點點頭，道：「四位只要有此一點心意，那就夠了。」

語聲一頓，接道：「錢兄剛才提到，有一處稱做死亡地帶，可是機關埋伏？」

錢大德沉吟了一陣，道：「實在說，咱們也幫不上諸位什麼忙，只能就胸中所知，提供一、二了。」

黯然嘆息一聲，接道：「所謂死亡地帶，那是大約十五丈寬窄的一片地區，任何高明的輕功，都無法飛度。」

廿四　柔情似水

俞秀凡道：「有這等事？」

錢大德道：「在下所言，都是親目所見，句句真實。」

俞秀凡道：「那可是一片毒區？」

錢大德道：「不知道。反正是人一進入那片地區，就會很快死亡。」

俞秀凡道：「那片地區和其他的地方，顏色有什麼不同麼？」

錢大德道：「可怕的是，那死亡地帶的顏色，和其他地方的顏色，並無不同。」

俞秀凡道：「這真是一個很惡毒的布置了！」

錢大德道：「所以，進入了人間地獄之後，從沒有一個人能夠逃出去。」

俞秀凡道：「你們自己的人出出入入，難道也要經過那一片死亡地帶麼？」

錢大德道：「我們出入那一片死亡區時，都由地道通過。」

俞秀凡道：「原來如此。」

無名氏道：「錢兄，你幫忙幫到底，能不能告訴我們那地道所在？」

錢大德沉吟了一陣，道：

「這個兄弟有些礙難，因爲那地道的隱祕，只有我們四兄弟才知道，如是從地道超越那一片死亡地帶，咱們兄弟很難脫去關係，兄弟雖是我們四人的老大，但也不能擅自作主，這件事，必得我們兄弟商量之後，才能作主。」

俞秀凡笑了一笑，道：「錢兄既有礙難……」

一陣急促的步履聲，疾奔而至，打斷了俞秀凡未完之言。

錢大德回目一顧，道：「老四，可是燕姑娘有了回信。」

奔來的黑衣人一欠身，道：「是的，燕姑娘已有指示到來，要咱們放過貴賓和他的兩個從僕。」

錢大德道：「怎麼一個放法？」

飛輪老四道：「燕姑娘說，要老大簡單的說明那死亡地帶的險惡，由他們自己通過，或是蒙上他們的眼睛，帶他們由地道通過，兩條路任憑貴賓選擇。」

錢大德道：「俞少俠如肯相信錢某人，最好是選擇第二條路。」

俞秀凡目光投注在四煞的身上，道：「那燕姑娘還說些什麼？」

飛輪第四煞遲遲疑疑地說道：「燕姑娘說，說這個……」

錢大德一瞪眼睛，道：「老四，什麼這個、那個，吞吞吐吐的一句話也說不清楚。」

飛輪第四煞輕輕咳了一聲，道：「燕姑娘的指示說，咱們兄弟決不是俞少俠的敵手，所以我們最好不要和他動手。」

錢大德道：「那也不算什麼丟人的事。咱們這點武功，本就和人家俞少俠相差的很遠。」

俞秀凡道：「如是我們甘願蒙上眼睛行過地道以後，有個什麼結果呢？」

飛輪第四煞道：「燕姑娘派人在出口接待三位。」

俞秀凡沉吟了一陣，道：「毛病就可能出在這裏了。」
無名氏道：「算起來，總比超越死亡地帶好些。」
俞秀凡道：「好！咱們就選擇第二條路。」
石生山突然嘆一口氣，道：「公子，咱們答應那位女菩薩的事，完全未辦，如何向人交代？」
俞秀凡道：「我已經留心過了，那斷魂壘突出地面，借幾盞鬼火碧光，方圓十丈內不見有建築之物，但卻高聳不見壘頂。」
無名氏接道：「公子之意，可是說，那壘頂突出於山峰之上？」
俞秀凡道：「正是如此。要找出那魔音來源，恐已非人間地獄所能為力。」
無名氏道：「控制那斷魂壘中狂人的人，來自造化城？」
俞秀凡點點頭，道：「錢兄，請蒙上咱們三人的眼睛吧！」
錢大德道：「那就委屈三位了。」
親自動手，蒙上了俞秀凡的眼睛。
黑巾蒙上了臉，無名氏立刻感覺到情形不對，只覺那黑布蒙上了眼睛之後，立刻收得很緊。
當下輕輕咳了一聲，道：「閣下，這是什麼蒙臉的布巾？」
錢大德道：「是一種特製的蒙面布，諸位最好不要擅自移動。」
無名氏笑道：「看起來，我們是著了道兒，上了賊船啦！」
錢大德道：「閣下言重了。錢某人無害諸位之心，這蒙眼的布巾雖然是特製之物，但諸位

只要不擅自動手，那就不致爲害及人。」

無名氏道：「那就是說，我們自己已經無法解除這蒙眼的黑巾了。」

錢大德道：「在下也無法幫諸位解下了。」

無名氏吃了一驚，道：「什麼？錢兄也無法解除了。」

錢大德道：「是的！在下也不知解除之法。」

無名氏苦笑一下，道：「咱們走到了地道盡頭，如何解除這蒙眼之物？」

錢大德低聲道：「這地方，每一件微小之物，都經過特別的設計，諸位以後要小心一些。」

俞秀凡暗暗嘆息一聲，忖道：這地方當真是奸詐得很，我已經上過水燕兒一次當，仍然不知道存下戒心。

只聽錢大德說道：「三位請跟在我身後行動，地道曲折迴環，叉道分歧，行之不易，就算不蒙上眼睛，三位也不易找尋，何況還要蒙上眼睛！」

無名氏道：「在下走前面，公子居中，石兄請斷後，用左手拉著衣襟。」

他說得很含蓄，用左手拉著衣襟，自然是要用右手準備應敵了。

錢大德道：「無名兄請拉著我的衣襟而行，老二、老四，你們走前面開路。」

俞秀凡沒有講話，牽著了無名氏的衣襟。但不約而同的，俞秀凡、無名氏、石生山，都暗自運氣戒備。

感覺著又行入了地下五尺處，然後開始折轉。但著足的地面倒很平坦，顯然是常常有人行過。

俞秀凡心中默作了數計，曲轉了三十次，行約一千八百步，才轉向上面行去。

登上二百零七步，地勢重歸平坦，好的是一路行來，未生事故。

只覺一陣涼風，掠體而過，無名氏突然生出了一種解脫之感，長長吁了一口氣，道：「天無邊際，地有盡處，看來咱們又重睹天日了。」

耳際間，響起了錢大德的聲音，道：「諸位已經離開了地道，咱們兄弟送到此地，三位保重了。」

無名氏道：「錢兄，咱們此刻應該如何？」

錢大德道：「三位只好在這裏等了。」

無名氏道：「等到幾時？」

錢大德道：「等到幾時，在下也不敢斷言，不過，我相信不會太久，三位請忍耐一些！」

但聞腳步聲逐漸遠去。

無名氏重重咳了一聲，道：「公子，咱們應該如何？」

俞秀凡道：「等下去！」

無名氏道：「一定會有人來解去咱們蒙眼的黑巾麼？」

俞秀凡道：「就算沒有人來，咱們也要很耐心的等下去。」

突聞一個冷冷的聲音，傳了過來，道：「燕姑娘說的話，一向是言出必踐！」

俞秀凡道：「閣下是什麼人？」

那冷冷的聲音道：「在下是可以解去三位臉上蒙面黑巾的人。」

之物。

一個黑衣人行了過來，先解去俞秀凡臉上的蒙面黑巾，依序解下了無名氏和石生山的蒙面

俞秀凡道：「閣下只管放心。」

只聽那冷漠的聲音說道：「三位不可妄動。」

俞秀凡道：「咱們在此恭候。」

抬頭看去，但見星光閃爍。這是一個無月的夜晚。

黑衣人道：「很抱歉！」突然轉身，快步而去。

無名氏收回投注天空的目光，輕輕咳了一聲，道：「一個人不見天日，就算他還活著，也和死人無異了。」

石生山道：「我明白了！那些人爲什麼酷嘗福壽膏，毒癮固然難忍，但更難忍的是，一種精神上的苦悶，那不見天日的斗室中，一片黑暗的生活，只有每日吃它幾口福壽膏，才能打發這些日子過去。」

俞秀凡道：「這真是一個很殘酷的組合！他們手段是那麼惡毒，不但要改變人性，而且還讓你自趨死亡。」

無名氏振振精神，道：「公子，咱們現在應該如何？」

俞秀凡豪氣奮發，哈哈一笑，道：「咱們不識路徑，也沒有一定的去處，那就隨便闖闖！闖到哪裏算哪裏！」

無名氏道：「很奇怪，那位燕姑娘不是派人來接我們麼？」

俞秀凡道：「物以類聚，造化門中人，還有講信義的人麼？我進入了地獄門中，學會了一

件事……」

無名氏道：「什麼事！」

俞秀凡道：「造化門中人的話，不可相信，尤其是女人的話。」

只聽一聲冷笑，傳了過來，一個清冷的女子聲音接道：「俞少俠，你這樣輕蔑我們姑娘，不覺著太武斷了麼？」

俞秀凡道：「什麼人？」

那女子的聲音應道：「小婢如玉。」

俞秀凡道：「哼！又是女人！」

如玉道：「燕姑娘告訴小婢，說俞少俠是一位憐香惜玉的人，對女孩，從來不發脾氣，想不到咱們姑娘說的話，竟然也會有錯。」

俞秀凡忽然覺著臉上一熱，說道：「正因爲在下太相信燕姑娘了，所以，吃了她很大的虧。」

如玉道：「俞少俠和我們姑娘的事，小婢不大清楚。不過，小婢奉命來此，專爲迎接公子而來。」

俞秀凡道：「在下正要見見燕姑娘，那就勞請帶路了。」

但見火光一閃，幽暗的夜色，亮起了一盞明燈。那是一盞白綾製成的燈籠，上面寫著「聽松樓」三個字。燈光下，只見一個身著黑衣的少女，緊傍在一塊大岩石旁而立。

那岩石高過九尺，黑衣女緊貼石壁而立，夜色黑暗，無怪只聞其聲，不見其人了。也許俞秀凡等很久沒有見過這等明亮的燈火了，只見那燈籠明如皓月，耀人眼睛。

如玉舉起手中燈籠，道：「咱們姑娘正在候駕，三位如若沒有別的事，咱們可以上路了。」轉身向前行去。

俞秀凡等緊隨在如玉身後，行在一條崎嶇的小徑上。只覺愈行愈高，山風也愈見強勁，吹得衣衫飄飄作響。

俞秀凡目光轉動，發覺正行在一處懸崖邊緣。四周一片黑暗，幾人緊追在燈光下面行走，也未留心到行過之處。

俞秀凡留心一看，發覺行經的懸崖，下臨絕壁，一片幽暗，也不知多深、多高，心中大感震動，暗道：行此險地，驚心動魄，如若造化門在山上設下埋伏，打下滾木、擂石，不論多高強的武功，也是無法逃過此劫。

心中念轉，突然移動身軀，緊追在如玉身後，道：「姑娘，水燕兒住在何處？」

如玉道：「燈籠上寫得明明白白，燕姑娘住在聽松樓。」

俞秀凡道：「還有多遠距離？」

如玉道：「就要到了，再轉一個彎。」

俞秀凡道：「這地方很險惡啊！」

如玉道：「是的。這地方叫做愁雲崖，下臨千丈絕壑，摔下去，勢必要粉身碎骨不可。」

俞秀凡道：「燕姑娘爲什麼要住在這樣一處所在？」

如玉道：「因爲這地方很清靜，沒有人敢打擾，也很險要，易守難攻。」

談話之間，到了一處轉彎所在。這時，無名氏和石生山都看清了處境，只見一條不足兩尺的山徑，鑿開在千尋峭壁之間，夜間幽暗，上不知山峰多高，下臨崖壁，寸草不生，一片光

滑。膽氣不夠的人，別說行過這樣險徑了，就是嚇也嚇得半死。
無名氏吁一口氣，道：「這地方可是人工開鑿的吧？」
如玉道：「不錯。」
無名氏道：「此地距離山頂有多高？」
如玉道：「約有百丈左右。」
無名氏道：「當真是費盡苦心了。」
俞秀凡道：「一個人，爲了自己的喜歡，不惜如此勞師動眾，建築了這麼一座聽松樓，這人的好大喜功，實是可悲可嘆得很。」
他心中對水燕兒有極端的不滿，一聽到水燕兒有關的事，就不禁怒火上升。
如玉突然停下了腳步，回頭說道：「你是說我們姑娘麼？」
俞秀凡道：「不錯，我是說水燕兒。」
如玉道：「俞少俠，你說話最好小心一些，別傷害到我們姑娘。」
俞秀凡冷冷一笑，道：「照燕姑娘的爲人而言，在下的言語，已經很客氣了。」
如玉道：「俞少俠，我們姑娘很敬重你的爲人，但你卻對她十分歧視。」
俞秀凡道：「那是因爲在下上過她的當了。」
如玉突然長長嘆一口氣，道：「俞少俠，有一件事，只怕你還不大明白。」
俞秀凡道：「什麼事？」
如玉道：「我們姑娘因你失落在人間地獄，心中很不快樂。」
俞秀凡冷笑一聲，未再接口。

如玉嘆口氣，道：「我從來沒有見過我們姑娘那麼憂鬱過，俞少俠，你應該諒解她，我們姑娘有她的苦衷。」

俞秀凡冷笑一聲，道：「她有什麼苦衷？」

如玉道：「造化門中事，非局外人所能了解。」轉頭向前行去。

無名氏已經聽出了一點苗頭，回顧了俞秀凡一眼，低聲道：「公子，如玉姑娘的話，有很多含蓄之處，公子不妨多用點心思想想。」

俞秀凡道：「想什麼？」

無名氏道：「想想如玉姑娘的話。」

語聲微微一頓，改用極低微的聲音，接道：「公子，此刻咱們的處境，似乎是茫無頭緒，這方面，也不是單憑你公子的絕世武功可以克服，最好咱們能用點心機……」忽然一腳踏空，直向懸崖下面摔去。

俞秀凡吃了一驚，回手一把抓去，沒有抓住。

石生山急急叫道：「無名氏，鎮靜一些，運氣貼上峭壁。」

突見如玉右手疾揮，一片網索，撒了下去。同時搶前一步，將燈籠提把放入櫻口，左手抓在石壁上一個突出的石柄上。

那片網索撒得很快，幾乎和石生山的喝叫同時行動，無名氏滑落不過一丈多些，網索已罩向頭上，右手一探，抓住了網索。如玉用力一帶，無名氏滑落的身子，借勢飛起，又踏上了小徑。這不過是一瞬間的工夫，但卻是生死分別。

無名氏長長吁一口氣，道：「多謝姑娘相救。」

如玉道：「這地方太險惡，走路時應該小心一些，別只顧講話，丟了性命，那就划不來了。」

又轉過一山角，踏上了一片突出的石岩，這片石岩，足足有一畝地大小，但卻生得十分險惡，它突出在懸岩之上，孤零零的像一塊伸出的石板，上不見峰頂，下不見谷底。

一座紅磚砌成的小樓，屹立在那突出的石岩。

踏上突岩，先聞到一陣襲人的花香。數百盆各色奇花，環繞在突岩的邊緣。忽然間，一陣山風吹來，山頂、谷底，傳過一片松濤。

如玉舉起手中的燈籠，直行到紅樓門前，一塊門匾，寫著「聽松樓」三個漆金大字。

如玉舉起左手，輕輕叩動了門上的銅環，木門呀然而開，一個青衣女婢，當門而立。

如玉道：「姑娘在麼？」

青衣女婢道：「姑娘在廳中候駕。」

如玉一側身，道：「諸位請進吧！」

俞秀凡也不謙讓，當先大步而去。

聽松樓規模不大，但卻布置得很雅致。

俞秀凡轉過一個迴廊，行入了大廳之中。大廳中一片綠，綠緞蒙頂，綠綾幔壁，綠的毛氈鋪地。白色的松木桌椅，椅上鋪著綠色的坐墊。

一個全身綠衫綠裙的綠色少女，面含微笑，站在廳中迎客。

四盞垂蘇宮燈，照得大廳一片通明。

無名氏、石生山都不禁多望了那綠衣少女兩眼，只覺得她美麗眩目，動人無比。
綠衣女舉手，理一理披肩長髮，嫣然一笑，道：「俞兄，你好！」
俞秀凡道：「想不到吧，水姑娘！在下竟然活著走出了人間地獄。」
水燕兒道：「俞兄，很抱歉，我不是有意的。」
俞秀凡道：「姑娘，用不著多說了，在下聽姑娘的甜言蜜語很多次了。」
水燕兒道：「看來，俞兄對我的誤會很深。」
俞秀凡道：「這不是誤會，而是真真實實的經過。」
水燕兒道：「俞兄來看我，就是爲了說這幾句話麼？」
俞秀凡道：「在下想先聽聽姑娘的狡辯，如是你真能說出了一番道理，縱然是句句謊言，在下也就自認霉氣了。」
水燕兒道：「如是我說不出一番道理呢？」
俞秀凡道：「那就是姑娘露幾手驚人的武功了。」
水燕兒道：「你要和我動手？」
俞秀凡道：「先禮後兵。在下覺著並無不對之處。」
水燕兒道：「聽松樓從沒有發生過凶殺事情，也沒有留過男客。諸位今夜至此，小妹破例招待，我已叫他們備下了水酒，替俞兄壓驚。」
俞秀凡道：「那倒不用了。在下只要討還一個公道。」
水燕兒道：「俞兄，我覺著很多事，用不著一定要兵戎相見，談一談，也許能解決很多事，消除很多的誤會。」

俞秀凡淡淡一笑，道：「好吧！咱們再聽聽姑娘的花言巧語。」
水燕兒一揮手，道：「上酒。」一面請俞秀凡等落座。
俞秀凡道：「酒不用，姑娘有什麼話可以說了。」
水燕兒輕輕嘆息一聲，道：「俞兄，進入地獄之前，我已經再三的警告過你，要你緊追我的身後，不要離開。但你沒有照小妹的話去辦，是麼？」
俞秀凡冷笑一聲，道：「姑娘的解釋，在下不能接受。」
水燕兒臉色微微一變，道：「俞兄的意思是，非要找小妹拚個生死出來了。」
俞秀凡道：「對姑娘的解釋，在下既不滿意，除了放手一拚之外，還有什麼別的辦法，能解決咱們之間的這場紛爭！」
水燕兒道：「好吧！俞兄既然決意和小妹一分生死，也不用急在一時，先讓小妹一盡地主之誼，再決一死戰不遲。」
俞秀凡道：「那倒不用了。既然彼此已經決定了放手一戰，似乎也用不著再耍什麼花招了。」
水燕兒搖搖頭，嘆息一聲，道：「俞兄，世上有很多的辦法可以解除爭端，以命相拚應該是最壞的方法。」
俞秀凡道：「燕姑娘，也許咱們是庸俗一流的人，咱們沒有辦法，把事情辦得詩情畫意，而又能把事情圓滿的解決。」
水燕兒道：「那麼，要不要小妹提出一個辦法呢？」
俞秀凡道：「好！姑娘請說說看？」

水燕兒道：「小妹覺著，咱們用不著立刻動手拚命。」
俞秀凡道：「爲什麼？」
水燕兒道：「如你來此用心，旨在一戰，固不論勝敗如何，咱們這一戰之後，三位就別想離開這座聽松樓了。」
俞秀凡道：「這麼說，姑娘這聽松樓，是龍潭虎穴了。」
水燕兒道：「不能算龍潭虎穴，因爲，這裏面沒有什麼機關埋伏，不過，這地方的天然形勢太險惡，除了你們的來路之外，再無可通之路。如是那條路被人封鎖之後，你們只有老死在這聽松樓了。」
俞秀凡冷冷說道：「這麼說來，你水姑娘遣人引我們到此，那也是一個大陰謀了！」
水燕兒道：「那要憑你俞兄的看法了。如是你一定要逼小妹動手，小妹只有奉陪了，如是小妹勝了，俞兄固是大感失望，就算俞兄勝了，他們也不會放你們離開此地。」
俞秀凡道：「燕姑娘這話可是威脅咱們？」
水燕兒笑了一笑，道：「我在和俞兄說理，信不信那是你的事了。」
俞秀凡輕輕吁一口氣，道：「燕姑娘，如是咱們不動手，你就可以保證我們安全離開此地麼？」
水燕兒道：「不用我保證什麼，聽松樓本就是一塊平靜地，這地方從沒有過殺劫。」
俞秀凡道：「看來，你不但很惡毒，而且也很陰險！」
水燕兒笑了一笑，道：「俞兄，你能由地獄中脫身而出，武功高明，雖然是原因之一，但最重要的，還是你運氣不錯。」

俞秀凡道：「在下的運氣也不算太好，如果運氣好，至少不會遇上你姑娘了。」

水燕兒笑了一笑，道：「俞兄對小妹的成見看來已深，小妹縱然說一個唇乾舌焦，俞兄也不會諒解小妹了。」

俞秀凡道：「姑娘，一個人受同一個人欺騙，應該不會再有第二次，俞某人雖然很笨，但也不願再上姑娘的當了。」

水燕兒微微一笑，道：「古往今來，從沒一個成大器、立大業的人，不具備容人的氣度。」

俞秀凡忽然笑了一笑，接道：「姑娘指桑罵槐，但罵得卻十分有理，在下確實缺少一點風度。」

水燕兒道：「知過能改，仍是完人。過去不用追思，未來的卻可借鑒，容易衝動的人，不但會忽略去機會，也容易造成錯誤。」

俞秀凡一抱拳，道：「領教！領教！」

水燕兒道：「下敢當。俞兄，只要不再決心取小妹之命，我就十分感激了。」

俞秀凡道：「看來，你說服人的力量，有時十分強大。」

水燕兒道：「但要說服一個人，有兩個必要的條件：一個是說服人的智慧，一個是聽話人的智慧，有很多大道理，但卻有很多人不能領受。」

俞秀凡道：「姑娘，在下已經承教了。這方面的事，可否暫做結束，咱們談談別的事情如何？」

水燕兒點點頭，道：「好吧！我們談談別的事情，俞兄發問呢，還是要小妹自己說？」

俞秀凡道：「姑娘自己說吧！在下心中是一片空白，還沒有想到要問姑娘什麼。」

水燕兒道：「好！那麼小妹就隨便談談了。」

俞秀凡道：「在下等洗耳恭聽。」

水燕兒沉吟了一陣，道：「俞兄，當真準備要進入造化城中瞧瞧麼？」

俞秀凡道：「不錯。在下能由人間地獄逃了出來，也算是死裏逃生了，如不到造化城走一趟，豈不是此生一椿大恨事。」

水燕兒道：「俞兄，你在人間地獄的時間不長，不知走過些什麼地方？」

俞秀凡道：「姑娘對那人間地獄有多少了解？」

水燕兒道：「我只是看到地獄閻王的報告，對地獄中的實際情況，了解不算太多。不過，重要的地方，我都知道。」

俞秀凡道：「十方別院，姑娘知道麼？」

水燕兒道：「知道。大地方，十方別院，容納了人間地獄中第一流的人才。」

俞秀凡道：「很可怕啊！所謂十方別院，竟是整個江湖的縮影，除大門派之外，竟然連江湖草莽也不放過，成立了一個萬家別院。」

水燕兒道：「那也是造化門中一支主力，除此之外，你還到過什麼地方？」

俞秀凡道：「斷魂壘。」

水燕兒呆了一呆，道：「斷魂壘你們也去過？」

俞秀凡道：「姑娘可是覺著很奇怪麼？」

水燕兒道：「你們遇上些什麼人？」

俞秀凡道：「瘋人、狂人，可以說不是人，因爲，在下從沒有見過那些瘋狂的人，世上也不應該有這等瘋狂的人。」

水燕兒道：「你們怎麼逃出來的？」

俞秀凡沉吟了一陣，道：「好一場凶殘、激烈的搏殺，那是驚心動魄的惡戰，在下從沒有想到過，世間會有這樣悍不畏死的人。」

水燕兒嘆口氣，道：「俞兄，如若你沒有騙我，你該是舉世無敵的高人了。因爲，從沒有一個人，能夠在進了斷魂壘後，生離其地。」

無名氏道：「咱們運氣好，逃過了那次劫難。」

水燕兒道：「你是萬家別院中人，你沒有名字，卻自號無名氏？」

無名氏冷冷道：「不錯，想不到在下在造化門中，竟然有這麼大的名氣。」

水燕兒道：「你是位很特殊的人物。」

無名氏道：「客氣，客氣。」

水燕兒目光轉注到石生山的臉上，道：「這一位，好像是不會說話，是麼？」

無名氏道：「在那些地方，不說話，似乎是比說話好一些。」

俞秀凡道：「燕姑娘，你去過十方別院麼？」

水燕兒搖搖頭，道：「沒有去過。」

無名氏道：「姑娘既沒有去過十方別院，怎會認識我等？」

水燕兒道：「兩位都是很可疑的特殊人物，存有畫像，送到我這裏來。」

俞秀凡道：「看來，你在造化門，確有著很大的氣派。」

水燕兒道：「俞兄，見笑了。」

俞秀凡道：「姑娘還有什麼指教麼？」

水燕兒道：「我想勸俞兄，到此爲止，用不著再深入了，但我知道，你不會聽。」

俞秀凡道：「燕姑娘，造化門中，難道還有比斷魂壘更可怕的地方麼？」

水燕兒道：「那要看怎麼一個計算法。」

俞秀凡道：「請教燕姑娘！」

水燕兒道：「斷魂壘中人，雖然狂悍凶狠，但他們缺少智慧，這裏的人，一個個，都有著一副很清晰的頭腦，還有著重重機關。」

俞秀凡道：「在下有一個最大的毛病，就是想到的事，非要辦到不可。」

水燕兒道：「既然如此，那就算小妹白說了。」

俞秀凡道：「在下有一事請求燕姑娘！」

水燕兒道：「想來，定是一件爲難事了。」

俞秀凡道：「那倒不是，我只是想收回我一件東西。」

水燕兒道：「你的劍。」

俞秀凡道：「是的！我的劍是一把凡鐵打成的寶劍，在別人手中，完全沒有價值，但對我而言，那是一把不可失去的寶劍。」

水燕兒沉吟了一陣，道：「劍的價値，在江湖人的眼中，完全一樣，俞兄這把劍，既是凡鐵，不知有什麼珍貴之處？」

俞秀凡道：「這柄劍的價値，貴重的是在它的紀念價値上，並非是它的鋒利和功能。」

水燕兒道：「原來如此。」

俞秀凡道：「姑娘願不願幫在下這個忙呢？」

水燕兒道：「劍不在我的手中，但我可以派人去取來，不過，那要一段時間。」

俞秀凡道：「不知要等候多久？」

水燕兒道：「大約有兩個時辰吧！」

俞秀凡道：「在下就等候兩個時辰吧！」

水燕兒道：「好！俞兄既然願意等候，小妹拚著違犯門規，這就遣人去給你取來。」舉手招來一個女婢，低聲吩咐了幾句，那女婢一欠身，轉頭而去。

水燕兒回眸一笑，道：「俞兄，離開聽松樓後，你們很可能有一段忍受饑餓的時間，小妹既已備了酒菜，何不在此小飲一杯？」

俞秀凡沉吟了一陣，道：「好！那就叨擾燕姑娘一頓。」

水燕兒立刻吩咐擺酒，片刻見酒菜擺上。

俞秀凡雖然答應了叨擾一頓酒飯，但內心中，對那水燕兒仍有著極大的戒心，暗中示意無名氏和石生山，如若她自己沒有食用之前，兩人最好不要食用。

水燕兒似乎是早已思慮及此，坐下之後，立時先喝了兩杯酒，然後遍嘗了桌上佳肴。

俞秀凡笑了一笑，舉起了筷子，道：「姑娘，一朝被蛇咬，十年怕草繩，咱們不得不小心一些。」

無名氏、石生山都很小心，目睹俞秀凡吃過的菜，才跟著食用。

水燕兒喝了不少的酒，雙頰上飛起了一片紅暈。俞秀凡酒量不好，一直在克制著自己，不敢多飲。無名氏、石生山的酒量雖然不錯，但卻不敢開懷暢飲。四個人，水燕兒喝酒最多。

無名氏放下酒杯，輕輕咳了一聲，道：「姑娘，你的酒量，似是並不太好！」

水燕兒道：「我本來也不會喝酒。」

無名氏道：「姑娘不覺著喝得太多一些？」

水燕兒道：「酒可消愁，多喝兩杯，打什麼緊。」

無名氏道：「看姑娘在造化門中的權限很大，想來，對造化門中的隱祕知曉不少。」

水燕兒道：「我還沒有醉，你應該等我再喝幾杯酒，問我不遲。」

無名氏笑道：「姑娘，這座聽松樓，可已在造化城中？」

水燕兒搖搖頭，道：「還沒有進入造化城中。」

俞秀凡道：「所謂造化城，大約是憑仗機關埋伏造成的一處險惡之區。」

水燕兒道：「造化城的景物，無奇不有，你們三人見識之後，亦將嘆爲觀止。」

無名氏道：「是洞天福地呢，還是人間鬼域？」

水燕兒道：「兩者兼有吧！不過，每個人感受上的不同，對境遇的看法，有著很大的差異。所謂布衣暖、菜根香，生性自甘淡泊的人，並非身著綾羅、日日酒肉，才會過得快樂。」

俞秀凡道：「姑娘之言，深含哲理，但頗有使人費解之處，姑娘何不解說得明白一些？」

水燕兒道：「非諸位親目所睹，也很難講得清楚。」

俞秀凡道：「姑娘的意思，是非讓我們進去看看不可了？」

水燕兒道：「俞兄，小妹只好提供一些進入造化城的資料，希望能對俞兄有些幫助。」

俞秀凡點點頭，道：「不論造化城是人間仙境或是閻羅屠場，在下既然有機會見識一番，

實是不應放過。」

無名氏道：「姑娘，咱們準備進入造化城，已不打算活著出來，姑娘能給咱們一些指點，咱們也不過多逃過幾次險難，死去之前，多長一些見識罷了。」

水燕兒嘆口氣，道：「進入了造化城，有很多的結果，不一定非死不可。」

俞秀凡道：「我知道。最好的辦法，就是投入你們造化門，既可保全性命，又可享受到某一些富貴榮華。」

水燕兒道：「這條路，大概是有些走不通了。」

俞秀凡道：「不錯。咱們寧可戰死在造化城，也不會做爲造化門弟子。」

水燕兒道：「除了降和戰之外，我想還有別的辦法，俞兄何不一試呢？」

俞秀凡沉吟有頃，微微一笑，道：「多謝指點！」

水燕兒端起酒杯，道：「勸君更進一杯酒，離此一步無故人。」

俞秀凡凝目望去，只見她手執酒杯，目含淚水，情意十分真摯。

忽然間，俞秀凡有著一種自責的感覺，暗暗忖道：她確然有著苦衷，酒後吐真言，她如對我全是一片假情，此時此地，實也用不著如此做作的了。

心中念轉，也端起酒杯，道：「不論在下能不能生離造化城，姑娘這一份情意，在下永記心中了。」

水燕兒眨動了一下眼睛，兩行情淚，順腮而下，舉杯一飲而盡，道：「俞兄，小妹不敢企求的太多，只希望俞兄能冰釋對小妹這份誤會，小妹就感激不盡了。」

俞秀凡也喝乾了杯中的酒，道：「姑娘，在下很慚愧，也很抱疚。這杯酒，表達在下一點敬意。」

水燕兒的臉上淚痕未乾，卻已綻出了微微的笑容，道：「俞兄，能得你諒解這份誤會，小妹心中就安樂多了。」

談話之間，一個青衣女婢，手中托著一柄長劍，快步行了進來。

水燕兒站起身子，由女婢手中取過寶劍，遞給了俞秀凡，道：「俞兄，看看是不是你的兵刃？」

俞秀凡接過寶劍，看了一眼，點點頭，道：「姑娘，謝謝你！這正是在下的兵刃。」

水燕兒微微一笑，道：「俞兄，小妹有一個不情之請，希望俞兄答允！」

俞秀凡聽得呆了一呆，暗道：又來了，不知道又要出一個什麼難題了，這女人真叫人難測高深。

心中念轉，口中說道：「姑娘請說！」

水燕兒道：「你如能離開造化城，希望能再來這聽松樓看我一次！」

俞秀凡暗暗吁一口氣，道：「理當如此。」

水燕兒目光轉注到無名氏和石生山的身上，道：「兩位帶有兵刃麼？」

無名氏搖搖頭，道：「沒有。」

水燕兒道：「可要借用兩件兵刃？」

無名氏道：「如是姑娘方便，在下倒希望能借用兩件。」

水燕兒道：「談不上方不方便，我能還給俞兄的寶劍，借兩件給你們有何不可。」

無名氏道：「多謝姑娘了。」

水燕兒道：「兩位用什麼兵刃？」

無名氏道：「在下用刀，石兄用什麼？」

石生山似乎是不願再講話，伸手蘸酒，在木案上寫了「判官筆」三個字。

水燕兒皺皺眉頭，道：「沒有判官筆。我這裏有刀有劍，還有軟鞭。」

石生山沉吟了一陣，又在桌上寫道：「軟鞭。」

水燕兒點點頭，道：「去取一把單刀和一條軟鞭。」

兩個女婢應了一聲，轉身而去。片刻之後，兩個女婢，拿著一把單刀，一條軟鞭，放在了木案上面。

無名氏拿起單刀，在手中掂了一掂，道：「姑娘，謝啦！」

石生山取過軟鞭，抱拳一禮。

水燕兒抬頭望望天色，道：「俞兄，如若你還沒有改變心意，現在可以走了。」

俞秀凡站起身子，道：「姑娘，在下等就此別過。」

水燕兒道：「俞兄，離開聽松樓，百丈外就進了造化城，三位多多保重，恕我不送了。」

俞秀凡道：「不敢有勞。」轉身向外行去。

水燕兒站起了身子，臉上是一片自憐自惜的神色，雙目滿含著淚水。但她強忍著沒有移動身軀，也沒有說一句話。

一個青衣女婢，帶三人離開了聽松樓。行過來時的懸崖險地，折轉上一座山峰。

青衣女婢停下了身子，道：「三位，峰下就是造化城，小婢告退了。」

那女婢神情嚴肅，說完了一句，立時淚水紛披，轉身而去。

俞秀凡大感奇怪，沉聲喝道：「姑娘留步！」

青衣女婢停下了腳步，回頭說道：「公子，還有什麼吩咐？」

俞秀凡道：「你哭什麼？」

那青衣女婢，本來還在忍住沒有哭，俞秀凡這麼一問，青衣女婢突然雙手蒙面，淚水由指縫湧了出來。

俞秀凡嘆一口氣，道：「姑娘，什麼事，使你哭得如此傷心？」

青衣女婢黯然說道：「我爲我們的姑娘流淚，爲她不平。」

俞秀凡呆了一呆，道：「爲她流淚，爲她不平，爲什麼？」

青衣女婢道：「她傷痛把你留在了人間地獄，日夜獨坐憑欄低泣，祝告上蒼，希望你能夠脫險歸來，生離地獄。」

俞秀凡道：「原來如此。」

語聲微微一頓，接道：「在未去聽松樓前，在下對她確然有一點誤會，見面之後，已然誤會冰釋。」

青衣女婢道：「俞相公好輕鬆啊！只是誤會冰釋四個字，你可知道我們姑娘付出了多大的代價、多大的犧牲？」

俞秀凡道：「她犧牲了什麼？」

青衣女婢突然放下了蒙面雙手，臉上淚痕縱橫，雙目神光湛湛，直逼在俞秀凡的臉上，道：「她不惜身犯門規，交還了你的寶劍，又贈與你兩個從人兵刃，且洩漏了不少造化門中的

隱祕。」

俞秀凡道：「她犯了什麼規戒？」

青衣女婢道：「她身犯天大門規，任何一條，都是腰斬、分屍之罪，三條並發，就算她是公主的身分，也是一樣的非死不可。」

俞秀凡道：「這個，這個，有沒有補救的辦法？」

青衣女婢道：「沒有。」

俞秀凡道：「我們交回兵刃呢？」

青衣女婢道：「大錯已鑄，回頭已晚。交還兵刃，也是一樣無法救她。」

俞秀凡道：「九死也有一生，難道這件事，就沒有一點僥倖求生的機會麼？」

青衣女婢道：「只有百分之一的機會，那就是你們生離造化城時，帶她離開此地。」

語聲稍停，接道：「俞相公，難道你一點也聽不出來，她要你歸來再到聽松樓去看看她，那是死別的留言。」

俞秀凡道：「聽松樓天險絕地，一夫當關，萬夫難渡，如若你們都肯幫助她，合諸位之力，死守絕地，造化門的人手，未必能越過那奇險關口。」

青衣女婢舉手拭去臉上的淚痕，道：「你要她抵抗捕拿她的殺手？」

俞秀凡道：「歸去告訴水姑娘，就說這是我說的話，我們能夠生離造化城，會盡快來此接應她。」

青衣女婢道：「這些話，我都可以轉告，但姑娘怎麼決定，小婢就不知道了。」

俞秀凡道：「那自然不關姑娘的事，只要你把話傳到就行。」

青衣女婢道：「婢子不會少說一個字。」轉身大步而去。

目睹青衣女婢離去之後，俞秀凡輕輕嘆息一聲，道：「兩位，咱們就要進造化城了，兩位帶有很多福壽膏，行動只怕也有些不便。」

無名氏笑了一笑，道：「公子說得不錯，咱們把它燒了。」

石生山放下背上的福壽膏，無名氏也放了下來。無名氏摸出一個火摺子晃燃，堆上枯枝乾葉，燒了起來。但見一股淡黑色的濃煙，升了起來，逐漸向四周擴散。黑煙中帶著一般濃重的香味。

無名氏目睹福壽膏全部燃了起來，哈哈一笑，道：「如是十方別院中人，見到了這數十斤福壽膏，被一把大火燒去，不知要如何心疼呢！」

俞秀凡哈哈一笑，道：「兩位，如那丫頭說得不錯，咱們再向前進，就進入造化城了，兩位的心情如何？」

無名氏哈哈一笑，道：「風蕭蕭兮易水寒，壯士一去兮不復還。」

石生山道：「在下覺著，能死在青天白日之下，強過苟安於人間地獄了。」

俞秀凡豪氣奮發，哈哈一笑，道：「兩位怎的如此氣餒，在下相信，我們能進入造化城，就能夠安全出來，兩位振作一些。」

廿五　造化之城

無名氏道：「公子，只有存必死之心，咱們才有勇氣進入造化城，是麼？」

俞秀凡抬頭看去，只見前面一片蒼翠，不見房舍行人。

一面舉步向前行去，一面仰天大笑三聲，道：「兩位請和在下走在一起，進入造化城後，咱們盡量不要分開。」

無名氏道：「公子，前面數十丈就是造化城了，怎麼一點也看不出異樣的感覺？」

俞秀凡道：「見怪不怪，其怪自敗。造化門中最大驚人處，就是出人意外。」

談話之間，到了一排翠樹前面。

這排翠樹，都被高大的蒼松掩遮，直到近前兩丈處，才看到那排翠樹。滿山翠松，但這一排翠樹倒翠得特別，翠得像翡翠一樣，而且枝葉很密，密得像一堵牆，看不到裏面景物。

俞秀凡停下了腳步，搖搖頭，笑道：「這排翠樹，有些奇怪。」

無名氏伸手撿起了一片石塊，緩緩說道：「公子，請向後退，我試試那片翠樹看。」

俞秀凡向後退了四步，笑道：「不妨事啦，你可以出手了！」

無名氏暗中提氣，右手一揮，石塊破風而出。但聞蓬然一聲，擊在那形同牆壁的翠樹之上。只見那片翠樹，忽然間開始轉動，捲向後面收去。

一座鮮花紮成的門樓，卻隨著那捲收的翠樹，現了出來。門樓很高大，足足有一丈六、七。全是鮮花結成，還帶著芬芳的香氣。門樓不但結紮得唯妙唯肖，而且，還有白花鋪成的一塊橫匾，金色花朵紮成了四個字「歡迎光臨」，顯然，這是特別爲三人紮成的一座花樓。

俞秀凡微微一笑，道：「那巨大門樓，全爲鮮花紮結而成，花色鮮艷，證明採下不久，花樓所用，不下數萬朵，不但配色適當，而且結紮精密，決非三、五人能在極短的時間完成。如是數十人合作完成，豈不是表現他們分工的精密、合作的效率。」

無名氏哈哈一笑，道：「公子不但武功精博，叫人佩服，這份觀察入微，不遺細小的精明，也叫咱們望塵莫及。」

俞秀凡道：「處處留心皆學問，這實也不算什麼。咱們不能有負人家的雅意，進城去吧！」舉步向前行去。

無名氏突然快行兩步，搶在俞秀凡的身前，道：「屬下開道。」手握刀柄，當先而行。

進了那鮮花門樓，景物忽然一變。只見一片平整的草地，足足有數十頃大小，地上不見高樹，也沒有長草，一片廣大的平川地上，全生著一般高低的如茵短草。

俞秀凡縱目四顧，思索了良久，竟然想不出這片廣大草地的用意究竟何在。

目力能及處，不見一個人影，也不見一座房舍，看不見一隻鳥兒飛過，也聽不見一聲犬吠、蟬鳴。不見一棵樹，也聽不到一點風搖枝葉的沙沙之聲。

青草如氈，一地翠色，藍天上飄浮著幾朵白雲，這該是詩情畫意的境地，但它太靜了。

靜得像一池死水，靜得太背常情，靜得是那樣詭異，靜得使人心生恐怖。

無名氏突然長長吁一口氣，道：「好靜啊，好靜！靜得不像是人住的地方。」

俞秀凡道：「靜的是步步凶險，咫尺殺機，兩位小心了。」

不喜說話的石生山，似是也憋不住心頭那股太過沉靜的憂悶之氣，說道：「難道這數十頃的遼闊草地，是設有埋伏的險地？」

俞秀凡道：「妙的是不著痕跡。極目眺望，一片短草，沒有一處不同，沒有一處會引人注意，就是天下第一等善製機關的人到此，也無法瞧出何處設有埋伏。」

無名氏點點頭，道：「不錯。單是這一股寂靜的威脅，定力不夠的人，就承受不了。」

俞秀凡道：「不過，咱們也不用太擔心，他們不會讓咱們死亡在這片草地上。」

無名氏道：「為什麼？」

俞秀凡道：「因為，這不是造化城的極致，他們既然讓咱們進來了，總希望咱們能見見他們最巧妙的東西。所以，他們不會叫咱們死不瞑目，生不敬服。」

無名氏哈哈一笑，道：「公子見解實非等閒，看來，在下這個跟班的職司，得先行續約了。」

俞秀凡嘆道：「話雖如此，但咱們已感覺到造化門的厲害，怯由心生，單是這一份感受，咱們已輸了一籌。」

無名氏笑了一笑，道：「是福不是禍，是禍躲不過，咱們放開步走吧！」

三人魚貫而行，舉步落足之間，無不小心異常，腳踏在如茵草地上，給人一種輕軟的舒適之感。但三人的心情，卻是如臨深淵、如履薄冰。每一個落步之間，都可能有著凶險變化，因此三人都走得極感吃力，本該是一段輕快、舒服的行程，但卻走得三個人一臉汗水。

好不容易，行過了那一段廣闊的草地，足足耗去了大半個時辰工夫。

草地盡處，景物又變，一流清溪橫越而過，溪前是一座玉欄紅瓦的小亭，亭中白玉磚上，擺著一把細瓷茶壺和三個白玉茶杯。一個全身綠衣的少女，含笑站在亭前。

這一陣全神戒備行來，三人都有著口渴的感覺。

綠衣少女欠欠身子，道：「請三位亭中稍息，飲杯香茗，前面有三座小橋，分通三個大不相同地方，三位還要花上一番心思，選擇去路。」

俞秀凡道：「是福不是禍，是禍躲不過。咱們進去瞧瞧吧！」舉步行入了小亭之中。

綠衣少女很多禮，先對三人福了一福，才輕移蓮步，伸出皓腕，端起瓷壺，斟滿了三人面前的茶杯，道：「三位，茶中無毒，三位可以放心的喝。」

當先拿起茶壺，倒入口中，喝下了兩口，放下茶壺，退出小亭。

俞秀凡端起茶杯，喝了一口，閉上雙目，運氣調息，確定了茶中無毒，才緩緩睜開雙目，道：「兩位請喝。」

無名氏笑了一笑，道：「原來，公子在替咱們試毒。」

石生山道：「這些事，應該由我們承擔。」

俞秀凡笑了一笑，道：「下一次吧！」

三人借喝杯茶的時間，好好調息一陣，等體能完全恢復，才離開小亭。

那綠衣少女，仍然端端正正地站在小亭外面，對三人欠身微笑。

無名氏輕輕咳了一聲，道：「姑娘！請問芳名。」

綠衣少女道：「賤妾小亭。」

無名氏道：「姑娘在造化門是……」

綠衣少女接道：「是守護這小亭的女衛。」

無名氏微微一笑，道：「這名字倒不錯，以物命名，當真是既簡單，又好記。而且姑娘也不會忘記自己的工作。」

小亭微微一笑，道：「造化門中的事，都以簡明為主，一句話能說完的事，決不說第二句話。」

無名氏道：「多謝姑娘指點。」

小亭道：「不客氣。」

無名氏放開腳步，追上了俞秀凡。

行不過十丈，果然到了一條清溪前面。這條溪流不深，清可見底，但卻很寬很寬，足足有十五、六丈，三道石柱木板搭成的木橋，並排而立，但橋到溪中，卻突然分開，分對著三個谷口通去。

溪流對面，是一道不太高的懸崖，但卻像刀切的一樣光滑異常，不見一株矮松，一叢雜草。

遠遠的估計，三個谷口，相距大約有三十餘丈。

無名氏長長吁一口氣，道：「公子，咱們走哪條橋？」

俞秀凡道：「不論走哪一條橋，都是一樣的凶險。」

無名氏道：「造化門太小氣，至少應該給咱們一些提示，讓咱們有一個選擇機會，這等完

全叫人碰運氣的事，沒有一點大門大派的氣度。」

俞秀凡道：「咱們居中而行吧！」

無名氏道：「對！三條大路走中間。」當先行上木橋。

三人行到溪中，三橋分叉之處，只見橋中光亮的木板上，寫著兩行小字，道：「停步想一想，人生轉眼空，繁華豈是夢，成敗論英雄。」

俞秀凡搖搖頭，道：「這是一條充滿著功利的橋。」

無名氏道：「公子，咱們要不要到另外兩條橋上瞧瞧？」

俞秀凡道：「只要咱們能活著，三處地方都該去見識一番。」

無名氏哈哈一笑，道：「不錯。咱們先去見識一下，造化門的繁華生活。」加快了速度，向前行去。

谷口不大，嚴格點說，應該是一個山洞，天然的形勢，加上了人工，開鑿出一座形同門樓的谷口。由谷口向裏面瞧去，只見那谷口深達十餘丈，看上去，像一個石筒。

俞秀凡停下腳步，望著谷口，緩緩說道：「這是什麼谷口，簡直像一個陷阱，如是咱們行入一半，兩面被堵了起來，那就被困在山壁了。」

無名氏道：「公子，雖然形勢險惡，但咱們也不能不進去啊！」

俞秀凡道：「進去是總要進去，不過，咱們得想個法子。」

無名氏道：「在下有個意見，咱們一個一個的過，直到一個人通過了全程之後，另一人再行通過。」

俞秀凡道：「雖非萬全之策，但目下只有這個辦法了。」

無名氏道：「在下先過。」舉步向前行去。

他本是一個見多識廣、處事慎重的人，此刻卻突然變得十分豪勇，大有初生之犢不畏虎的氣概。

俞秀凡、石生山，四道目光，盯注在無名氏的身上。

無名氏走得很慢，小心翼翼地打量著四周的景物。直到谷口盡處，足踏實地，才回頭來舉手相招。

俞秀凡道：「石兄先走。」

石生山一欠身，放開了腳步向前奔去，十餘丈的距離，轉眼已到盡頭處。俞秀凡也以極快的速度，奔了過去。

三個人通過石洞似的谷口，未引起任何動靜。

俞秀凡吁一口氣，道：「造化門這些布設，似乎處處都是險絕之地，但他們這份深沉，更給人一種莫測高深的感覺。」

無名氏微微一笑，道：「公子，看看這片木牌。」

俞秀凡轉頭望去，只見道旁插了一塊木牌，上面用朱砂寫了四個紅字，道：「歡迎光臨。」

突聞一個清亮的聲音，接道：「哪一位是本城貴賓俞少俠？」

俞秀凡轉目望去，只見一個身著青衣，赤手空拳，年約三旬的中年人，停身在八尺以外一株粗大的古松之下，面帶微笑。

流目四顧，感覺停身處，是一片兩畝大小的盆地，被一座淺山環圍，盆地除了幾株粗大的

矮松之外，都是短不及膝的青草，沒有一座瓦舍草棚。

打量過四面的形勢，俞秀凡才緩緩說道：「區區就是俞秀凡。」

青衣人微微一笑，道：「在下奉命迎客，請貴賓進城。」

俞秀凡一拱手，道：「有勞閣下。」

無名氏冷冷接道：「咱們記得那橋上留字，有一句繁華豈是夢，但看此地的荒涼景象，有何繁華可言？」

青衣人笑道：「無名兄，請稍安勿躁，造化城主自具有造化之能，兄弟就是要帶貴賓觀賞一番造化城的繁華。」

俞秀凡道：「如若在下能早些見見你們造化城主，可省去不少繁文褥節。」

青衣人道：「不忙，不忙。貴賓是第一個以外客身分，進入我造化城中的人。如不見識一下造化城中的綺麗繁華，豈不是有虛此行了。」

語聲頓了一頓，接道：「敝城主自然會接見貴賓，不過，什麼時間那就很難說了。」

無名氏道：「咱們公子的脾氣不好，你朋友說話最好能小心一些。路走錯，可以回頭，話說錯，可能會丟了性命。重要的是，一個人只能死一次。」

青衫人不悅地冷笑一聲，道：「閣下，你威脅夠了麼？」不容無名氏再接口，目光轉注到俞秀凡的身上，接道：「貴賓，咱們可以進入繁華城了麼？」

俞秀凡道：「有勞閣下帶路了。」

青衫人笑了一笑，回身在那粗大的古松之上舉手一揮，那枝葉茂密的粗大古松上，突然裂開了一座門戶。那木門高約五尺，寬約兩尺多些，可以容一人通過。

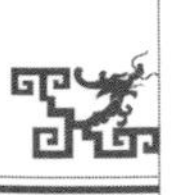

俞秀凡心中暗道：無怪他來得無聲無息，陡然在身後出現，敢情這株高大的古松，竟然是一處暗門。」

青衫人對俞秀凡一直保持著適當的敬重，回身一禮，道：「貴賓，在下走在前面帶路了。」

俞秀凡一側身子，緊追在那青衫人的身後，行入了古松的木門之中。無名氏、石生山，魚貫隨在身後。

進入了古松木門之內，是一條斜向地下的階梯，大約向下行了一丈多深，改成了平行小徑，向前行去。

俞秀凡暗中數計，這條地下小徑，直行了九百九十步，才踏到向上行去的階梯。

這等地下密道，寬窄只不過可容兩個人並肩而行，又黑暗到目光難見三尺外的景物，除了暗中計數步子之外，沒有別的辦法可想。

上行梯級十八層，帶路的青衫人突然舉手，擊向頭頂的蓋子。

俞秀凡聽聲音，那似乎是一種精鐵所鑄，入耳的聲音，十分清脆。

忽然間日光透入，鐵蓋開啓，青衫人一躍而上。

俞秀凡早已留心戒備，緊隨在那青衣人的身後，飛出洞口。無名氏、石生山相繼躍出地道。

青衣人向後退了兩步，一欠身子，道：「貴賓，請恕我不送了，前面就是繁華城。」

俞秀凡抬頭看去，只見一座青石砌成的城牆，攔住了去路，三人停身處，正在城門口處。

俞秀凡笑了一笑，道：「這座繁華城，倒是看不出繁華的景象。」

一語甫落，突然弦管樂聲，傳入耳際，城門內魚貫行出來一行身著白衣的女子樂手。

無名氏暗中數了數，那一行白衣女子，總共有一十二人。十二個白衣女子，大約都在十八歲左右，個個娟秀清麗，雖然談不上什麼天香國色，但十二人都有著很美的身材，個子也一般高，顯然，這些人，都是經過了特別的挑選。

俞秀凡冷冷地站在路中，無名氏、石生山分站兩側。

十二個白衣女子，行到俞秀凡身前五尺處，突然停了下來。欠身一禮，道：「見過俞少俠。」

俞秀凡一揮手，道：「不用多禮。」

十二個白衣女子，齊齊一笑，道：「多謝公子。」分成兩列，舉起手中的弦管，吹彈了起來。

無名氏低聲說道：「公子，可要在下去問問她們？」

俞秀凡點點頭，道：「好！過去問問她們。」

無名氏踏前兩步，越過俞秀凡，冷冷說道：「諸位姑娘，可以停下來了。」

十二個白衣女子停下了手中的弦管，瞪著二十四隻眼睛，望著無名氏，臉上是一片茫然之色。

無名氏冷笑一聲，道：「咱們公子，一向不喜這些排場，用不著諸位這樣辛苦了。」

不料十二個白衣女子根本不理會無名氏，仍然繼續吹彈手中的樂器。

無名氏冷笑一聲，突然向前行進兩步，右手一探，向左首一個手執琵琶的少女抓去。那白

衣少女，好像根本沒有看到無名氏伸過來的右掌，被無名氏一把扣住右手的腕穴。白衣少女啊一聲，手中的琵琶，跌落地上。

無名氏尷尬一笑，放開了右手，道：「姑娘不會武功麼？」

白衣女子一欠身子，道：「小女只會彈琵琶。」

無名氏道：「哦！」一時間，竟然想不出適當的措詞回答。

白衣女子活動了一下被扣手腕，伸手撿起了地上的琵琶，又開始彈了起來。

無名氏輕輕咳了一聲，道：「公子，我看咱們不用理會這些排場了，直接走進去吧！」

俞秀凡點點頭，道：「好！衝進去！」

無名氏手握刀柄，大步向前行去。

這真是一個很尷尬的場面，十二個白衣美女樂手，吹奏得十分熱鬧，但受歡迎的人卻是神情嚴肅，對那些悅耳動人的樂聲，充耳不聞。

十二個白衣女子，沒有阻攔無名氏、俞秀凡等，只管不停地吹奏手中弦管。弦管配合，發出悠揚的樂聲，但卻無法製造出歡愉的氣氛。

無名氏當先帶路，穿過了十二個白衣女子分列的樂隊，行近了城門，就是這一道城牆阻隔，城裏城外，完全是兩種大不相同的世界。

城裏面酒館羅列，商店林立，人來人往，摩肩接踵。所有的人，都穿著鮮明的衣服，酒肉香氣，撲鼻而來，動人食欲。每個人的臉上，都帶著歡愉的笑意，看起來充滿著一股祥和之氣。這些人有男有女，也有著八、九歲的孩子，目光都投注在三人的身上，不住地點頭微笑。

行過了半條街，人人如此。無名氏突然間有著一種慚愧的感覺，握在刀柄的右手，不覺間

放了下來，這是一個充滿著歡樂的小城，人人容光煥發，衣著鮮艷。不論是男女、兒童，沒有一個人帶有愁苦。

無名氏回頭對俞秀凡道：「公子，這地方真奇怪。」

俞秀凡道：「嗯！人人都帶著笑容，似是很快樂。」

無名氏道：「奇怪的是，這些人的笑容，都不是勉強裝出來的，他們的快樂，似乎是發自內心。」

俞秀凡道：「改變山川形勢，工程雖然浩大，但還不算難事，但如造化城主，能夠控制到一個人的喜、怒、哀、樂，那真是一件震驚人心的事了。」

談話之間，已行到十字街口，一座高大的酒樓，矗立其間，迎風飄動的酒招，寫著「天下美酒一家收，四海佳肴出本樓」，一塊金字大橫匾，寫的是：「人間第一樓」。

無名氏冷笑一聲，道：「好大的口氣。」

只見兩個身著白衣的堂倌，快步行了出來，欠身笑道：「三位，請裏面坐，本樓有京都御廚，江南名師，天下口味，都可在本樓嘗到。」

另一個白衣堂倌接道：「世間佳釀，南北美酒，只要能叫出名字，本樓無不具備，三位請入樓品嘗一下，就知小的所言不虛。」

俞秀凡目光轉動，四顧了一眼，發覺除了自己一行通過的西大街外，還有東、南、北三條大街。

每條大街上，都有很多人，看上去都夠熱鬧。最奇怪的是，北大街家家商店門前，結綵、掛燈，似是每一家都在辦喜事似的，想到入夜後一街燈火，彩綢飄動，那份熱鬧，不言可喻了。

無名氏低聲道：「公子，咱們要不要見識一下這座人間第一樓？」

俞秀凡道：「進去瞧瞧吧！」

兩個堂倌帶路，引導三人行入店中，果然是「座上客常滿，樽中酒不空」，數十張木桌上，坐滿了酒客。

只是，不論這地方如何繁榮，但在俞秀凡等三人的心中，都有著故意安排的感覺，抹不掉人間地獄中那悲慘的形象。

白衣堂倌帶三人，直行上二樓，才找到一張空桌，欠欠身，笑道：「小號生意太好，雖然已快過吃飯時刻，但酒客還不停地擁上，委屈三位，先坐一刻，如是不滿這個座位，小的當盡快替三位換過。」

俞秀凡淡淡一笑，道：「貴號的生意，天天這樣好麼？」

店伙計道：「是的，日日滿座，很少虛席。」

無名氏道：「那真是財源廣進，貴號賺了不少銀子吧。」

店伙計道：「敝號的利很薄，用料道地，雖然每日滿座，但賺頭不太。」

俞秀凡突然冷笑一聲，道：「只怕，這些人，都是故意找來給在下等看的吧！」

店伙計道：「給你們看的，爲什麼呢？」他的神情一片茫然，任何人都無法對他的話生出懷疑。

俞秀凡也有些茫然了，暗道：難道，這座繁榮城中人，別是一番境界，這裏的人，當真都日日生活在這等錦衣、玉食的繁華之中？

但聞店伙計說道：「本樓酒菜，包括了南北口味，但不知三位要吃什麼？」

俞秀凡道：「隨便來一點吧！」

無名氏道：「要貴樓最好的菜。」

店伙計道：「本樓有一桌名菜，叫做十全富貴，這桌菜，包括了南北口味，全國所有的名菜，真是魚與熊掌兼俱，山珍和海味並列，三位嘗過之後，就知小的所言不虛了。」

無名氏道：「好！就給咱們來一個十全富貴。」

店伙計一欠身，道：「小的這就去叫他們準備。」

無名氏冷冷說道：「伙計，告訴大師父一聲，別在酒菜裏面下毒。」

店伙計道：「客官說笑了。」

片刻工夫，酒菜擺了上來。每一次都是兩道菜，一齊上來，一道是北方手藝，一道是南廚名菜。

也許是無名氏一句話，發生了作用，上菜的伙計，每人都帶了一把筷子，放下了菜盤之後，自己先夾了一塊嘗嘗。

無名氏果然是一個很小心的人，試菜的伙計，吃下第一口菜後，不能馬上離開，直到無名氏確定他們沒有中毒之後，才放他們離去。因此，這席酒菜吃得很慢，足足有兩個時辰之久，才算把一席酒菜飲用完畢。

本來，俞秀凡等都可以早些停箸，但這些菜燒得太好了，每一道菜，都有著特殊色香，入口之後，別有風味。

直到全席吃完，無名氏才放下筷子，道：「兄弟足跡，遍及大江南北，論吃一道，自信

頗有見識，但我卻從未吃到過這樣好的名菜，人間第一樓，單以菜肴美味而論，倒也不算誇大。」

一向不愛講話的石生山竟也忍不住，說道：「單是這等可口美味，就可以使很多人，心甘效死，不作別想了。」

俞秀凡道：「的確好吃，但如因爲有了幾口好菜，就能使一個人甘心爲虎作倀，那人也未免太過輕賤自己了。」

無名氏道：「公子在江湖上走動的時日不久，不知江湖千奇百怪，什麼樣子的人物都有。有人愛利，有人愛名，有人喜色，有人愛吃。一道美味，可以使他們終日裏念念難忘。」

俞秀凡暗暗嘆息一聲，忖道：江湖代代有高人名家，但能夠使後人景慕不忘的，卻難有幾個，這大概不是他們識見不足，就是有某種癖好之故了。

他心中感慨萬端，深深覺著，一個人如想立下千秋大業，爲後世楷模，不偏不倚，識見遠大，於大是大非間有所遵循，那就不是單純武功一道能夠做到了；必須文武兼具，才能當全才之稱。

忽然間，想到了自己。

艾九靈行蹤遍天下，識見是何等廣博，爲什麼竟然會選擇自己這樣一個貧寒出身，全無武功基礎的人，不惜大費手腳，乞求他人，把自己造就成這樣一位出奇的人物。

以艾九靈在武林的聲望，他盡可由武林各大世家門戶，選一個出類拔萃的人承繼他的衣缽，以他聲望之隆，武功之高，自非難事。爲什麼，他竟選擇了我？是不是因爲我救了他，因爲他，我受了很多的痛苦。但酬恩的方法很多，似是用不著如此大費周折。

他借重佛門傳薪之術，授我功力；借重花無果絕世醫道，助長了我的成就；把他畢生窮研苦思的絕技，簡化爲十掌、三拿，全不藏私的傳授於我；又爲我找到了一位畢生苦思拔劍手法的名家，傳授了我的劍法。那千敗老人，由千次失敗，修正了拔劍的手法，實已超越了一般劍法之上，拔劍一擊，已非一般劍法所能封擋。

這些人自非他在一時間所能找到，這根本是一個很精密的計劃。艾九靈僕僕風塵走遍天下，其用心就是在尋找能承受這個計劃的人。

但他選了我！

一念及此，心中凜然頓生出一種警惕，只覺肩負沉重，有不得一步差錯之感。

無名氏、石生山，冷眼旁觀，發覺那俞秀凡神情嚴肅，似正在思索一件重大之事，不敢驚動，暗中招呼，嚴作戒備。

但見俞秀凡神情數番變化之後，突然長長吁一口氣。

無名氏輕輕咳了一聲，道：「公子，你在想什麼?想得那樣入神，想得這樣長久!」

這時已到了掌燈的時分。不知何時，第一樓上，已經點起了燈火，而且樓上顯得十分清靜。

敢情，樓上已經沒有了客人。但整座二樓，燈燭輝煌，點了十二盞垂蘇宮燈。兩個身穿白衣的店伙計，恭恭敬敬地站在木桌前面，一語不發。

俞秀凡打量過四周景物，深深一笑，道：「我在想一個人。」

言未盡意，話題突然一轉，接道：「現在什麼時刻了?」

無名氏道：「晚飯已過。」

俞秀凡回顧了身側兩個穿著白衣店伙計一眼，道：「現在，這繁華城的人，都該休息了。」

店伙計一欠身，道：「東、西、南三條街上的人，都已經休息了。但北大街，卻正是剛剛開始。」

俞秀凡點點頭，道：「北大街，是什麼行道？」

店伙計道：「這個很難說了，風雅點說，那是風月地方，如是俗說一點，那該是歌姬雲集之處了。」

無名氏道：「繁華城彈丸之地，想不到名堂還真是不少啊！」

店伙計道：「離開了聲色犬馬，繁華二字，那就很難表達出來了。」

俞秀凡道：「能讓咱們去瞧瞧麼？」

店伙計道：「那地方最歡迎外鄉人去，本地的人，反而不受歡迎。」

俞秀凡嗯了一聲，道：「爲什麼呢？」

店伙計道：「這個原因很多，但最重要的是，大家不是遠親，都是近鄰，彼此之間，在那風月場中會面，總難免有一點尷尬。」

俞秀凡道：「照在下的看法，只怕還有一點原因。」

店伙計道：「貴賓指教。」

俞秀凡道：「這座人間第一樓和那些歌場書寓，恐怕不是爲貴城中人所設立，自然不太歡迎城中人了。」

店伙計道：「這個小的就不知道了。」

俞秀凡笑一笑，站起身子，道：「既然來了，咱們自然各處都要走走，以廣見識。閣下，請拿賬單來吧！」

店伙計道：「貴賓初履敝城，十分難得，敝東有諭，這頓飯算他敬奉貴賓。」

俞秀凡聽他口齒伶俐，而且既擅避重就輕，又能答非所問，心知要想從這些人的口中，套出幾句真話，勢比登天還難。取過長劍，道：「代我上覆貴東主，就說俞某人向不白吃，一餐之情，日後，在下也許有以回報。」

店伙計道：「不成敬意，貴賓如若近日不走，還望常來小號坐坐。」

俞秀凡未再理會那店伙計，舉步向外行去。

無名氏伸手從懷中摸出一錠黃金，丟在桌子上，道：「伙計，這個，是敝公子的賞賜，你們分分用吧！」緊追俞秀凡身後而去。

店伙計伸手取過黃金，在手中掂了一掂，怕不有五六兩重，當下說道：「賞賜太重了。」

俞秀凡等三人頭也不回，直出了第一樓，轉向了北大街。一眼望去，整個的北大街，就像一條火龍似的，每一家前門，都高掛著兩盞走馬燈，彩綾門樓，燈火輝映；夜色中，看上去十分耀目，燦爛絢麗。

俞秀凡冷笑一聲，道：「造化門也就是這點苗頭了，下毒、用藥、金錢、女人，除此之外，大約再也變不出花樣了。」

無名氏道：「公子，女色眩目，酒最誤事，也最易受人暗算，咱們得小心一些才是。」

俞秀凡道：「不錯。我也正要告訴兩位，小心戒備，但卻要放膽週旋，如非情況特殊，最好不要分開。」

無名氏笑一笑，道：「咱們跟著公子，聽命行事。」

俞秀凡道：「對江湖中事，我知曉得不多，這一點，還要兩位隨時給在下指點指點。」

無名氏笑一笑，道：「江湖中事，在下是知道不少，不過，造化城中事，似乎不能以常情測度。」

俞秀凡道：「咱們盡力而為吧！如是咱們無能應付，那就給它來一個以不變應萬變。」

無名氏道：「公子說得極是，來一個含笑不言，就會使他們難測高深。」

說話之間，已踏入了北大街。只聽絃管隱隱，由張燈結彩的大門中傳了出來。

俞秀凡轉頭望去，彩燈映照下一塊金字橫匾，寫的是「台天歌壇」，兩邊對聯寫的是：「此曲只應天上有，人間除此無分壇。」

無名氏笑一笑，道：「口氣很大，不過吃了『人間第一樓』的美味，倒也不敢對這座『天台歌壇』太過小覷了。」

俞秀凡道：「看這條花街規模，至少有二十家以上的歌榭書寓，咱們盡一夜工夫，都走它一遍。」

無名氏道：「先看這天台歌壇。」舉步向裏行去。

進了大門，迎面是一陣襲人香氣，紅、黃、藍、白，四色小花燈，用一條白索穿成一線，由大門內直通大廳。數百盆各色奇花，擺成了一條曲折的幽徑，人由小徑過，兩側花香芬芳，花色悅目。

俞秀凡道：「如是單為了給我們一開眼界，化費了這大工夫，倒也是很難得了。」

無名氏道：「看來，他們對公子確然很重視。」
俞秀凡笑一笑，未再答話。行近廳前五六尺，大門已呀然而開，一個白衣白裙的少女，快步迎了出來，欠欠身，道：「你是俞少俠吧？」
俞秀凡道：「不敢，姑娘早已奉到了接迎在下的令諭了？」
白衣女嫣然一笑，道：「小女子恭候已久，俞公子請吧！」
俞秀凡舉步入廳，滿座客人，突然一起肅立，歌台八盞垂蘇燈下，正在婉轉高歌的綠衣女子，也突然收住了檀板，停下了歌聲。
無名氏四顧了一眼，發覺大廳中坐了不少的人，少說點，也有百號以上。
白衣女引導三人直趨台前一張長形木桌前，欠身笑道：「俞少俠請入座。」
這是距歌台最近的一張木案，木案上早已擺好了香茗細點，木案後並排放著三張木椅，一樣的帶扶手靠背的木椅，不同的是，居中一張木椅上，舖著黃色的坐墊。
俞秀凡緩緩在中間一張木椅上坐下，無名氏和石生山，分坐在左右兩側。
直待三個人完全坐好之後，那站在台上的綠衣少女，緩步行下歌台，直趨木案前面，欠身一禮，道：「公子，小女子荷花，見過俞少俠！」
俞秀凡一揮手，道：「不敢當，姑娘有什麼見教？」
荷花道：「小女子請教公子，希望聽一支什麼樣的歌曲？」
俞秀凡道：「客隨主便，姑娘覺著什麼樣的曲子拿手，就唱那一支吧！」
荷花很多禮，又欠欠身，道：「小女子遵命。」轉身舉步，行上歌台。
她似是有意的賣弄風情，走的柳腰款擺，臀部搖顫。登上了歌台之後，立時響起了一片絃管之聲。

綠衣女子輕啓櫻唇，一縷清音，自口中婉轉而出。唱的是陸放翁的「釵頭鳳」，歌聲婉轉，動人之極。歌聲停下，餘音仍裊裊不絕，迴繞身際。

俞秀凡一直提高著警覺，聽罷一曲，立時站起身子，準備離去。

只聽一聲清脆的嬌呼，道：「俞少俠，請留坐片刻，聽完賤妾一曲再走如何？」

俞秀凡抬頭望去，只見一個全身白衣的女子，緩步行到台前。那是個五官秀麗的少女，只是稍微清瘦了些，給人一種纖弱的感覺，顯得楚楚可憐。

忽然間，俞秀凡發覺了那白衣少女愁鎖秀眉，似乎是有滿腹的幽怨，卻又無處申訴。俞秀凡站起身子，又緩緩坐了下去。這女人有一股特殊的味道——憂鬱。任何人看她一眼，都會生出了憐惜的感覺。

無名氏、石生山不自覺的受到那強烈的悲傷感染，雙目中流下了傷慟淚水。

俞秀凡長長吁一口氣，暗道：好淒涼的調子，這女人似乎有無盡無際的痛苦。

忽然間，歌聲頓挫，停了下來。俞秀凡突然間心生警覺，轉頭看去，只見無名氏和石生山，都已淚流雙頰，如醉如癡，臉上是一片愁苦容色。似乎是兩人已被淒涼的歌聲，勾起了無限的傷心，兩個大人，哭得像淚人似的。

俞秀凡長笑一聲，站起了身子，流目四顧，不知何時，全場中人，都已經走得一個不剩，只剩下三個人在座，輕輕吁一口氣，立刻凝神低吟。

那白衣女子的歌聲，在一頓之後，突然又響了起來，仍然淒風苦雨一般的調子。

幾句天龍禪唱，立刻把俞秀凡激動的情緒，給平靜下來，同時，無名氏和石生山，也從半昏迷的狀態中清醒過來。兩人感覺到臉上有些淚痕，立刻舉手拭去。

那白衣女淒涼歌聲，突然拔尖，尖厲的聲音，有如尖錐一般，分向三人耳中鑽去。

俞秀凡的天龍禪唱也突然拔高，一股平和的聲音傳播開去，有如一道魚網般，兜了過去。

無名氏和石生山感受到的壓力，也忽然解除。那高聲歌唱的白衣女，似乎是被一種壓力逼住，頭上也開始滾滾下汗水。俞秀凡神情端莊，天龍禪唱愈見嘹亮。

突然間，歌聲中斷，白衣女身子搖動了一陣，一跤跌摔在地上，口中鮮血湧了出來。

俞秀凡停下了天龍禪唱，緩步行上歌台，伏下身子，伸手把那白衣女子鼻息探了一下，歎口氣，道：「姑娘，傷得很重麼？」

白衣女緩緩睜開微閉的雙目，舉手拭一下口角的鮮血，淒涼一笑，道：「公子內功深厚，小妹很佩服。」

俞秀凡道：「姑娘，現在不談這些事情了，在下有什麼地方，能夠幫助你？」

白衣女搖搖頭，道：「公子，沒有用了。我只想請教你一件事。」

俞秀凡道：「什麼事？」

白衣女子道：「你用的什麼武功，破了我的消魂曲？」

俞秀凡道：「天龍禪唱。」

白衣女道：「嗯！我敗得不冤。公子的天龍禪唱，是佛門無上大法，小妹死而無憾了。」

俞秀凡輕輕吁一口氣，道：「姑娘能不能告訴我這天台歌壇中，還有什麼人物？」

白衣女子道：「我是第三個，在我上面，還有一位師姊，一位師父，我師父功力深厚。」

話到此處，口中鮮血湧出，氣絕而逝。

無名氏、石生山，都已經完全清醒過來，回想適才經過，不禁心頭震動。忖道：我們本在全神戒備之下，想不到受了暗算還不自知。

俞秀凡緩緩站起身子，右手握住劍柄，冷肅的說道：「諸位可以現身了。這等鬼鬼祟祟的，不覺著有失身分麼？」

無名氏、石生山迅快的移動身軀，到了俞秀凡的身側。兩人一左一右守在俞秀凡的身後。只聽梟鳴似的怪笑，歌台後側，緩步行出一個黑衫、黑裙，滿頭白髮，手執竹杖的老嫗。這老嫗臉上滿佈著一層層的皺紋，身後卻隨著一個全身紅衣，千嬌百媚的大姑娘。老嫗望一望躺在地上白衣少女的屍體，突然冷笑一聲，道：「小丫頭，見不得標緻少年，連你師父也給出賣了。」

突然一揮手中的竹杖，一挑白衣女的屍體，摔出了八九尺外。死後毀屍，全無一點師徒的情份。

俞秀凡冷笑一聲，道：「老前輩好毒辣的手段！」

白髮老嫗道：「她出賣了師父、師姊，罪該碎屍萬段。」

俞秀凡冷冷說道：「死不記仇，何況和你師徒一場，竟然是全無情意。」

白髮老嫗冷笑一聲，道：「凡是背叛我的人，老身決不憐惜。」

俞秀凡強自壓制著心頭的怒火，緩緩說道：「人之將死，其言也善。她說出你們的身分，對你並非無益。」

白髮老嫗道：「這一點老身倒想不出，對我有什麼益處？」

俞秀凡道：「至少，你們還有逃走的機會。」

白髮老嫗突然放聲而笑，聲如梟鳴，淒厲刺耳。

無名氏一皺眉頭，道：「真是此笑只應天上有，人間難得幾回聞。」

這兩句話，倒是收效很大，白髮老嫗突收住了笑聲，雙目盯注在無名氏的臉上，道：「你是說老身笑得難聽？」

無名氏道：「不錯。在下這一生中，從沒有聽過比這更難聽的笑聲了。」

白髮老嫗反而沒有了怒火，淡淡一笑，道：「這麼說來，諸位喜歡好聽的了？」

無名氏道：「至少咱們不喜歡聽像老婆婆那樣的怪笑聲。」

想像中，這白髮老嫗定然會被激得怒不可遏，因為這白髮老嫗給人的印象就是暴躁的人。但出人意外的是，那老嫗竟然全無怒意，反而微微一笑，道：「那就換一個笑得好聽的吧！」目光一顧那紅衣少女，道：「秋兒，去，笑幾聲好聽的給他們三位聽聽！」

紅衣少女帶著一臉春風般的笑容，款擺著柳腰，走過來，盈盈一禮，道：「三位大爺多指教！」

俞秀凡胸有萬卷，透析事理的明徹，自非一般江湖人物能及，冷冷接道：「慢著！」

唰的一聲，長劍出鞘，寒芒閃動間，劍尖已指向了紅衣少女的咽喉。這份快速，當真如閃電一般，叫人應變不及。

紅衣少女臉上閃掠過一抹驚異之色，立刻又恢復了滿臉笑意道：「這是幹嘛呀？伸手不打笑面人，難道你還真能殺一個對你微笑的女人麼？」

無名氏、石生山都為那紅衣少女美麗的笑容所動，心中暗暗忖道：「這話說得也是，怎能拔劍殺死這麼一個有著美好容貌的姑娘呢？」

俞秀凡也感覺那紅衣少女笑得如花盛放，好看無比，不覺手腕一軟。

白髮老嫗皺紋堆累的臉上，也浮動出一片笑意，道：「年輕人，鋼刀雖快，不斬無罪之人。」

俞秀凡轉過目光，口中低吟起天龍禪唱。這佛門降魔的梵音，果然有著無比的神奇力量。禪唱飄越，俞秀凡立時神志清明，轉目望去，只見紅衣女子臉上的笑容，也完全變樣。笑得很痛苦，有如一個人一面在承受皮鞭抽打之苦，一面卻又要對人強笑，那笑容，比哭還難看。不禁看得一怔。就在他暗自感歎之間，突覺右腕一麻，脈穴被人抓住。同時，那白髮老嫗手中的竹杖，也抵住了俞秀凡的前胸要害。出手的正是那白髮老嫗。

俞秀凡暗暗吁一口氣，冷冷說道：「看來，閣下是準備動手了？」

白髮老嫗冷冷說道：「姓俞的，你還有動手的機會麼？」

俞秀凡道：「為什麼沒有呢？」

白髮老嫗一面暗中加力，一收五指，一面說道：「武林中人被拿著脈穴之後，一向是沒有反擊之力，閣下，已被拿住脈穴了。」

俞秀凡道：「我知道。」

無名氏突然欺身而上，道：「還有在下等。」立掌如刀，直切那白髮老嫗的右腕。

忽然間，紅衣少女指影點點，直襲過來，指向了無名氏的面前。指尖未到，幾縷指風，已經先行襲到。

行家一伸手，就知有沒有，紅衣女出手一擊，無名氏已覺出這紅衣女的功力，十分深厚。顧不得再傷那老嫗，疾快退後兩步，橫手封去。紅衣少女一招逼退了無名氏，並未再行追襲。

無名氏一招封空，右手已握向刀柄，唰的一聲，長刀出鞘。

紅衣少女格格一笑，道：「怎麼樣，準備動傢伙啊？」柳腰擺動，人已越過了俞秀凡，攔在了無名氏的前面。

石生山早已蓄勢戒備，但卻一直找不到適當的機會。

無名氏長刀一揮，橫裏斬去。紅衣少女一閃身避開刀勢，但立刻攻了上來，而且一下子欺近了無名氏的身前，掌拍指點，全是制穴斬脈的手法，一招連著一招，迫得無名氏步步後退。

無名氏手中長刀被紅衣少女的掌指，逼到了外門，在紅衣女子快速的攻勢下，無名氏一直無法把手中的兵刃收回攻敵。空有一把長刀，不但未能有助攻敵，反而成了累贅。

這時，無名氏才警覺到，造化城中人，不只是專走旁門左道的術法，而是，每個人都有著真真實實的武功。一念及此，頓覺這神秘組合，非同小可，生離此地的機會不大。

紅衣少女掌法奇幻，攻勢凌厲，搶盡了先機，完全掌握了主動。但那無名氏究竟是久經大敵的人物，發覺無法扳回劣勢時，立時改採遊鬥，步步後退，但求自保，不求傷敵。

那白髮老嫗竹杖抵在俞秀凡前胸之上，左手又扣住了俞秀凡的脈穴，本是佔盡了優勢，但她卻感覺著俞秀凡被扣的右腕上，有一股遊動的暗勁，似是隨時能掙脫五指而去。抵在俞秀凡前胸的竹杖也似乎感受到一股強大的阻力。

俞秀凡在腕穴被扣，前胸被對方兵刃抵觸之下，一直在暗中警惕自己，不可慌亂。艾大哥曾經告誡過自已，愈是處境危惡，愈是要鎮靜對付。但一種潛在的本能，使他在不知不覺間，把內力運集於受制之處。少林寺高僧傳薪，花無葉神奇醫道，早把他造成一個身具深厚內力的高手，只是他還不太瞭解自己。

白髮老嫗一生中搏鬥過無數強敵，從來沒有遇上一個、脈穴受制之後有著如此反應、如此鎮靜的人。她暗審敵我之勢，如是出手一擊不中，必給敵人反擊之機，雖然占盡優勢，但卻不敢驟施毒手，一時形成了僵持之局。

俞秀凡卻也無法想出脫困之勢，他心中全無把握，能夠一下子脫出敵手，一次不成，立時將受到強敵致命的一擊。他不能就這樣死去。所以，也不敢輕易掙扎。

心中卻在思索著造成如此局面的原因，全在自己的疏忽，完全放棄了主動之故。強敵在天龍禪唱下，魔音失效，自己本已控制大局，卻不知搶先制敵，留給了對方以突變施襲的機會。這一次的疏忽，竟然主客易勢，由優勢變成了劣勢，受制於人。但聞那白髮老嫗，冷冷說道：「姓俞的，你認輸吧！」

俞秀凡道：「爲什麼要我認輸？」

白髮老嫗道：「因爲，我制住了你的脈穴，竹杖點在你前胸之上，隨時可以取你之命。這一點，你可以相信吧？」

俞秀凡淡淡一笑，道：「不信。」

白髮老嫗吃了一驚，道：「爲什麼？」

俞秀凡道：「你不殺我，一定有不殺我的原因；而且，那原因很重要，使你不敢殺我。」

白髮老嫗暗暗吁一口氣，忖道：看來，他似乎是還不太知道我不能殺他的原因了，目下情況，先要迫使他就範之後再說。心中念轉，口中說道：「不錯，我有不殺你的原因，但你也不能太激怒我，一旦激怒了我，我一樣可以取你之命。」

俞秀凡笑一笑，道：「你作不了主，因爲，你是個聽人之命行事的奴才！」

白髮老嫗臉色一變，道：「你罵老身是奴才？」

俞秀凡道：「不錯，你是奴才。」

白髮老嫗雙目圓睜，寒光如電，似要發作，但她卻又突然忍了下去，微微一笑，道：「好吧！就算老身是奴才，但咱們也不能就這樣僵持下去，如若彼此僵持的時間太久，老身只怕一個克制不住，殺了你。」

俞秀凡道：「那你就試試吧！」

白髮老嫗冷笑一聲，道：「年輕人，不要太自信，你要知道，一個人只能死一次，死了之後，什麼名位利祿，都將付之東流。」

俞秀凡道：「你錯了，在下求的不是名位，也不是利祿。」

白髮老嫗道：「那你求什麼？」

俞秀凡道：「求安心。男子漢，大丈夫，生於天地之間，只求仰不愧天，俯不祚地，名位利祿，等閒事，豈放在我俞某人的心上。」

白髮老嫗一時間愣在當地，半晌說不出一句話來。因爲，她感覺到俞秀凡手臂間流轉的真氣，愈來愈是強烈，已到真欲掙脫飛去的境界，如是他不肯就範，情勢迫人，只有冒險硬拚一途了。

突聞站在旁側的石生山，冷笑一聲，欺身而上，打出一拳。

白髮老嫗冷哼一聲，一側身，向旁側避去，同時左手加力，順勢一帶，把俞秀凡帶向一側。她如僅出手封擋石生山的攻擊，俞秀凡不太瞭解自己的潛力，或許不敢妄自掙扎，但那白髮老嫗太過聰明了，也根本沒有把石生山放在心上，她卻怕俞秀凡趁自己分心對付石生山時，

掙脫了自己的掌握，準備先把俞秀凡制服之後再對付石生山。但她卻未料到，弄巧成拙。

在她用力一帶之時，俞秀凡本能的反應，突然用力一掙。這一用力，俞秀凡突然發覺，左手還可以活動，揮手一掌，拍了過去。他一共只會三招擒拿，十招掌法，但每一招的變化，卻是精微異常。

白髮老嫗眼看掌勢劈來，心中大吃一驚，竟看不出這一招掌勢的變化，不禁微微一呆。

就這一怔神間，俞秀凡右手突然一掙，竟然掙脫了白髮老嫗的掌握。這一脫困，有如龍歸大海，虎入深山，左掌一緊，迫得那白髮老嫗退了兩步。

但見俞秀凡拔劍一揮，刺了過去。沒有聽到竹杖和長劍交觸之聲，但卻聽到了那白髮老嫗冷哼一聲，向後退了五步。石生山凝目望去，只見那白髮老嫗右肘間鮮血淋漓滴了下來。

敢情俞秀凡一劍竟然刺中了那白髮老嫗握杖的右臂上關節要害。她擊出的竹杖，也突然垂了下來。

白髮老嫗傷得很重，但她臉上的驚懼之情，比她的傷勢更重。

俞秀凡目光轉動，發覺石生山手舞軟鞭，和無名氏聯手合戰那紅衣少女，已把戰局穩住，在以二對一的局面下，保了個平分秋色的局面，頓然放下心中的惦記。緩緩說道：「現在是你束手就縛呢，還是要我出手？」

白髮老嫗臉色一變，道：「你說什麼？」

俞秀凡道：「咱們之間，是和是戰，應該有一個決定了。」

白髮老嫗道：「三位可以去了！」

俞秀凡冷笑一聲，道：「不要顧左右而言他，在下的話，必須要一個明確的答覆。」

白髮老嫗道：「老身如是不答應束手就縛呢？」

俞秀凡道：「咱們之間，只好用一場搏殺來決定命運了。」

白髮老嫗道：「老身也不願和你動手。」

俞秀凡道：「這就由不得你了。」

白髮老嫗道：「老身如不還手，大約你不會殺一個不作抗拒的人吧！」

俞秀凡笑一笑，道：「老夫人，有一件事，只怕你想錯了。」

白髮老嫗道：「什麼事？」

俞秀凡道：「在武林中，我不是一個很有名望的人，也非出身於各大門派，所以，沒有重重的門規。」

廿六　春風仙子

白髮老媼心頭一震，道：「你的意思是……」

俞秀凡接道：「老夫人不做抗拒，在下也下會放過你。」

白髮老媼道：「你這算什麼俠義人物？」

俞秀凡笑了一笑，道：「我既非俠客，也非義士，所以，不用遵守很多對自己全然無益的規矩。」

但見寒光一閃，森冷的劍芒，已然逼在她的咽喉之上，白髮老媼不禁駭然道：「好快的劍招，老身這一生，從沒有見過出劍如此快速之人。」

俞秀凡冷然一笑，道：「你如覺著我不會殺了你，咱們就不妨試試。」長劍微一顫動，白髮老媼的咽喉處肌膚破裂，鮮血淋漓而下。

越是生性殘暴、冷酷的人，對死亡的體會也越是深刻，他們殺人時，手段百般狠毒，但自己卻是很怕死。

白髮老媼右肘關節處，劍傷很重，幾乎沒有再抗拒的力量，何況，俞秀凡的快劍，已使她明白了自己根本沒有反抗的機會，一陣死亡的恐懼感，襲上了她的心頭，只覺雙腿一軟，嘆了一聲，跪了下去。

這一下，倒是大出了俞秀凡的意料之外，但也使俞秀凡生出了一陣厭惡。

緩緩收回了長劍，俞秀凡冷厲地說道：「看來，你很怕死！」

白髮老嫗道：「是。老身目睹過千百人的死亡，因此對死亡了解得很深刻。」

俞秀凡道：「好！在下也不願殺一個全無骨氣的人。」

白髮老嫗臉上突然泛現出一抹笑意，接道：「多謝少俠！」

俞秀凡道：「別太高興，在下的話還沒有說完。」

白髮老嫗微微一怔，道：「少俠請說！」

俞秀凡道：「答覆我所有的問話，我滿意了那些答覆之後，你才可以不死。」

白髮老嫗道：「那雖然能逃過你的劍下，但仍然無法逃過死亡，而且死得更是悲慘。」

俞秀凡忽然拔劍一揮，頓然飄飛起一片銀絲，那是黑衣老嫗的滿頭白髮，灑落了一地。

她一生殺人無數，但輪到了自己面對死亡時，卻生出了無比的畏懼，望著那飄落一地的白髮，身軀微微抖動。

俞秀凡長劍入鞘，冷冷說道：「造化門中，可能有很嚴厲的門規，但至少你可以晚死一些時間。」

黑衣老嫗嘆口氣，道：「你想知道些什麼？」

俞秀凡道：「你是什麼人？」

黑衣老嫗道：「老身是魔音教的大護法，人稱魚姥姥。」

俞秀凡道：「魔音教主，現在何處？」

黑衣老嫗道：「也在此地。」

俞秀凡道：「爲什麼叫魔音教？」

黑衣老嫗道：「因爲本教是用音律制人，故稱魔音教。」

俞秀凡心中一動，暗道：那地獄門中的狂人，不是受制於魔音麼？想不到竟讓我撞上了。如能制服了魔音教主，或可解救那一批狂人。

心中念轉，緩緩說道：「你們魔音教，一共有多少門人？」

黑衣老嫗道：「我們魔音教人，主精而不在多，除了教主之外，只有兩大護法和教主門下四個弟子。」

俞秀凡道：「只有你們七個人麼？」

魚姥姥道：「一共十三個人，我們兩大護法門下，還各有三個女弟子。」

俞秀凡道：「貴教有沒有男子？」

魚姥姥道：「沒有，我們全教一十三人，全部都是女的。」

俞秀凡道：「貴教中人，在造化門中是一個什麼樣的地位？」

魚姥姥道：「好聽點說，是客卿地位。如若說得真實一些，咱們是受了壓迫，不得不聽命行事。」

俞秀凡道：「這造化城中，容納的人物不少吧？」

魚姥姥道：「包羅萬象，應有盡有，江湖上有名的門派，大約都有人在此。」

俞秀凡道：「這真是一件很可悲的事！」

語聲一頓，道：「叫他們住手吧！」

原來，無名氏、石生山仍在和那紅衣少女打得難解難分。

魚姥姥高聲叫道：「秋兒，住手！」

那紅衣少女應聲後退，脫身而出。無名氏、石生山，也未乘勢追擊。

紅衣少女回頭望去，看師父狼狽之狀，不禁心頭一震，道：「師父！」急步奔了過來。

俞秀凡淡淡一笑，道：「秋姑娘，令師告訴了在下不少的事，在下也希望姑娘能和我們合作。」

只聽一陣銀鈴似的笑聲，傳入耳際，道：「你想知道什麼，用不著問她們了。我知道的比她們多。」

俞秀凡回頭望去，只見一個身著玄色宮裝，頭戴金花的婦人，站在大廳門口處。那婦人年齡很奇怪，看上去似乎有三十多歲，也像二十多歲，總之，這女人給人第一眼就有一種很神秘的感覺。

在那宮裝婦人的兩側，各站著兩個年輕的少女，身佩長劍。宮裝婦人的右後方，站著一個白髮老嫗。白髮老嫗的身後，並排站著三位少女。

俞秀凡暗中數了一下，連那宮裝婦人在內，計有九人，連同魚姥姥的師徒三人在內，合計有一十二人，整個魔音教，總共有十三人，還有一個未到。

心中有了一個底，俞秀凡輕輕舉手一招，道：「你們過來。」

無名氏、石生山，經過這數日相處，內心對俞秀凡已生出了無比的崇敬，感覺之中，確也只有爲人僕從的份兒，立刻應聲奔了過去，分立在俞秀凡的兩側。

這時，站在一側的魚姥姥，突然飛身而起，左掌一揮，拍向俞秀凡的背心大穴。

這等近距離的突起發難，極爲難防，無名氏、石生山，都不禁失聲而叫。

忽然間，劍芒一閃而逝。無名氏、石生山叫聲未絕，魚姥姥已然被腰斬兩截，濺血而死。

俞秀凡長劍已然歸入鞘中，肅立原地，好像根本沒有動過。這一手快劍表演，使得全場人，無不看得一呆。

宮裝婦人原本帶著滿臉笑容，此刻，卻似是被凍了起來，變成了一副哭笑不得的樣子，緩緩吁一口氣，道：「你是我所見過，用劍最快的劍手。」

俞秀凡冷冷說道：「誇獎了。你大概是魔音教的掌教了。」

宮裝婦人道：「正是賤妾。」

語聲微微一頓，接道：「我們大概是江湖中最小的組合，只有十幾個人。」

俞秀凡道：「十三個！不知何故，只有十二位到此。」

宮裝婦人道：「看來，魚姥姥確已告訴你很多事。」

俞秀凡道：「死亡對她有著很大的威脅，但她見你之後，竟然敢起而反擊，足證貴教人數雖然不多，但卻有著很嚴酷的控制。」

宮裝婦人道：「一個門下，效忠教主，本屬天經地義的事，有何不可呢？」

俞秀凡冷冷說道：「說得不錯，那本是貴教的事。不過，貴教中人，想加害區區和兩位朋友，似乎和在下有關了。」

宮裝婦人道：「你已經殺了本教兩個人，自己卻毫髮無傷，也該去了。」

俞秀凡道：「你要我到哪裏去？」

宮裝婦人道：「北大街上，有很多歡迎閣下的準備。魔音教，只不過是其之中一。」

俞秀凡點點頭，道：「教主，似是有意放我們一馬了？」

宮裝婦人道：「也許閣下的快劍，有了威懾的作用。」

俞秀凡笑了一笑，道：「我看咱們之間，應該有很徹底的解決辦法才好；免得日後，再度爲敵。」

俞秀凡道：「教主不怕受到造化門主的懲處麼？」

宮裝婦人道：「那是本教的事，不勞費心。」

宮裝婦人冷冷說道：「這麼說來，閣下今天，非要把本教擊潰、殲滅不可了。」

俞秀凡似是突然間變得十分冷厲，緩緩說道：「貴教還可以選擇。」

宮裝婦人道：「請教？」

俞秀凡道：「只要教主告訴在下一句話，『從此退出造化城』。」

宮裝婦人道：「辦不到！」

俞秀凡道：「在下不喜歡傷人，但目下的形勢逼迫，在下不能不借劍爲助了。」

宮裝婦人嘆口氣，道：「你不覺著欺人過甚？」

俞秀凡道：「爲了千百位武林同道，在下只好得罪。」

那宮裝婦人右手移到頭插的金花之上，道：「好吧！本教……」

突然銀線一閃，俞秀凡握著劍柄的右手突然一麻。那是劇烈奇毒淬煉的毒針，藏於金花之中，由機簧控制。

俞秀凡雖是聰慧過人，但卻未想到那頭插金花之中，竟然會藏有暗器，在完全意外之下，不足數尺的距離之中，俞秀凡右臂被毒針射中。一種極爲強烈的奇毒，立刻使俞秀凡右臂麻木，握劍的右臂，已完全失去了作用。

雖然那宮裝婦人明知毒針的厲害，但她仍然不敢稍存大意之心，疾快地向後退了三尺。

這不過是一轉眼間的時光，無名氏和石生山已雙雙搶到了俞秀凡的身前，各亮兵刃，護住了俞秀凡。俞秀凡的右手，已然無法再握住劍柄，五指緩緩鬆開。

目睹俞秀凡的反應，宮裝婦人才格格一笑，道：「小兄弟，也許是魔音教三個字害了你，你想不到，魔音教人，竟然還會用暗器。」

俞秀凡神情冷肅，臉上全無驚懼之色。

無名氏低聲道：「公子中了毒？」

俞秀凡道：「一枚毒針，射中了我的右臂。」

無名氏道：「屬下瞧得出來，那該是很厲害的奇毒，快些運氣，閉住穴道。」

俞秀凡低聲道：「我不會自己閉穴，你快點了我右肩穴，把毒性閉於右臂。」

無名氏心中雖然覺著奇怪，但卻仍然依言點了俞秀凡的穴道。

俞秀凡左手握著劍柄，輕按機簧，長劍出鞘，冷冷說道：「夫人，咱們再試試！」緩步向宮裝婦人行了過去。

宮裝婦人心中有些半信半疑，緩緩說道：「俞少俠，天下不是沒有用左手刀法的人，只不過左手，需要一段很長的時間練習，像你一樣，突然左手用劍，只怕未必能施展出你的快劍手法。」

俞秀凡冷冷說道：「那是我的事，不勞夫人擔心。如是在下一定要死於夫人的毒針之下，在下也要死得瞑目。」

宮裝婦人道：「怎麼樣你才能死得瞑目？」

俞秀凡道：「在下死去之前，先取了你夫人的性命。」

宮裝婦人突然一揮手，兩個佩劍少女，分由兩側欺了上來。

二女在欺身前進的同時，右手一抬，長劍出鞘，兩支劍同時攻向俞秀凡。

俞秀凡左手疾抬，刺了過去。但聞噹噹兩聲，分由兩側向前攻上的二位姑娘，右腕各中一劍，手中的兵刃落地。二女傷得很重，右腕對穿，長劍落地之後，鮮血也淋漓而下。

二女呆住了，宮裝婦人也呆住了。她想不到俞秀凡的左手劍法，仍然是這樣的快速。

俞秀凡對自己的左手運劍，心中也沒什麼把握，但傷了兩個女婢之後，信心大增，長劍平舉，護住前胸，直向宮裝婦人行去。

宮裝婦人冷冷說道：「你殺了我，你將毒發而死。」

俞秀凡道：「我也感覺到你的毒針毒性很強烈，所以我必須在毒性發作前，取你性命。」

宮裝婦人道：「兩個人同歸於盡？」

俞秀凡道：「在下沒有選擇的機會，那也只好如此了。」

宮裝婦人道：「我可犧牲一位護法和兩個弟子，擋你一擊，奪路而逃。」

俞秀凡道：「如是你相信自己有逃走的機會，那就不妨試試。」

其實，俞秀凡心中也無把握。

宮裝婦人想到俞秀凡的快劍，逃走的希望實在不太，只好緩緩說道：「如若咱們換一個兩個人都不死的方法，俞少俠是否同意呢？」

俞秀凡道：「什麼方法？」

宮裝婦人道：「我給你解毒藥物，解去你身中之毒。」

俞秀凡心中想道：這婦人雖是一教之主，但在造化城，只不過是一個三、四流的角色，我要死，也該和造化城主拚個生死。

心中念轉，口中已緩緩說道：「如是你給我真的解藥，我就可以放你離開。」

宮裝婦人道：「你說話算數麼？」

俞秀凡冷冷說道：「在下一向言出必踐，不可信任的是你。所以，你也不用動腦筋騙我，給你逃走的機會。」

宮裝婦人未再多言，探手從懷中取出一個玉瓶，倒出一粒丹藥，遞給了俞秀凡。

俞秀凡右臂麻木，左手執劍，不敢棄劍去接。他已學會了謹慎。

無名氏及時行了過來，伸手接過丹藥，放入俞秀凡的口中。

對症之藥，神效快速，藥物吞下，俞秀凡已感覺腹中毒性消退。

暗中運氣，頓覺丹田一股強大的熱力，直沖而上。那熱力強大無比，俞秀凡感覺到右臂穴道被封中一陣暴脹的痛疼，竟然自行沖開了封穴。

運行的真氣，帶著解毒的藥力，片刻間，運行一周天，感覺到右臂可以運用自如時，頓覺精神煥發，精力充沛。這時，他才把少林群僧傳薪、花無果藥力引導的內力，全部收為己用。

宮裝婦人只見俞秀凡臉上泛著紅光，星目閃爍著如電的神芒，心中大是緊張，道：「我們可以去了吧？」

俞秀凡還劍入鞘，淡淡一笑，道：「回答我一句話再走。」

宮裝婦人道：「俞少俠請說！」

俞秀凡道：「人間地獄中有一座斷魂壘，裏面有不少人被魔音所困，那可是你們魔音教的

傑作？」

宮裝婦人道；「不是。我們還未到那等境界。」

俞秀凡道：「告訴我是什麼人？」

宮裝婦人道：「是城主的三夫人，綸音仙子的手段。」

俞秀凡道：「造化城主的三夫人……」

語聲頓了一頓，接道：「造化城主，一共有幾個夫人？」

宮裝婦人沉吟了一陣，道：「我不太清楚，但就我所知的，已有五位夫人。」

無名氏搖搖頭，道：「看來，這位造化城主，是一位很會享受，艷福不淺的人。」

宮裝婦人道：「那些夫人，一個強過一個，只要她們願意嫁，任何人都不會拒絕娶她們。」

只聽一聲冷笑，傳了過來，道：「說夠了麼？」

俞秀凡轉頭望去，只見一個全身紅袍，手執金棒的大漢，肅立在入門口處。

宮裝婦人大爲震駭，道：「神火執法！」

紅衣大漢口中嘖嘖兩聲，道：

「造化城中，不是沒有叛徒，但他們至少是在離開造化城門後，才敢背離；像你們這樣子，就在造化城背叛的事，我還是初次見到。」

宮裝婦人急道：「我們不是背叛，我只是……」

紅衣大漢接道：「我聽得很清楚，怎會冤枉你們。」語聲一頓，接道：「四大執法有權隨時處決背叛本門的人，你們一齊上吧，還是束手就縛？」

宮裝婦人道：「我們沒有錯。」

紅衣大漢手中金棒一指宮裝婦人，一道金黃光芒，直飛過來。

忽聞那宮裝婦人慘叫一聲，全身燃起了一片火焰。那火勢很激烈，一燃之下，不可收拾，全身都陷入了一片大火之中。但聞那宮裝婦人，不停地發出慘叫，似是有著無比的痛苦。

就在幾人一怔神間，那紅衣大漢，已連連揮手，打出一道道的黃光。

只聽一陣陣連綿慘叫，傳入耳際。魔音教人，全數都陷入了燃燒之中。

這真是一場觸目驚心的悲慘畫面，十來個活生生的人，眨眼間，變成了十幾團烈火。所有陷入大火的人，都已無法看到面目，全被大火掩遮。十幾團烈火在竄動，看得人驚心動魄。

慘叫很快地靜止，所有的魔音教人都已經被活生生燒死。

俞秀凡突然一提氣，欺到了紅衣大漢的身側，雙方相距大約只有四、五尺的距離。

冷笑一聲，俞秀凡緩緩說道：「好惡毒的手段，在下從沒有見過一個像閣下這樣冷血的人，殺人殺得這樣慘酷。」

紅衣大漢冷冷說道：「閣下能使魔音教人，在片刻間，完全屈服，想必是有些本領了。」

俞秀凡道：「你可是想試試麼？」

紅衣大漢道：「你可是覺著我怕你麼？」

俞秀凡道：「如是我不能對付你，那就不如死在你的毒火之下。」

紅衣大漢說道：「爲什麼？」

俞秀凡淡淡一笑道：「因爲，我如不能對付你，自然更對付不了造化城主了！」

紅衣大漢道：「好大的口氣。」

俞秀凡道：「在下能深入此地，大約不全是靠運氣吧？」

紅衣大漢怒道：「好！你一定想試試老夫的神火，那就請小心！」右手疾揚而起。

忽然間寒光一閃，紅衣大漢的右手，剛剛舉起，卻蓬然跌落在地上。

俞秀凡的劍勢太快了，不待毒火出手，長劍已斬落紅衣大漢的右手，齊腕而斷，手落實地，鮮血才冒了出來。

紅衣大漢只覺手腕一涼，看到鮮血，才覺著一陣劇疼刺心，有生以來，從未見過如此的快劍，也從沒見過那樣出劍的手法。

俞秀凡冷冷說道：「閣下，要不要再試試，改用你左手打出毒火的速度？」

紅衣大漢出於一種本能的意識，忽然間後退了兩步，轉身欲去。

俞秀凡長劍一閃，平遞了出去，劍尖上翹，已然抵向了紅衣大漢的咽喉之上，道：「不許走！」

紅衣大漢道：「閣下想殺我，儘管出手。」

俞秀凡道：「我如要殺你，就算你有三條命，也早已死於我的劍下了。」

紅衣大漢道：「大丈夫可殺不可辱。」

俞秀凡冷笑一聲，道：「我也不用羞辱你，但你必須回答我幾句問話。」

紅衣大漢道：「那要看你問什麼了？」

俞秀凡道：「我們如何才能見到造化城主？」

紅衣大漢道：「至少你們要走完了北大街。」

俞秀凡道：「可以。回去告訴造化城主，就說我們願意試試他這條北大街上的埋伏，不

過，走完這條北大街之後，在下就希望見到造化城主，那時，他如是仍不肯出面，就別怪在下要大開殺戒了。」

紅衣大漢點點頭，伸出左手，撿起地上的右手，轉身而去。

俞秀凡微微一笑，豪壯地說道：「走！咱們再去闖其他機關。」舉步向前行去。

到了第二座彩門前面，無名氏連頭也懶得抬了，冷冷說道：「這裏面，是什麼埋伏？」

一個年輕的漢子，閃身而出，欠身一禮，道：「這裏面是美人窩。」

無名氏哦了一聲，問：「什麼叫美人窩？」

一面目光微抬，果見彩色花環圍著一個豎立的金字招牌，寫著「美人窩」三個大字。

那年輕漢子，穿一身海青色綢子褲褂，大眼薄唇，一眼間就可以瞧出，他是一個很會說話的人。

只聽他滔滔不絕地說道：「美人窩中美人多，北地胭脂，江南佳麗，西域美人，中州才女，應有盡有，那真是目迷五色，使人眼花撩亂。」

無名氏冷冷一笑，接道：「夠了，夠了！我知道你很會說話，事實上，用不著這樣的大費口舌，咱們只想知道一件事。」

年輕人道：「什麼事？」

無名氏道：「這裏面埋伏的是些什麼人物？」

年輕人尷尬一笑，道：「如是一定要清楚一些說，這裏應該叫做『美人關』。」

無名氏微微一笑，道：「咱們公子，是世間第一美男子，只怕你這美人關，美人不夠美，無法留得住他。」

年輕人一欠身，道：「那麼，三位請進吧！」

大門距離正廳，大約百步以上的距離。廳裏的燈火很暗，但卻有一種神秘的誘惑氣氛。

無名氏冷冷說道：「咱們已見識過魔音教的手段，也見識過那位什麼神火護法，用不著再擺設這些排場，事情既然已經挑明了，大家要憑真本事、硬功夫較量，實也用不著多這些過門、排場了。」

大廳中暗淡的燈光，突然間大放光明，景物清晰可見。

無名氏哈哈一笑，道：「這才對，真是絕色美人，也要明火亮燈之下才能看得清楚。」口說著話，人已經跨進了大廳。目光到處，不禁一呆。只見十二個絕色的美人，分穿著四色衣服，分站在大廳四個方位，每組三人。

每一處距離，不過有十幾步遠，一丈多些。輝煌的燈火下，看得十分清楚：

第一組穿著粉紅色的衣服，粉紅羅衫、粉紅裙，一對小蓮足，也穿著粉紅色的繡花鞋。

第二組一身綠，翠綠衫裙、翠綠鞋。

第三組一身黃，黃綾羅裙、黃綾鞋。

第四組一身白，白衣如雪，白得不見一點雜色。

十二個人，個個都當得美人之稱，右手中提一條兩尺多長的汗巾，和身上的衣服顏色一樣。二十四雙美麗的大眼睛，不停地轉動，在無名氏的身上溜來溜去。

無名氏在那十二位佳麗的眼波流轉之下，不自覺地有一種飄然欲醉的感覺。

心生警覺，立時移開了目光，冷冷說道：「你們可有一個領頭的人麼？」

一個身著翠綠羅衣少女，蓮步姍姍地行過來，欠欠身，道：「爺有什麼吩咐？」燕語鶯聲中，飄過來一股奇香，中人欲醉的奇香。

無名氏冷冷說道：「退後一些，別走得離我太近！」

綠衣女聽話得很，退後了三、四步，道：「爺！這地方可以麼？」

這時，俞秀凡和石生山也都行了進來。打量了廳中十二美女分站的形勢，竟是一個很嚴密的合搏陣勢。

無名氏道：「再退兩步！」

綠衣美女果然很聽話，又依言向後退了兩步。

無名氏突然感覺一陣迷惘，不自主地搖動了一下身軀。

俞秀凡快行兩步，輕輕在無名氏身上拍了一掌，道：「快退出廳去，調息一陣再進來。」

無名氏道：「公子，她們身上有一股奇異的香味，中人欲醉。」

口中說話，臉色卻突然飛浮出兩片紅暈，雙目也飛出了異樣的神采，盯在綠衣美女身上。

俞秀凡出手點了無名氏一處穴道，冷冷說道：「姑娘，是你弄的手腳麼？」

綠衣女黯然嘆息一聲，道：「婢子站在這裏沒有動過，能動什麼手腳？」

俞秀凡冷冷說道：「姑娘，用不著再要花招了，在下要告訴你一件事，那就是我出劍很快，快的像閃電一樣。」

綠衣女道：「我明白，不過，我們都是很可憐的女孩，你就是殺我們，我們也不會還手。」

俞秀凡道：「這麼說來，你們都不怕死了？」

綠衣女道：「怕！世界上沒有不怕死的人，我們都這麼年輕，死了不是很可惜麼？」

俞秀凡突然間有著一種茫然的感覺，不知該如何處置目前這群女孩，皺皺眉頭，道：「你們如若真的都是被迫害而來的，現在，你們都可以走了。」

綠衣女搖搖頭，笑道：「爺！我們如若能走，那就不會來了。」只見她柳腰款擺，舉步向前行來。

忽然間，俞秀凡聞到了淡淡的幽香，俞秀凡冷哼一聲，一面閉氣，右手一抬，拔劍擊出。

但見寒芒一閃，那向前行來的綠衣女子，啊喲一聲，停下了腳步。

凝目望去，只見那綠衣女頭上青絲飄落了一地，而且還賠上了一隻左耳，鮮血淋了一臉。

俞秀凡還劍入鞘，冷冷說道：「姑娘，我說過，我的劍很快。」

綠衣少女本來極爲美艷，但此刻看起來，就完全不是那麼回事了。她呆呆地站著，任憑鮮血由臉上滴落在前胸之上，放聲痛哭。

俞秀凡一皺眉頭，道：「你們都可以不死，退回去，找你們的頭兒，那些該死的人出來。」

綠衣女道：「我們十二個人，先請公子慈悲。」

俞秀凡道：「什麼意思？」

綠衣女道：「希望公子的快劍，能讓我們死得痛快一些。」

俞秀凡怒道：「你們可是覺著，我不敢殺你們？」

綠衣女道：「公子錯了。我們只是求你慈悲，讓我們少些痛苦。」

俞秀凡道：「哦！你們真的不怕死？」

綠衣女淚如泉湧，道：「別的姊妹，我不知道，但我怕得很，我的心在跳，全身在顫動。」

俞秀凡道：「你既然怕死，爲什麼不讓避開去？」

綠衣女搖搖頭，道：「公子也許不知道，因爲你是強者。這世間一直是弱肉強食。所以，你不知道，世界上有很多比死亡還要痛苦的事，因此，死雖然可怕，我們寧可選擇死亡。」

俞秀凡道：「這是你一人之意呢，還是所有人的想法？」

但聞，另外十一個少女，齊聲應道：「我們都是一樣，願死在公子的快劍之下。」

俞秀凡暗暗忖道：千古艱難唯一死，這些人，竟然連死都不怕，不知造化城主，用的什麼方法，竟然使她們如此畏懼。

他心中明白，此刻決不能有一點心慈手軟的表示，他已發覺到，這些美麗少女，身上散發出幽香，可能就是對付自己一行的手段。

只有硬起心腸，道：「你們聽著，沒有我同意之前，任何人不可離開原地一步。」

一揮手，道：「咱們走！」轉身向外行去。

綠衣女突然尖聲叫道：「站住！」

俞秀凡回過頭，道：「什麼？」

綠衣女道：「你不肯殺我們，我們也不能活下去。」

俞秀凡道：「是。你們死定了。不過，我不想殺你們。」

綠衣女道：「你這人一點也不仁慈。」

俞秀凡道：「諸位如是一定要死，死的方法很多，難道一定要死在俞某人的劍下麼？」

綠衣少女突然一揚手，道：「你走了，我們死得更慘。」

俞秀凡右手一抬，長劍出鞘，寒光一閃，飛起了兩條斷臂。但謹慎的俞秀凡在長劍出鞘的同時，人已閉住氣，躍退八步。

一片粉紅色的粉末，隨著那綠衣女的兩條斷臂，飄飛而起，籠罩了數尺方圓。兩條斷臂，卻飛出一丈開外，撞在牆壁上，跌落下來。

俞秀凡卻已借機會躍出大廳，隨手一帶，砰然關上了廳門。抬頭看去，只見石生山扶著無名氏，站在那裏發愣。

俞秀凡大步行了過去，低聲道：「無名兄怎麼樣了？」

石生山道：「他全身發熱，血流迅快，似乎是得了什麼怪病。」

只聽一個清脆的女子聲音，傳了過來，道：「不是病，是中了春風散。」

俞秀凡轉頭看去，只見大廳門戶已被打開，一個全身粉紅衣著的少女，當門面立。

俞秀凡吁一口氣，道：「什麼叫春風散？」

紅衣少女道：「明白點說，春風散是一種很強烈的春藥，任何人，不論他定力如何強，都無法抗拒春風散的藥毒。」

俞秀凡道：「這麼說來，他是非死不可了？」

紅衣少女道：「只有一個辦法，可以救他的性命。」

俞秀凡道：「什麼辦法？」

紅衣少女道：「女人，只有讓他接觸女人，才可以救他之命。」

俞秀凡怒道：「好卑劣的手段！」

紅衣少女長吁一口氣，接道：「我們用的是天下最強的春藥，只要是人，他就無法忍受這種煎熬，這種痛苦。」

俞秀凡道：「好！說說看，你們有些什麼條件？」

紅衣少女道：「放下你的劍，請入廳中坐，我們姑娘想和閣下談談。」

俞秀凡道：「你們姑娘？」

紅衣少女道：「是，我們的姑娘，春風仙子。」

俞秀凡道：「春風仙子？」

紅衣少女道：「是，她像春風一樣，行蹤所到之處，帶來了一片春意，掀起了一片情海風波。」

俞秀凡道：「哼，看來這造化城中，是五花八門、無奇不有了。」

紅衣少女道：「俞少俠，你的朋友，支持不住了，你必須盡快地決定。」

俞秀凡道：「他如是真的不幸毒發死去，姑娘，那就有得你們的好看了。」

紅衣少女突然微微一笑，道：

「俞少俠，我們還有十一個人，你的劍雖然快速，但卻無法一舉把我們十一人全數殺死，我們站的方位，可以打出春風散，使你無法讓避。我們七、八條命，換了你俞少俠一條命，那是死得很值得了。」

俞秀凡道：「看來諸位很看得起我俞某人，不過，你們別把算盤打得太如意，春風散雖然惡毒，但必須吸入腹內才能發作，在下可以閉氣一個時辰以上，春風散對我構不成威脅。」

紅衣少女臉色一變，沉吟不語。

俞秀凡接道：「但在下不願損失一位朋友，我可以和你們姑娘談談，你們姑娘和俞某人最大的不同，就是俞某人不願輕易犧牲掉一位朋友性命。」

紅衣少女聳然動容，望了俞秀凡一眼，欲言又止。

俞秀凡察顏觀色，發覺自己的嚇唬、挑撥，已生出了相當的效力，暗暗吁一口氣，又道：「我把這位朋友交給你，不管你們用什麼方法，我要他保留下性命，保住武功，不能有毫髮之傷。」

紅衣少女沉吟了一陣，道：「我作不了主。」

俞秀凡道：

「去請示能作主的人。不過，我要我的朋友，不受傷害。如是他受到了任何傷害，咱們就不用談了。記著！我是個不受威脅的人，也是個誠實的君子，我不會說謊，只要我的朋友受到了任何傷害，咱們就不用談了，我要大開殺戒！」

紅衣少女道：「你已經用夠了威嚇的手段，不過，我已經告訴你作不了主。」轉身行入廳中。

俞秀凡回頭看去，只見無名氏雙目赤紅如火，神情間的痛苦之狀，流露無遺。暗暗嘆息一聲，頓有著心急如焚的感覺。

那紅衣少女入廳片刻，重又行了出來，道：「我們姑娘答應了，把你的朋友交過來。」

石生山望了俞秀凡一眼，道：「公子，無名兄……」

俞秀凡接道：「不論她們要用什麼手段，救命要緊，送他過去。」

石生山抱起無名氏，緩步向廳中行去。

紅衣少女冷冷說道：「站住，用不著你送他過來。」

石生山停下腳步，道：「他不能動。」

紅衣少女道：「他中了春風散，人並未暈迷過去，解開了他的穴道，他自己就會過來。」

石生山放下了無名氏，拍活他身上穴道。

紅衣少女道：「你們仔細的看一看，在欲焰焚燒中，男人的醜態……」

話未說完，突聞無名氏大吼一聲，餓虎撲羊一般，直向那紅衣少女撲了過去，雙臂一張，猛抱那紅衣少女。

紅衣少女一閃身，避開了無名氏的撲擊之勢。

無名氏卻快速地衝入了大廳之中。

紅衣少女冷笑一聲，道：

「看到麼？他像渴驢奔泉，那是人性的本能，潛伏在另一面的獸性。這時，別說你們是他的朋友，就是他的兄弟父母，他也不會聽你們的招呼。」

俞秀凡道：

「姑娘，你既然作不了主，咱們本不用多費唇舌了。不過，我只想糾正你一句話。人性有很多弱點，必須要理性和意志，去擇善固執。藥物亂性，算不得什麼丟臉的事。」

紅衣少女眨動了一下眼睛，道：「希望你能說服我們的姑娘。」

側身退後三步，接道：「請進！」

俞秀凡長長吸一口氣，納入丹田，緩步向廳中行去。

石生山目睹無名氏的悲慘際遇，心中忽生寒意，低聲道：「公子，我也要進去麼？」

俞秀凡道：「不用了，你守在廳外。」

突然放低了聲音，接道：「石兄，我如不幸步上了無名兄的後塵，中了春風散，我會盡全力搏殺這些女魔。但我怕力不從心，所以，你要在我藥力發作時，點我死穴。我不能在她們面前出醜。」

石生山道：「公子內力精湛，春風散如何能夠傷得？」

俞秀凡苦笑一下，道：「不能不防，記著我的話！」

正想舉步入廳，瞥見站在三尺外的紅衣少女口唇啓動，用極度低微的聲音，說道：「不能進入廳中，春風散的香氣，一樣能使人心神迷醉。」

俞秀凡半聽半猜的了解那紅衣少女的意思，但他並未立刻停下腳步，向前行了五步，越過那紅衣少女，才突然停了下來。

轉眼望去，只見一個二十五、六歲的少婦，端坐在一張木榻之上。她穿著一身金光閃閃的衣服，俞秀凡竟看不出是用什麼質料做成。在她面前三尺處，擺著另一張木椅，虛位相待，顯然是留給俞秀凡的。

目睹俞秀凡停下了腳步，金衣婦人，突然輕啓櫻唇，說道：「怎麼不過來？」聲頗嬌媚，充滿著一股強烈的誘惑。

俞秀凡冷笑一聲，道：「春風散很可怕，在下不想冒險。」

金衣婦人笑道：「原來，你有些害怕了。」

俞秀凡淡淡一笑，道：「夫人！在下一向不受激，別打算讓我生氣。」

金衣婦人嫣然一笑，道：「好！你準備怎麼辦？」

俞秀凡道：「解去我朋友身中的春風散毒，我們離開。」

金衣婦人道：「我手下春風十二釵，被你殺傷了一人，難道就這麼白白算了？」

俞秀凡道：「夫人，你不要誤會，咱們不是談條件，你如不救活我的朋友，春風十二釵，還有十一個人，也要血濺當場，包括你夫人在內，是十二條人命。」

金衣婦人道：「你好大的口氣。」

俞秀凡道：「夫人，爲什麼不試試看！」

金衣婦人霍然站起身子，道：「俞少俠，你欺人太甚了！」

俞秀凡道：「在下見識過貴門的手段，那份惡毒、冷酷，使在下自嘆弗如。」

金衣婦人突然舉步向前行來，俞秀凡抬手握住了劍把。

突然間，金衣婦人一揚手，兩團白影閃電一般地直射過來。俞秀凡長劍一揮，斜裏斬去。劍出如風，橫裏斬斷了兩團白影。但那兩團白影被利劍斬過之後，突然飛灑出一片茫茫白煙。

俞秀凡有著很深的警惕之心，劍勢觸及飛來之物，已然覺著不對，一面閉住氣，一面翻身一躍，退出大廳。

金衣婦人格格一笑，道：「俞秀凡，不要你朋友的性命了麼？」

俞秀凡強按下心頭怒火，冷冷說道：「夫人可是準備毀約？」

金衣婦人道：「談不上什麼悔約，大小我也是一教之主，說出口的話，怎能夠不算。」

俞秀凡道：「你既然準備踐約，那就交出我的朋友。」

金衣婦人又是一陣嬌笑，道：「姓俞的，我們答應你治好他身中的春風散毒，然後由你帶走，對不對？」

俞秀凡道：「不錯。」

金衣婦人道：「那就不錯了，我們把他放在這座大廳中，你自己把他帶走。」

俞秀凡呆了一呆，道：「你們在廳中施放春風散？」

金衣婦人道：「就算你猜對了，你有什麼法子救他出去？」

俞秀凡冷冷道：「春風仙子，你爲人的惡毒，實是死有餘辜，早晚你要做我劍下之鬼。」

春風仙子道：

「俞秀凡，我告訴你，就算你是柳下惠重生還魂，不論有多深的內功，只要你中了春風散，你就會和你的朋友一樣。天下能夠解得春風散的，只有我配製的獨門解藥，你不信，就試試。」

俞秀凡道：「春風仙子，你把他置於大廳，在廳中施放春風散，豈不是又讓他中了毒？」

春風仙子道：「這就是春風散的奧妙之處。凡是中了春風散的人，除了服用本門的解藥之外，只有女人可以解除他身中之毒。中毒後，他有著無比的痛苦，但解毒時，他也會享受到從未享受過的快樂。」

俞秀凡冷哼一聲，道：「住口，我的朋友現在何處，爲什麼不把他送過來。」

春風仙子道：「他現在正置身飄飄欲仙中，麻煩你俞少俠忍耐的等等吧！」

俞秀凡目光一掠那站在廳門口的紅衣少女，緩緩向後退了五尺，肅然而立。

過了一會兒，只聽一個女的聲音，傳了過來，道：「俞少俠，可以來看看你的朋友了。」

俞秀凡吸一口氣，納入丹田，舉步向前行去。

只見大廳正中，一張太師椅上，坐著無名氏，他微閉雙目，似是睡得正甜。兩側，排著春風十釵，春風仙子，卻站在無名氏的身後。

這是一個嚴密無比的陣勢，任何人只要接近無名氏，都無法逃出那春風十釵的春風散。那穿紅衣的少女，仍然站在大廳門口。

俞秀凡摒住呼吸，向前行去。

耳際間突響起了一種如蚊蚋的聲音，道：「公子，相信我，別回頭，也別動，保持原速，向前面走去。」

請續看《金筆點龍記》第三冊

臥龍生武俠經典珍藏版 30

金筆點龍記（二）

作者：臥龍生
發行人：陳曉林
出版所：風雲時代出版股份有限公司
地址：10576台北市民生東路五段178號7樓之3
電話：(02) 2756-0949　　傳真：(02) 2765-3799
執行主編：劉宇青
美術設計：許惠芳
行銷企劃：林安莉
業務總監：張瑋鳳
出版日期：臥龍生60週年珍藏版 2023年3月
版權授權：春秋出版社呂秦書
ISBN ：978-986-5589-83-7
風雲書網：http://www.eastbooks.com.tw
官方部落格：http://eastbooks.pixnet.net/blog
Facebook：http://www.facebook.com/h7560949
E-mail：h7560949@ms15.hinet.net
劃撥帳號：12043291
戶名：風雲時代出版股份有限公司

風雲發行所：33373桃園市龜山區公西村2鄰復興街304巷96號
電話：(03) 318-1378　　傳真：(03) 318-1378
法律顧問：永然法律事務所 李永然律師
　　　　　北辰著作權事務所 蕭雄淋律師

行政院新聞局局版台業字第3595號 營利事業統一編號22759935

定價：320元　

國家圖書館出版品預行編目資料

金筆點龍記／臥龍生 著. -- 臺北市：風雲時代出版股份有限公司，2021.06- 冊；公分（臥龍生武俠經典珍藏版）

ISBN：978-986-5589-82-0（第1冊：平裝）
ISBN：978-986-5589-83-7（第2冊：平裝）
ISBN：978-986-5589-84-4（第3冊：平裝）
ISBN：978-986-5589-85-1（第4冊：平裝）

863.57　　110007333